CB018769

No labirinto da literatura,
somos resgatados pelo fio da narrativa.

Anónimo, «De asterionis fabula»

O PAI DA BRANCA DE NEVE

TÍTULO ORIGINAL: *El Padre de Blancanieves*

© BELÉN GOPEGUI, 2007

TRADUÇÃO: Miguel Serras Pereira

REVISÃO: Marcelina Amaral

DESIGN: FBA

ILUSTRAÇÃO: Ana Boavida

DEPÓSITO LEGAL Nº 306558/10

PAGINAÇÃO: Rita Lynce

IMPRESSÃO E ACABAMENTO: Gráfica de Coimbra

PARA Edições 70, Lda. EM Fevereiro de 2010

ISBN: 978-972-44-1549-9

MINOTAURO É UMA CHANCELA DE EDIÇÕES 70

Direitos reservados para Portugal por Edições 70.

Edições 70, Lda. – Rua Luciano Cordeiro, 123, 1.º Esq.º, 1069-157 Lisboa, Portugal | Tel. 213 190 240 | Fax. 213 190 249 | E-mail: geral@edicoes70.pt
www.edicoes70.pt

Esta obra está protegida pela lei. Não pode ser reproduzida, no todo ou em parte, qualquer que seja o modo utilizado, incluindo fotocópia e xerocópia, sem prévia autorização do Editor. Qualquer transgressão à lei dos Direitos de Autor será passível de procedimento judicial.

Biblioteca Nacional de Portugal – Catalogação na Publicação

GOPEGUI, BELÉN, 1963-

O Pai de Branca de Neve
ISBN 978-972-44-1549-9

CDU 821.134.2-31"19/20"

BELÉN GOPEGUI

O PAI DA BRANCA DE NEVE

TRADUÇÃO
MIGUEL SERRAS PEREIRA

MINOTAURO

A Margarita Durán e a Luiz Ruiz de Gopegui

A Tatiana Delgado Plasencia, sem saber o porquê desta história

A Ignacio Echevarria, pelo uso do critério

Observem o voo da abelha. Vai de flor em flor, faz as suas libações. Dão-se conta de que ela transporta nas suas patas o pólen de uma flor para o pistilo da outra. Podem lê-lo no voo da abelha. Num voo de aves que voam baixo — chama-se um voo, mas na realidade é um grupo a certa altura — lêem que se aproxima uma tempestade. Mas, acaso, o lerão elas também? Lerá a abelha que serve a reprodução das plantas fanerogâmicas? Lerá a ave o augúrio da fortuna, como antes se dizia, ou seja, da tempestade? É essa a questão. Bem vistas as coisas, não se pode afirmar que a andorinha não leia a tempestade, mas também não é certo que o faça.

JACQUES LACAN, *"La función de lo escrito"*, El seminario de Jacques Lacan. Libro XX: Aún [Encore], 1972-1973, texto estabelecido por Jacques-Alain Miller, Paidós, Buenos Aires, 1998

O jogador de futebol deve entender o seguinte, que é fundamental para a sua vida: para que joga e para quem joga. É o que tem de perguntar e de responder a si próprio.

César Luis Menotti, *Fútbol sin trampa.* En conversaciones con Ángel Cappa, Muchnik Editores, Barcelona, 1986

1

SUSANA. IDADE: 20 ANOS. Altura: 1,62 m. Estudos: Escola Técnica Superior de Engenheiros Agrónomos, quarto ano. Olhos: mesclados de verde, amarelo e cinzento. Usa: lentes de contacto. Milita desde 2004.

SUSANA À ASSEMBLEIA

Precisamos, como às vezes dizemos, de informações sobre o mundo, sobre o que acontece nas escolas, nos hospitais, nas fábricas, nas esquadras, em cada empresa. Mas talvez também precisemos de algumas informações sobre as casas.

Noutro dia passou-se alguma coisa em minha casa. A minha mãe tinha ligado para o supermercado para se queixar de não lhe terem levado um pedido a tempo. No dia seguinte tocaram à campainha, era o distribuidor do supermercado, um equatoriano. Disse que por culpa da chamada dela o tinham despedido e que se ela não conseguisse que o readmitissem, a minha mãe seria para sempre responsável pelo que lhe acontecera a ele e à sua família. Ele encarregar-se-ia de lhe recordar essa responsabilidade.

Depois de várias visitas a minha mãe conseguiu falar com o gerente do supermercado, que lhe explicou que era impossível readmiti-lo: tinham contratado outra pessoa e não iam despedi-la. Vocês imaginam que durante todos aqueles dias a minha mãe não parava de encontrar o equatoriano no bairro; um dia viu-o também perto da escola onde dava aulas.

O meu pai queria chamar a polícia, mas a minha mãe proibiu-o de o fazer. Pediu-lhe ajuda para encontrar outro emprego para o distribuidor. O meu pai não achava graça nenhuma à história, não queria comprometer-se recomendando um indivíduo que não se conformava com um despedimento e perseguia uma pessoa como a minha mãe. Há três dias estava eu a olhar pela janela e, à esquina da rua, vi o meu pai a conversar com um homem baixo, moreno, que tinha na cabeça um boné de pala azul. O meu pai é bastante calmo, mas não suporta as intromissões. Pensei que podia estar a ameaçar o equatoriano. Mas ontem soube pela minha mãe que o meu pai lhe tinha arranjado trabalho numa frutaria bastante longe de nossa casa.

Nós podíamos tentar uma coisa parecida. Levar as consequências dos problemas aos lugares onde nascem. Precisamos de tudo o que estamos a fazer agora, a luta, a reflexão, a organização. O que proponho é pormos, além disso, a funcionar uma célula produtiva que nos permita elaborar coisas. Não tratarmos só, por exemplo, das condições em que se trabalha, mas também do que se faz enquanto se trabalha. Porque não havemos de poder intervir na escolha dos bens que vão ser produzidos? Porque havemos de permitir que seja uma minoria a apropriar-se dessa escolha e dos bens? Até agora tínhamos deixado estas perguntas para um futuro muito distante, depois de a relação de forças ter mudado. Mas vamos fazê-las agora. Não continuemos à espera.

COMUNICADO I COM APRESENTAÇÃO

Vocês, sujeitos individuais, costumam referir-se a mim como assembleia embora às vezes também me chamem congresso, fórum, grupo de grupos, movimento. E não costumam ter muitas ocasiões de conversar comigo. Nós, os sujeitos colectivos, não falamos, mas em vez disso emitimos circulares, documentos, resoluções. Um comunicado é das coisas menos solenes que podemos emitir. Mas eu tomei a liberdade de acrescentar esta apresentação porque nós, os sujeitos colectivos, pensamos em nós próprios no singular e temos as nossas coisas. Preferências, bem vêem, manias, estribilhos que às vezes apanhamos, originalidades. Eu, por exemplo, além de o fazer no singular, tenho de me pensar a mim próprio no masculino. Acho que é porque desde pequenos nos ensinam que aquilo com que nos parecemos mais não é com os animais nem com os vegetais, mas com a) o plâncton, e b) os extraterrestres.

Nós, os sujeitos colectivos, não somos puros, nem perfeitos, somos considerados uns duzentos anos mais evoluídos do que os sujeitos individuais, mas duzentos anos não é muito tempo. Por isso também temos inércias históricas e quando ouvimos falar em extraterrestres pensamos sobretudo em extraterrestres masculinos, embora a expressão possa designar igualmente as extraterrestres, e o provável sujeito extraterrestre andrógino. Quanto ao meu caso particular, tal como alguns escritores célebres sofreram de audição colorida, eu sofro em certas ocasiões de uma espécie de audição animada. É o que não posso evitar com a palavra assembleia: vejo sempre uma mulher do século XVIII com um merinaque por debaixo do vestido, refiro-me a essa armação de varas de metal que usavam para pôr as saias em balão à altura das ancas. Digo assembleia e a fonética, o eme em particular, conduz-me ao momento em que a senhora assembleia se prepara para se sentar: Que diabos fará ela agora com a armação, irá esmagá-la? Não me chamo a mim próprio assembleia, prefiro congresso ou colectivo, ou colectivo de colectivos. E costumo pensar-me como um extraterrestre ou como plâncton conforme os dias e a sua quantidade de luz.

O meu verdadeiro nome poderia ser na realidade sujeito colectivo D 68-06(17)n; só o uso em situações de extrema melancolia, que são raras. Um pouco mais habituais, embora também não demasiado, são as situações só de melancolia sem mais. As causas variam, mas há uma recorrente: eu sempre quis ser Centro de Biotecnologia Marinha. Isto que sou, movimento, congresso, colectivo de colectivos, não me desgosta, prefiro-o de longe a Fundación Caja Rioja ou a Clube de Futebol. No entanto, do mesmo modo que os sujeitos individuais fantasiam ir viver para uma aldeia ou montar uma livraria, também eu tenho os meus dias e vejo-me então como um centro estável, nem grande nem pequeno, com várias cúpulas por fora, com duas estufas dentro, tanques de cultivo, citómetros de fluxo e uma rede de plâncton. Suponho que o plâncton é uma das coisas que me atraem nesse destino, a outra é a estabilidade. Ao contrário do que diz a canção, eu não "tenho alma de marinheiro": gostava de poder continuar sempre no mesmo sítio, e imagino-me centro de biotecnologia marinha como um submarino do Capitão Nemo, mas em versão edifício imóvel, firmemente preso à terra embora com uma dependência ou outra debaixo de água.

Outros sujeitos colectivos disseram-me que me desengane, os centros de biotecnologia marinha pouco mais estáveis são do que os clubes de futebol, também os agitam paixões, divisões, empresários e políticos perturbam-nos do mesmo modo. Não me importo, estou pronto a suportar esses inconvenientes. Possuo um temperamento de pessoa pensativa e não há quem me convença de que um CBM não reuniria as condições idóneas para mim. Se algumas tardes pareço distraído, sabem que me veio à cabeça a imagem de um centro de biotecnologia marinha situado nalguma ilha do planeta e fico a cismar, a cismar.

O que não significa que renegue o meu estado actual, muito longe disso. E é por isso que os seres como eu não temos boa fama. Os partidos, movimentos, assembleias, organizações e colectivos somos acusados de fazer qualquer coisa como afogar a individualidade, diz-se que somos férreos e impomos o mesmo molde de sapato a todo o momento.

Costumo lembrar aos meus detractores o fenómeno da timidez. Quando um sujeito individual se declara tímido, é provável que assista às tertúlias livre da necessidade de falar, uma vez que é tímido; quer dizer, a sua própria timidez fará com que quase nunca se veja obrigado a desenvolver recursos visando vencê-la, com o que o seu medo de abrir fogo aumentará em diferentes circunstâncias, e a serpente morderá assim a cauda. O cérebro humano individual necessita de simplificar, não pode estar continuamente a precisar os termos: nalgumas situações, com certa frequência, etc. Mas quando a simplificação se projecta sobre os traços de carácter e se precipita sobre o sou tímido ou sou impulsivo ou sou ciumento, torna-se demasiadas vezes um "é que, como sou tímido...", que impede a evolução.

Muito longe dessas pequenas servidões, nós, os sujeitos colectivos, reunimo-nos e acordamos muitas vezes modificar-nos: por exemplo deixarmos de ser seres com espírito de lucro, ou maoístas, ou centralistas democráticos. Não somos férreos – como poderíamos sê-lo se a nossa natureza é a única capaz de se desmaterializar e voltar a materializar sem que a morte se ponha de permeio? Suponhamos o caso de um colectivo político, ou sindical: onde está ele quando não está no seu sexto congresso ou na sua resolução número quinze ou na reunião de quinta-feira à tarde do pequeno agrupamento? Nas suas instalações, se é que as tem, nos seus estatutos, nos seus militantes? Sim e não; mas, sobretudo, não. Cada uma dessas coisas é cada uma dessas coisas, não é o colectivo. O colectivo desmaterializou-se e está somente na promessa de voltar a materializar-se. O que é uma coisa que pode acontecer ou não acontecer..., e chamam-nos férreos.

Não digo que não tenha havido resoluções duras, férreas até, de diferentes colectivos. Mas isso tem a ver com as resoluções, e não com o facto de terem sido emitidas por colectivos, pois quantas resoluções férreas individuais não há nesta vida, e por elas se apunhala, se engana e se fazem muitas outras coisas sem remédio.

Vi homens e mulheres baterem-se desesperados por siglas porque pensavam que era aí, nas siglas, que permanecemos, nós, os sujeitos colectivos, quando nos desmaterializamos. Não, não estamos nas siglas. O que se mantém é a informação, dizem alguns. Bom, pode ser que seja assim no caso dos raios *laser* ou no processo de conversão de documentos materiais em documentos virtuais, ou processo de desmaterialização, como também se lhe chama agora. Mas quando um colectivo se desmaterializa não basta que permaneçam as siglas nem a informação. O colectivo vive na promessa de voltar a materializar-se.

Bem sei que a promessa é um conceito desvalorizado. Mas que havemos de fazer, se não há outro? Uma promessa, uma intenção que dure. E se não durar, o último que apague as luzes.

Fim da apresentação; abandono o plâncton, deixo para trás os citómetros de fluxo, os seus depósitos de líquido envolvente e os seus reguladores de pressão. Há sujeitos humanos que sonhavam ser conservadores de bosques no Alasca e para aí andam, carregando trinta e dois anos de correios bancários numa circunscrição de Madrid. Nós, os sujeitos colectivos, não somos muito diferentes. Talvez eu nunca venha a tornar-me Centro de Biotecnologia Marinha. Uma vez que hoje sou de facto um colectivo de colectivos com um orçamento ínfimo e uma percentagem não muito baixa dessa intenção que dura, terei de adaptar-me a um programa de vida mais aguerrido e mais incerto.

Era o segundo dia de reuniões. A assembleia começara sexta-feira à tarde e terminaria domingo às duas horas, para dar tempo aos que tivessem de viajar. Havia cinquenta e sete delegados; embora a assembleia fosse formada por sessenta e três grupos, seis deles tinham faltado por diferentes motivos. Era uma assembleia, não um congresso, não havia actualização de estatutos a fazer. Tratava-se de uma tentativa de estabelecer dois ou três princípios de unidade de acção para grupos de origem, meios e capacidade muito diferentes. Só umas quinze pessoas tinham mais de quarenta anos.

Os delegados e as delegadas não traziam qualquer mandato das suas organizações e nada do que se deliberasse na assembleia seria vinculativo. No entanto, seria de facto uma proposta aquilo que as organizações teriam para debater. Embora não fosse um congresso, também não era um fórum. Tinham convocado a assembleia porque esperavam encontrar pontos de união suficientes e, no devido momento, ser capazes de agir em vista de um mesmo fim.

Uma residência universitária cedera-lhes parte das instalações, pedindo-lhes que tomassem a limpeza daquelas a seu cargo. Não sofriam de delírio. Sabiam que no globo terrestre a sua área de influência era uma superfície equivalente a uns dez por cento do Mónaco, ou talvez a dezassete por cento. Goyo tomou a palavra às dez e meia.

GOYO. IDADE: 26 ANOS. Estudos: Engenharia Química, doutorado há três anos. Trabalho: bolseiro. Filho único desde a morte do irmão. Barba: rala. Milita desde 2001.

GOYO À ASSEMBLEIA

Apoio a proposta da Susana. Acho que não é uma proposta para colectivos, mas para as pessoas que, pertencentes a colectivos ou não, queiram participar nessa corporação imaginária que poríamos em marcha.

Sugiro que essas pessoas assinem um documento. Pois embora fazendo pequenas acções, essas acções não podem ser aleatórias. Quer para uma manif apareçam novecentas pessoas, ou só trezentas, a manif vai de qualquer maneira por diante. Mas numa acção produtiva é preciso que as pessoas, mesmo que sejam só trinta, sejam presenças seguras. A assinatura deveria dar-nos direito a esperar essa segurança.

Porque é que acho bem que se aja sobre a produção? Ando há algum tempo às voltas com a questão do que se entende por normal e por não normal. A maior parte dos que aqui estamos pensam que a produção, tal como hoje é entendida, não é uma coisa normal. Implica um mal. Um abuso no ponto de partida. Quem trabalha não pode intervir na escolha daquilo que faz, nem na escolha do para quê e do para quem daquilo que faz. Estou de acordo com a Susana quando ela diz que não devemos ficar à espera de ser um dia tantos que possamos mudar a relação de forças. Embora continuemos a trabalhar nessa direcção, deveríamos questionar desde já a normalidade, questioná-la com actos.

Quando me perguntam porque não deixo de vez a nossa organização, digo que me faz falta. Muitas pessoas precisam dela, e cada uma delas por um motivo diferente. Os motivos podem às vezes parecer pessoais. E talvez a princípio o sejam. Depois tudo se funde. Há alguma coisa que se passou na nossa vida que fez com que fôssemos não normais, que nos ensinou a olhar a vida de um outro lugar.

Mas a realidade conta, lá isso temos de o dizer. Os normais, por exemplo, existem. Os normais tiveram contratempos como perder um comboio, chorar por causa de um amor traído, ver morrer o avô ou estar no desemprego e sem ganhar durante meses. Mas tiveram, apesar de tudo, sorte na vida, apanharam o comboio seguinte, encontraram outro amor, viram morrer o avô mas não o filho nem a filha, acabaram por arranjar trabalho, nenhuma faca os cortou por dentro. E connosco, que se passa? Não somos diferentes. Temos uma certeza, e é tudo. Sabemos que assim não, que a sociedade, tal como está organizada, não. Sabemos que a amargura não é uma solução.

Os não normais que nós somos, aprendemos a ver os outros não normais, os que têm pânico de ser despedidos, ou os que ouvem dizer que o seu país é um país subdesenvolvido e não que outros países cresceram à custa da exploração do deles. Vimos o que nos caía em cima, viver pior a fazer coisas estúpidas e prejudiciais porque assim nos era imposto, por submissão. Demos a volta a isso. Agora. E passou o tempo em que acreditávamos que não havia saída. Vamos produzir, nem que sejam duas lâmpadas, três gramas de pasta de algas, ou logo pensamos de quê, mas temos de o fazer depressa. Pelo caminho poderemos aprender alguma coisa sobre como produzir, também, outro horizonte.

Enrique. Idade: 49 anos. Trabalho: analista de sistemas numa multinacional. Olhos: mesclados de verde, amarelo e cinzento. Com quem se dá: casais que levam os filhos à mesma escola a que ele leva os seus, alguns colegas de trabalho e do trabalho da sua mulher. Pai de: Susana, Marcos, Rodrigo. Não milita.

ENRIQUE A GOYO

Sim, nós, os normais, existimos, Goyo. Eu sou um deles. Não fui à assembleia, não pertenço a nenhum grupo anticapitalista, comunista, socialista. E também a nenhum capitalista, ou a um partido político; nem sequer faço parte de uma associação gastronómica. Não estou com isto a insinuar que a maioria dos normais não se integre em organizações; pelo contrário, suponho que alguns de nós pagam as suas quotas nos grandes partidos, ou se associam e fazem caminhadas ou jantares de antigos alunos.

Por isso não digo que associarem-se ou não se associarem seja uma característica dos normais. Na realidade, se tiver de escolher uma característica é a seguinte: não gostamos de escolher uma característica, não gostamos de generalizar, pensamos que cada um é como é, sentimo-nos um tanto incomodados quando tentam incluir-nos numa categoria e suportamos com paciência deduções do tipo: como não nos metemos em política, gostamos do futebol, ou somos individualistas, ou achamos bem o mundo tal como está.

Não fui à tua assembleia. Estou em minha casa, uma boa casa da calle de Zurbano, mas não posso desinteressar-me da vossa reunião porque a Susana, a minha filha, está com vocês. É ela a causa de eu ter lido as tuas palavras na vossa página web. Vou responder-te. A ti, Goyo, não aos teus grupos.

Tenho quarenta e nove anos e três filhos, a mais velha tem vinte, o do meio dezasseis, o pequeno treze. Chamo-me Enrique, ganho o suficiente para já ter acabado de pagar a casa, os meus filhos têm saúde, a minha mulher é professora, eu trabalho numa empresa de desenvolvimento e manutenção de aplicações. O meu filho do meio é capitão de uma equipa de voleibol, o mais pequeno gosta de ler banda desenhada. Procurámos – sim, sou dos que falam no plural quando se referem a questões como a educação dos filhos – limitar-lhes as horas de jogos de vídeo e também as horas de televisão. Não me sinto culpado do meu estilo de vida; quando compro alguma coisa ou quando arrendo um bom apartamento com piscina para o Verão não penso que estou a roubar o futuro a dez crianças sul-africanas doentes. Quando encho de gasolina o depósito do carro não imagino que a gasolina seja sangue, esse "sangue por petróleo" que aparece escrito nas pancartas de grupos como os teus. Enganei duas vezes a minha mulher, sem consequências. Se soubesse que ela me tinha enganado, ficava magoado, mas tentava não dizer nada. Lembro-me de ter lido há doze anos um livro de um francês, não me lembro do título nem do autor, mas sei que era uma história em que todos os personagens conheciam os segredos dos outros, e se calavam, apesar disso, para não perturbarem a sua felicidade; e o mais importante era que o conseguiam.

Se a minha existência desliza sem problemas por cima de uma superfície lisa, aplainada, porque me dedico nesse caso a responder à tua intervenção? Goyo, não acho que me fosses fazer esta pergunta. Nem me senti agredido com o teu discurso, nem me pareceste desses que pensam que nós, os normais, somos estúpidos, que aceitamos os artigos dos jornais como se fossem mapas, que a nossa vida é um passeio pelo campo a apanhar margaridas e que não há fendas nem temores, nem o chão se afunda às vezes sob os nossos pés.

Até há uns dias ter-te-ia dito que não fazer nada, aceitar certas imposições do quotidiano é, no meu caso, uma decisão voluntária. Por não fazer, eu entendo: não agir, não pretender interferir no rumo dos acontecimentos. As vossas interferências, a que sítio levam? Se são pequenas, a parte nenhuma. Simples fantasia: reúnem-se numa sala de actos como podiam ter feito uma excursão a Toledo. Mas vocês têm a tentação da grandeza, trabalham anos e anos e nem todos vocês suportam a persistência, a humildade, as manifestações de trezentas pessoas, os pequenos actos insignificantes. E é então que vos ronda a violência, esse atalho que causa desequilíbrio e horror.

Uns conhecidos meus tinham, por seu lado, uns amigos que estavam muito contentes porque o filho mais velho deles era um rapaz com inquietações, que lia e que se reunia com gente da mesma idade, tinha organizado uma marcha para defender as nascentes e impedir que fosse dada uma concessão de água mineral a uma empresa privada. Esses pais estavam, portanto, muito contentes, até que um dia apareceu a polícia lá em casa à procura de explosivos no quarto do rapaz com inquietações; era acusado de ter enviado cartas-bomba. Atenção, não vou exagerar, estas coisas, eu sei, são excepcionais, mas tens de reconhecer que acontecem. Tens de reconhecer que não são os rapazes que, como os meus dois filhos, jogam voleibol ou lêem bandas desenhadas do Mortadelo que correm o risco de acabar a partir os vidros dos bancos ou a enviar cartas armadilhadas com bombas.

Em contrapartida, como tu sabes, a Susana está num dos grupos da tua assembleia. Espero que entendas porque é que a Susana me preocupa. Deve ser frustrante para vocês reunirem-se durante meses e meses, anos e anos, e nada se passar, distribuírem fotocópias que toda a gente deita fora sem as ler, conseguirem três votos nas eleições ou nem sequer irem às urnas, estarem contra a reforma laboral e contra o que acabe por ser aprovado, serem a favor do ensino público e verem como ele se deteriora e verem que tanto faz que esteja este ou aquele partido no governo, porque as coisas não dependem dos partidos, mas de uma ordem económica europeia e mundial.

Queimam-se carros na periferia parisiense mas nada se passa, manifestam-se mais de três milhões de pessoas no centro de Paris contra o contrato de primeiro emprego mas também nada se passa; travar uma lei não significa que se passe alguma coisa, os conteúdos dessa lei serão repartidos por várias outras leis durante alguns anos. Para que se passe alguma coisa é preciso inverter-se uma tendência e nem vocês nem os vossos grupos são capazes de a inverter. E se o fossem, Goyo, serás capaz de me dizer que não tinhas medo? Claro que tinhas. Não penses que vou falar-te agora do livro negro do comunismo. Também o capitalismo tem o seu livro negro. Quanto à natureza humana, suponhamos que é possível melhorá-la, suponhamos que a bondade está ao alcance da maioria. Achas realmente que vocês poderão ter alguma influência no sentido de isso ser conseguido? Corrupção, abusos, gente que se excede no uso do poder: achas que vocês são diferentes, que a vocês precisamente nada disso pode acontecer? Pensas que vale a pena entrar numa organização e dedicar a vida para que sejam uns em vez de outros a terem a possibilidade de se corromper e de abusar?

Suponhamos que as proporções são transformadas e que o poder é mais bem repartido – valerá a pena o esforço? Porque se tiver de ser assim, se tiver de chegar o momento da mudança de turno e os indígenas ou os africanos exigirem a sua parte, então isso há-de acontecer mesmo que vocês não façam nada. E para já, aqui, em Espanha, uma mudança de tendência é pura ficção científica.

Não tens medo porque no fundo sabes que a responsabilidade nunca será tua. Reuniões, cartas de apoio, fotocópias, concentrações: vocês são uma nota de cor na paisagem. Se desaparecessem a maior parte das pessoas não dava por isso; talvez alguns de nós sentíssemos uma certa nostalgia, mas nada mudava.

Educar bem os meus filhos, procurar ser delicado, defender-me, defender os meus, ser um bocado filho-da-puta quando as circunstâncias o exigem, não interferir em assuntos que estão fora do meu raio de acção, pagar o mínimo de impostos possível, gozar a vida, evitar a crueldade gratuita. São estes os meus preceitos. Não os registei num documento porque sou eu quem espera isso de mim. Sinceramente penso que com eles contribuo para o equilíbrio, coisa que os gatos não fazem quando deixam de caçar ratos. E é possível que três ou quatro vezes por ano sinta inveja de ti. Também me acontece ouvir a história do aventureiro fechado numa base da Antárctida, ou a de um amigo que está a deitar a sua vida a perder por causa de uma paixão obsessiva. Não são situações que queira para mim; mas é verdade que, por uns segundos, me parecem extremamente desejáveis. Invejo a intensidade? A certeza? Repito que não queria essas vidas, mas atrai-me a ideia de as poder viver. Até que veio o sábado passado e, ao voltar para casa, dou com a Manuela, a minha mulher, a chorar. A Susana já vos contou, mas dá-me licença que aprecie melhor os detalhes.

O facto seria cómico se não tivesse começado a destruir a vida da Manuela. É ridículo, valha-me Deus, é de um absurdo peregrino e apesar disso a minha filha Susana diz que é lógico. E não só lhe parece lógico como espera que outros factos do mesmo género se multipliquem. Quando a minha mulher fez o pedido para o supermercado disse que ia estar em casa até às quatro e perguntou se lho podiam levar antes dessa hora. Disseram-lhe que não havia problema. Às quatro e meia o pedido ainda não tinha chegado. A Manuela ainda esperou mais dez minutos e depois saiu. Voltou por volta das oito, ligou para o supermercado para se queixar e reclamar o pedido, mas de lá disseram-lhe que não o tinham, que estava registado que a entrega tinha sido feita. A Manuela lembrou-se de perguntar aos vizinhos: com efeito, o pedido lá estava. O que a Manuela fez foi ligar para o supermercado para comunicar o sucedido e queixar-se da falta de seriedade, não estava certo que se atrasassem e depois deixassem as coisas noutro andar sem sequer a avisarem, um pedido com produtos congelados que os vizinhos não tinham guardado porque não sabiam que lá vinham. A maior parte dos congelados tinha-se estragado. Do supermercado pediram-lhe desculpa garantindo-lhe que uma coisa assim não tornaria a acontecer. Isto foi numa sexta-feira.

No sábado de manhã fui jogar ténis como faço todos os sábados. Quando voltei encontrei a Manuela a chorar. Estava sozinha, a Susana devia ter ido a uma das vossas reuniões, o Marcos tinha treino de voleibol e o meu filho mais pequeno estava a passar o fim-de-semana com um amigo. A Manuela contou-me que às dez horas tinham tocado à campainha. Pensou que era eu, por me ter esquecido de levar alguma coisa, e foi abrir vestida só com a camisa de noite. O equatoriano disse-lhe que era o distribuidor do supermercado. A Manuela respondeu que já tinha o pedido. E ia para fechar a porta, mas o equatoriano impediu-a:

– Não foi por isso que aqui vim – disse ele. – Você ontem fez um telefonema a queixar-se, e eles despediram-me.

A Manuela escandalizou-se. A última coisa que pretendia quando telefonou era que despedissem alguém. Queixara-se do supermercado. Se o homem não tinha chegado a tempo o problema era do supermercado, por não contratar distribuidores suficientes.

– Mas a mim despediram-me – disse o equatoriano.

A Manuela sentia-se incomodada por estar descalça e em camisa de noite. Pediu ao homem que se fosse embora, disse-lhe que ia telefonar para o supermercado depois de se vestir e que lhes pediria que corrigissem a decisão. O equatoriano concordou com um movimento da cabeça. A Manuela fechou a porta. Ligou para o supermercado, mas não lhe deram ouvidos. Ela perdeu um bocado as estribeiras, disse-lhes que não tinham o direito de despedir fosse quem fosse, ameaçou-os com uma exigência de devolução do preço dos congelados e acabou por ficar sem palavras. Por volta do meio-dia dispôs-se a sair à rua. Ao abrir a porta, teve um sobressalto. Estava ali o equatoriano.

– O que é que eles lhe disseram? – perguntou ele.

– Vão ver o que podem fazer – mentiu a Manuela. – Por favor – pediu-lhe –, não fique aqui. – Ao ver que o equatoriano não dizia nada acrescentou: – Não gostava de ter de avisar a polícia.

– Não lhe basta que eu tenha sido despedido por sua culpa. Também quer que me prendam.

– Não, não, como é que pode pensar uma coisa dessas? Mas veja se percebe que não pode ficar aqui.

Chegou o elevador. A Manuela abriu a porta e não pôde impedir que o equatoriano entrasse com ela.

– Agora sou responsabilidade sua – disse o equatoriano.

A Manuela não lhe respondeu fosse o que fosse antes de saírem da porta do prédio.

– Lamento muito o que se passou – disse ela. – Deve compreender que não foi por minha culpa. Que queria que eu fizesse? Não ter dito nada? Eu não estava a atacá-lo, só estava a queixar-me ao supermercado. O mundo tornava-se assustador se nunca pudéssemos protestar por nada porque o nosso protesto poderia provocar o despedimento de alguém. Ficávamos completamente nas mãos das empresas. Você tem de se ir embora, repito. senão eu tenho de chamar a polícia.

– Faça com que me readmitam – disse o equatoriano. – Se chamar a polícia e eles me prenderem, vou escrever-lhe cartas da cadeia. Digo à minha mulher que lhe mande fotografias dos meus filhos. A minha mulher e os meus filhos hão-de vir vê-la. Se os deportarem por você fazer também queixa deles, outras pessoas hão-de vir. Se os meus filhos ou a minha mulher adoecerem, você há-de saber. Se me acontecer alguma coisa, você há-de saber.

– Tenho de me ir embora – disse a Manuela vendo um táxi livre. Mandou-o parar, enfiou-se dentro do carro e fechou a porta à pressa embora o equatoriano não desse qualquer sinal de querer entrar.

A janela do carro estava meio aberta. A Manuela pôde ouvir as palavras do equatoriano:

– Faça com que me readmitam, e deixará de ser responsável.

Deu ao motorista a direcção do campo de treinos do Marcos. A meio do caminho pediu-lhe que voltasse para trás. Dera-lhe a primeira direcção que lhe passou pela cabeça, mas havia já um ano que o Marcos voltava dos treinos sozinho. Foi ao supermercado. Depois de entrar pediu para falar com o director ou alguém equivalente. Disseram-lhe que aos sábados o director não estava. Saiu e uns metros mais adiante, sentado num banco, estava o equatoriano, observando-a. A Manuela apressou o passo e voltou para nossa casa assustada, sem se atrever a ver se ele a seguia. Fechou a porta e atirou-se para cima do sofá. Foi aí que, uns dez minutos depois, a encontrei a chorar.

Engano-me nessas três ou quatro vezes por ano em que tenho nostalgia da intensidade, Goyo. Engano-me quando te invejo. O equilíbrio é um bem precioso e detesto os que se julgam com direito a atirarem uma pedra contra uma superfície gelada só para que alguma coisa se passe, sem pararem um segundo a pensar que com esse acto podem abrir fendas, ravinas, ou fazer com que a água irrompa pondo vidas em perigo. Vocês não têm o direito de atirar a pedra. No fundo lutam para que o mundo inteiro seja como a minha família. Deixem-nos em paz. Diz à Susana que volte para casa e não continue a celebrar como um avanço incrível para a humanidade o facto de um homem desesperado ter estado prestes a destroçar a vida da sua mãe, o equilíbrio da sua família, esta tonta e insípida placidez de certos seres felizes da classe média que é, talvez, uma das conquistas mais valiosas do género humano, mais do que qualquer sinfonia, qualquer quadro, qualquer tratado científico.

GOYO A ELOÍSA

Como tu e eu sabemos escapar-nos do tempo, não é amanhã mas ontem que te escrevo.

Fiz o cálculo: numa garrafa de plástico semi-rígida, transparente à radiação solar em mais de oitenta e cinco por cento, e que filtra além disso noventa e nove por cento da radiação ultravioleta, quer dizer, numa dessas garrafas utilizadas por qualquer engarrafadora de refrigerantes, dessas que produzem milhões de garrafas por dia, podem produzir-se até quatro gramas de peso seco de espirulina por dia. A dose diária de que tem necessidade uma criança desnutrida para ser resgatada da idiotia permanente, para lhe aumentar as reacções imunitárias, etc., é de três gramas por dia durante duas ou três semanas; depois, para uma dose de manutenção, metade será suficiente.

A garrafa deve estar em estado de agitação. Recolhem-se cerca de trezentos mililitros por dia, filtram-se por meio de um pano de algodão e a pasta de espirulina que se deposita é directamente consumida, ou põe-se a secar deixando o pano ao sol durante trinta minutos. Os mililitros recolhidos recompõem-se com água filtrada e um pouco mais de água nova para compensar as pequenas perdas, ou com água salobra a que se acrescentam um ou dois gramas de fertilizantes naturais, gratuitos.

É uma coisa que ninguém vai fazer, Eloísa. Na faculdade aplaudiram o projecto. Encorajaram-me a comunicá-lo a instituições internacionais, à FAO, à OMS. É uma coisa que ninguém vai fazer. É claro que seria uma ingenuidade surpreendermo-nos. Mas hoje, depois de ter sido abolida a última possibilidade de um ensaio em pequena escala num país africano, escrevo-te.

Não quiseste esperar. Tens trinta e três anos, mais sete do que eu, mas eras tu e não eu quem devia ter esperado. Embora tenhas mais pressa.

Esta manhã falei na assembleia. Havia representantes de sessenta e três grupos. Mais oito ou nove do que quando te foste embora. Não somos uma grande instituição financiada por cento e noventa países, não vamos poder pôr a funcionar um projecto como o que te descrevi. Mas também não vamos encolher os ombros como se viesse tudo a dar no mesmo.

Quando acabou de ler Eloísa saiu de casa. Não podia chamar jardim àqueles vinte e cinco metros quadrados, embora o fizesse, porque havia ali uma árvore, ervas, duas cadeiras enferrujadas. Durante anos sonhara com aquilo, um lugar onde pudesse pisar a terra. A inquietação resultante das palavras de Goyo foi serenando pelo simples facto de se dar conta das ervas que a roçavam e saber que não estava a viver numa caixa com outras por cima, e mais outras por baixo. Fazia vento e um pouco de frio, mas não se importou, continuou a olhar através da grade casas novas e, ao longe, a serra de Madrid.

Sentou-se numa das cadeiras; o gato saltou-lhe acto contínuo para o colo. Eloísa trazia calçadas umas sapatilhas com sola de corda, o pano vermelho desenhava-se sobre a pele nua. Fios de erva verdes e outros ecos subiam do chão, de um lado e de outro dos seus pés, a terra estava seca mas era fértil. O gato fechara os olhos. Eloísa olhou a sua mão sobre aquela pelagem branca e castanha. Levantou os olhos até ao freixo que se agitava com o vento e num voo rasante o olhar foi-se afastando por cima da vala, para além das casas. Se pudesse sair sem se mexer dali e chegar até onde Goyo estava, tê-lo-ia feito. Viu-se a aparecer no quarto de Goyo, com o seu cabelo comprido, o vestido estampado e as malas verdes. Se pudesse estar com ele e regressar sem consequências. Era cobarde por ter deixado Goyo. Talvez ele lhe tivesse escrito para lho dizer, embora se tivesse servido de outras palavras. Todavia, para a sua família, para os seus amigos, Eloísa fora sempre uma mulher valente.

Havia de perguntar ao Goyo, disse para consigo, porque lhe falava ele de novo de assembleias, de movimentos? O gato saltou como que alertado por um ruído. Eloísa deitou um último olhar ao céu raso e voltou para casa. Vera, a filha, estava a fazer os trabalhos da escola e ela tinha de supervisionar a tarefa.

Eloísa. Idade: 33 anos. Trabalho: engenheira química no centro de inovação tecnológica de uma empresa petrolífera. Visita: páginas de sexo, ciência, redes P2P para *downloads* de filmes. Mãe de: Vera. Rendimentos familiares: à volta dos quarenta e cinco mil euros. Não milita.

ELOÍSA A GOYO

Tu insistes, Goyo, mas a quem é que a política interessa? Procura uma empresa que financie o teu projecto. Não vais encontrá-la, de acordo. E também esses teus grupos não o vão financiar. Porque não me falas daquilo de que tens medo, Goyo, do frio, do desejo? Porque me escreves se não queres que eu volte?

No sábado a assembleia acabou às nove da noite. Depois de tomar qualquer coisa, Goyo dirigiu-se a casa de um colega de doutoramento. Tinham de apresentar um trabalho na segunda-feira.

No autocarro a média das idades ultrapassava largamente os cinquenta anos. Dentro de pouco tempo, pensou ele, seria como um desses homens semicalvos que viajavam com uma embalagem de plástico lisa, branca, com uma radiografia. O seu tio David estava sempre a dizer: vocês, os jovens, envelhecem muito depressa, e ele compreendera que era verdade. O homem semicalvo podia ter sessenta anos ou setenta e quatro ou cinquenta e dois, a diferença não era muita. Em contrapartida, quando o homem semicalvo tivesse passado dos cinquenta e dois aos setenta e seis, Goyo teria passado dos vinte e seis aos cinquenta e estaria já na mesma franja que o homem da terceira idade. Podia dizer isso à Elo: valia a pena arriscar a vida, saltar dos comboios em andamento e fazerem-se ridículos porque dentro de pouco tempo iam ser o homem da radiografia. Mas não era completamente certo. Ele tinha uma história. Qualquer coisa de que nunca falava.

Trabalharam na sala, os pais de Álvaro não estavam. Passado algum tempo, Álvaro disse:

– Então saiu-te um fim-de-semana de doutrina.

– De faxina, queres tu dizer.

– Porquê?

– A assembleia acaba amanhã às duas, mas eu preferia não ter de voltar aqui depois.

– Se te entregassem uma lista dos livros e dos quadros desta casa para os expropriares, aceitavas? Eras capaz?

– Com todo o prazer.

– Mandavas-me para a prisão.

– Não duvides.

– Vocês nunca hão-de chegar seja onde for, mas isso não me consola, pá. Perdoas-me a vida, passas o dia a perdoar-me a vida. Se fosse por ti, vocês ocupavam esta casa já amanhã. Não o fazem porque não podem. E como ainda por cima gostas de te armar em íntegro, com certeza que me tratavas ainda pior do que aos outros para mostrares que não fazias excepções.

– Tratava-te como aos outros.

– Que nojo!

– Suponho que foi por isso que nem uma cerveja me ofereceste, queres enfraquecer-me.

– Era para teu bem, mas se vês as coisas assim.

Acabaram às três da manhã. Álvaro comprometeu-se a tratar da revisão e da impressão:

– Não, essa história já eu conheço. Tu a rezares ao Lenine e eu para aqui a suar.

– Toma cuidado, não vás estragar o teclado com o suor.

Goyo voltou a pé. Com o seu casaco preto, as suas calças de seis bolsos e o cabelo escuro e encaracolado projectava diante de si uma imagem sombria.

A entrada do prédio cheirava a humidade. No quarto dele, como sempre de havia um ano para cá, a cama do seu irmão estava vazia.

O DOMINGO AMANHECEU cinzento. Começaram a assembleia com um quarto de hora de atraso.

FÉLIX. IDADE: 21 ANOS. Filho de uma supervisora da secção de embalagem de uma empresa de electrodomésticos. Cabelo: louro. Estudos: Faculdade de Ciências Biológicas, quinto ano. Preso em 2006 por ocasião do despejo de um centro social, duas noites na esquadra. Milita desde 2003.

FÉLIX À ASSEMBLEIA

Eu também estou de acordo com a proposta de ontem da Susana, e apoio a ideia do Goyo de se assinar um documento. Há dois anos tínhamos de andar à procura de pessoas por debaixo das pedras, mas as coisas estão a mudar. O meu avô contou-me que nos tempos de militância dele havia um processo de admissão. Creio que tem de ser assim. É absurdo pedir a uma pessoa que seja um dos nossos, que por favor pague as quotas, que tenha a amabilidade de vir às reuniões. Não somos vendedores de enciclopédias. Também não somos um partido tradicional. Falta-nos uma estrutura capaz de organizar bem o processo de selecção. Não acho que tenhamos de copiar o que já foi feito. Por isso um documento parece-me bem, embora para certas acções. Além disso, acho que a assinatura não só daria direito a esperarmos lealdade por parte de quem assinasse, mas também outra coisa ainda mais importante: direito a que os outros esperem lealdade da nossa parte.

Proponho que a Susana, o Goyo e mais duas ou três pessoas formem uma comissão que redija o documento, e também uma proposta de acção produtiva. Temos agora muitas coisas pendentes. Eles deviam redigir o texto no prazo de um mês e enviar-nos uma primeira versão provisória. Submetemos o documento a um referendo electrónico e, no caso de ser aprovado, cada grupo deverá discutir se quer usá-lo.

GOYO A ELOÍSA

Devo-te uma história, tens razão. E claro que quero que voltes. É um tanto comprida, mas, se é que há histórias de alguém, esta é tua.

Os meus pais viviam numa aldeia de Almería quando o meu irmão nasceu. No centro de saúde onde ele estava para nascer deram-se conta de que o parto ia ser difícil. Como ali não tinham meios para enfrentar um parto complicado, enfiaram a minha mãe numa ambulância e levaram-na para Granada. O meu pai ia com ela. Em Granada a minha mãe teve de ficar à espera. Dois dos médicos do hospital estavam a dar consultas privadas. Os outros dois não davam vazão. Suponho que durante a viagem desde Almería e durante a espera a minha mãe e o meu pai choraram todas as lágrimas que tinham. Nasceu o meu irmão Nicolás. Parecia muito inteligente e vivo, mas já depois de ter feito um ano ainda não era capaz de se sentar. Diagnosticaram-lhe paralisia cerebral por falta de oxigénio. Disseram que a criança estivera demasiado tempo no útero.

A história não trata das lágrimas nem dos culpados. Também não trata de mim, embora eu esteja dentro da história. Nasci dois anos depois daquele diagnóstico. Cresci a ver um rapazinho com os olhos muito grandes que estava sempre estendido no sofá, não conseguia manter-se de pé nem sentado, só nos braços de outra pessoa. O Nicolás não falava. Era capaz de sorrir, era capaz de protestar, davam-lhe com frequência umas convulsões inofensivas a que nós lá em casa chamávamos medos.

Fazia então um ruído parecido com o que fazem as pombas, e ainda hoje quando as ouço lembro-me muitas vezes dos medos do meu irmão.

O Nicolás ficou da altura de uma criança de oito ou nove anos, era magríssimo e não conseguia estender por completo nem os braços nem as pernas, tinha as mãos reviradas para dentro a partir dos pulsos como acontece também a outras crianças e adultos doentes que apesar de tudo conseguem falar, ainda que com dificuldade. O Nicolás morreu o ano passado, com vinte e sete anos e sempre da mesma altura. Os seus olhos continuaram sempre igualmente grandes, era capaz de reconhecer os passos da minha mãe antes de ela abrir a porta, sorria, protestava. Durante o seu último ano de vida os medos, as convulsões, eram mais fortes e constantes e acabavam por nos assustar também a nós. Quanto a ele, ia ficando cada vez mais magro.

Eu devia ter dezasseis anos quando descobri um poema de Roberto Fernández Retamar, "Felizes os Normais". Nunca me passou pela cabeça pensar que o Nicolás não era normal. Cresci com o Nicolás diante dos olhos. Ele sempre ali esteve, desde o princípio, fazia parte do mundo e era uma criança tranquila e alegrava-se com as coisas que nos alegravam a todos, e entristecia quando a minha mãe estava muito tempo fora. Quando lhe fazíamos festas, levantava um pouco os olhos como se nos desse as boas-vindas. O Nicolás era normal, o que não era normal era a vida da minha mãe porque continuava a dar papa três vezes por dia a uma criança de seis anos, de dez, de dezoito. Porque continuava a mudar-lhe as fraldas e punha-lhe além disso fraldas de pano porque as outras faziam mal à pele do meu irmão. A minha mãe tem as costas muito largas, como se fosse nadadora ou estivadora nos portos: mas é de carregar nos braços o meu irmão. As vidas do meu pai e a minha eram bastantes normais, mas pouco importava. Mesmo que fizéssemos o mesmo que os outros pais e os outros filhos nunca era a mesma coisa porque, enquanto o fazíamos, o Nicolás estava deitado em casa e a minha mãe ficava quase sempre com ele.

Aprendi aquele poema de memória:

Felizes os normais, esses seres estranhos.
Os que não tiveram uma mãe louca, um pai bêbado, um filho
  delinquente,
Uma casa em parte nenhuma, uma doença desconhecida,
Os que não foram calcinados por um amor devorador,
Os que viveram os dezassete rostos do sorriso e um pouco
  mais,
Os cheios de sapatos, os arcanjos com chapéus,
Os satisfeitos, os gordos, os bonitos,
Os trocistas estridentes e os seus sequazes, os é claro que sim,
  por aqui,
Os que ganham, os que são queridos até ao cabo,
Os flautistas acompanhados pelos ratos,
Os vendedores e os seus compradores,
Os cavalheiros ligeiramente sobre-humanos,
Os homens vestidos de trovões e as mulheres de relâmpagos,
Os delicados, os sensatos, os finos,
Os amáveis, os doces, os comestíveis e os potáveis.
Felizes as aves, o esterco, as pedras.
Mas deixem passar os que fazem os mundos e os sonhos,
As ilusões, as sinfonias, as palavras que nos destroçam
E nos constroem, os mais loucos do que as suas mães, os mais
  bêbados
Do que os seus pais e mais delinquentes do que os seus filhos
E mais devorados por amores calcinantes.
Deixem-nos no seu lugar no inferno, e chega.

Este poema acompanhou-me durante muito tempo, embora eu pensasse que lhe faltava qualquer coisa. Os não normais seriam "os que fazem os mundos e os sonhos, as ilusões, as sinfonias, as palavras que nos destroçam". Mas o meu pai não era Beethoven – nem a minha mãe, nem eu próprio. Não havia lugar nestes versos para os não normais que simplesmente não tínhamos uma vida comum e corrente, para os que olhávamos para as famílias normais e pensávamos que nós nunca iríamos os quatro rua fora como se nada fosse.

A seguir ao título, o poema tinha uma dedicatória: A Antonia Eiriz. Sonhei com ela muitas vezes. Anos mais tarde soube que era pintora, que teve poliomielite em pequena e desde então usou muletas, que pintava com fúria caras e corpos irrompendo como que sob um murro e que tinha nascido em 1929. Eu imaginava-a da minha idade. E não a imaginava pintora, "das que fazem os mundos e os sonhos", mas parecida comigo. A Antonia seria uma rapariga de dezasseis anos que ia por esses sítios como eu, a procurar nas pessoas a sua vida não normal, a mãe alcoólica ou o pai ausente ou a irmã afogada ou a dor.

A Antonia saiu da minha vida quando soube que não parava quieta tentando de repente descobrir o ponto onde alguém teria aberto passagens para nós, os não normais. Uma passagem, uma porta, uma qualidade. Nós, os não normais, devíamos ter alguma coisa que compensasse o sucedido, que nos equilibrasse. Antonia Eiriz tinha as suas pinturas, é verdade, mas o meu pai e eu não as tínhamos, nem a minha mãe, e era por isso que me dava para pensar que um dia seríamos capazes à força de concentração mental de dobrar não cabos de colher, mas bastões da polícia.

Deixei de sonhar com a Antonia e continuei a procurar. Entrei para uma associação de irmãos de deficientes psíquicos. Eram todos como eu; todos, certamente como eu, se esforçavam por parecer normais, normais como ninguém. Porque odiávamos a compaixão e gostávamos do Nicolás, Maite, Reyes, José Carlos, embora às vezes não soubéssemos bem como tocar-lhes, como fazê-los rir, mas a verdade é que à nossa maneira desajeitada gostávamos loucamente deles.

Estive três anos nessa associação de irmãos. Deixei-a quando comecei o segundo ano da faculdade e durante uns meses optei por acreditar que os normais não existiam na realidade. Toda a gente tinha o seu episódio, a sua história não normal oculta que a transtornava para sempre. Depois lembro-me de uma tarde de domingo, estava fechado no quarto, a estudar. Peguei num livro de Miguel Hernández, da minha mãe. Quando parava de estudar por um momento lia os poemas, andava um tanto apaixonado por uma rapariga e punha-me à procura de um que lhe pudesse mandar pelo correio. Estava a ler quando, diante de dois versos, descobri duas cruzes, dois sinais de multiplicar traçados a lápis, pequenos, que eram a maneira de sublinhar livros que a minha mãe usava sempre. Os versos: "Vim com a dor de uma facada, /esperava-me uma faca à minha vinda".

Os anos que os pais têm a mais do que nós não contam, a minha mãe tem mais trinta anos do que eu e quer tivesse mais vinte, quarenta, os pais são a maturidade, o adulto, o facto consumado. Podemos ver chorar um pai ou uma mãe, vê-los perder o controlo, mas isso dura uns minutos, e a seguir eles continuam a ser a maturidade, o adulto, o facto consumado. Mas li os dois versos com as suas cruzes e vi que não havia terra firme. Talvez em pai nenhum a haja, em nenhuma mãe. Talvez não existam a maturidade nem o adulto, e só o tempo que avança, mas como se vive com uma ferida aberta para sempre? A minha mãe, que ria, que contava histórias, que saía à rua, que via filmes, que falava com os meus amigos e os dela e com o meu pai, tinha a sua ferida aberta e embora não a exibisse também não a escondia.

Suponho que um adolescente a quem a namorada não tivesse telefonado poderia ter marcado aqueles dois versos. É até possível que a minha mãe os tivesse marcado depois de uma discussão com o meu pai ou devido a um amor adúltero não correspondido. Mas enquanto eu pensava todas essas coisas, o Nicolás estava enterrado no sofá e meia hora antes a minha mãe tinha estado a dar-lhe banho e tinha-lhe posto pó de talco e tinha-o penteado com água-de-colónia embora nessa altura o Nicolás tivesse vinte e dois anos.

Foi assim que admiti que havia normais. Claro que havia normais, famílias com o futuro económico assegurado e um presente de pais saudáveis e filhos saudáveis e não loucos nem alcoólicos nem presos nem paralíticos nem com diagnóstico de um mal sem remédio ou suicidas ou mortos aos cinco ou aos trinta anos. Havia normais, e era por referência aos normais que se media a desgraça dos que não eram tão normais. Claro que havia graus. Claro que há graus.

Dizem que existem amargados, que existem os que querem que a sua dor se multiplique noutros, os que odeiam a alegria, mas eu nunca os vi. Os meus pais não lutaram contra a amargura por despeito, nem por arrogância, nem por serem diferentes. Tinham uma certeza: não admitir, nunca admitir, que o sofrimento alheio pudesse ser moeda de troca.

A minha mãe trabalha hoje para que haja um número suficiente de bons hospitais, hospitais públicos, imagina que se anos atrás existissem, talvez o Nicolás tivesse nascido a tempo e com oxigénio suficiente. A minha mãe entende que temos de nos esforçar por todos os meios para que uma coisa assim não torne a acontecer. Mas também sabe que existe a desgraça. E que continuará a existir.

A minha mãe imaginou um lugar onde a desgraça não será o quinhão obscuro e trágico de uns quantos seres. Será uma parte da vida que poderá ser compartilhada, tanto como a boa sorte. E haverá instituições, comportamentos, lugares. Embora a dor vá doer sobretudo nalguns corpos. Quando os trabalhos mais fatigantes e mais duros estiverem bem repartidos e forem justamente remunerados por ser a comunidade quem os reparte e não resultarem de se ter chegado em último lugar ou de não se ter herança, então qualquer coisa de semelhante acontecerá com a dor – não existirá a frase "calhou-te a ti", mas uma comunidade que compartilhará a dor que veio poisar nesta família, nesta rua, aqui.

Tu nunca quiseste vir a uma reunião. Dizias que já não estavas fora do espelho, estavas dentro; dizias que eras o inimigo. Pertenço à minha filha, disseste tu, e ao que me permite sonhar com ela. Estiveste comigo oitenta e três dias com as suas noites. Dizias que no amor o amanhã não existe. Partiste à procura dele. Não sabias que nascemos com o amanhã dentro. O meu irmão é o amanhã, e a sua morte, mais amanhã ainda. Devia ter-to contado.

ELOÍSA A GOYO

Agora conheço a história do teu irmão, mas não vou voltar. Comoveste-me, só que eu não diria que tens o amanhã dentro. Ninguém o tem, Goyo. O cérebro consegue fazer-nos esquecer como era o nosso rosto de jovens para que desse modo não se nos torne tão duro vermo-nos todos os dias no espelho da casa de banho. E o cérebro também minora a dor. Faz um ano que o teu irmão morreu. Quando tiverem passado mais dois, o teu irmão será sobretudo uma história, como a daquela vez que caíste da bicicleta aos dez anos e tiveram de te dar vários pontos. Há-de ser mais importante do que a história dessa queda, eu sei, tal como tu sabes que vais começar a distanciar-te do que se passou, e até mesmo os teus pais poderão distanciar-se um pouco.

Não sei onde está o amanhã. Outras vezes dissemos que talvez não haja amanhã porque este é um dos momentos mais caóticos da espécie, com maiores incertezas, nunca a depredação foi tão grande. Já quase ninguém pensa seriamente na sucessão das gerações. Se não for a minha filha, e talvez também não a filha da minha filha, é mais do que provável que a neta dela e com ela toda a humanidade vão pelos ares ou sucumbam perante uma catástrofe sem solução. E contudo, a neta da minha filha descreve uma distância que, segundo parece, nós, os humanos, não somos capazes de contemplar.

Se fosses outra pessoa teria medo de parecer fria, mas contigo não tenho. Conheces-me bem; quanto a ti, sei que a única coisa que não poderias suportar seria a condescendência sentimental.

És ainda um estudante, embora de um curso de doutoramento. Não vou adoptar – quem o fará mesmo que o pense? – o discurso do tu hás-de ver, o dizer: o cinismo vai acabar por te derrotar, e também o esquecimento, vais acabar por acreditar nas tuas mentiras, por esquecer o Goyo de agora e ainda por cima hás-de dizer que não o esqueceste, que és mais ou menos o mesmo embora estejas a fazer o perfeito contrário do que sonhavas. Pode ser que tu não mudes, Goyo, oxalá não mudes.

Eu, sim, mudei. Mas não me digas que me corromperam; acho que é sozinhos que nos corrompemos, suavemente. Não foi um conto de fadas. Ninguém apareceu a oferecer-me uma casa, um trabalho ou uma filha em troca de trair as minhas ideias. Mas à medida que o tempo passava, essas ideias perderam valor, como quando antes havia alguém cuja simples presença te fazia tremer e que quando agora vês, não sentes nada.

Sei que alguns não mudam. É o que me vais dizer, não é verdade? Conheces pessoas de setenta anos que permanecem fiéis ao que prometeram. E pessoas de quarenta. As de quarenta impressionam-me mais.

Às de setenta, embora no fundo tenham mais valor, é fácil despachá-las dizendo que cruzaram o ponto de não retorno: perderam oportunidades pela sua ingenuidade, pela sua obstinação, e já não são capazes de mudar de trajectória ainda que o quisessem. Estão onde estão, pensamos os que nos fomos vendendo pouco a pouco, porque não lhes resta mais nada, porque mudarem agora significaria atirarem borda fora toda a sua vida, denegrir o que foram. Apesar de tudo, Goyo, lembro-me muitas vezes desse tipo de Huesca que um dia me apresentaste, tinha quarenta e dois anos, um filho de vinte e outro de seis. Era muito divertido, mas também extemporâneo, bom, talvez fosse eu a vê-lo assim. Não pude evitar imaginá-lo aos fins-de-semana: os seus amigos iriam para uma casa de campo, ou fariam jantares e comentariam este ou aquele episódio, enquanto ele estaria numa reunião a planear batalhas perdidas, duas e três e cem – quantas batalhas perdidas terá ele no seu currículo?

E também batalhas ganhas pela metade, que devem ser as piores. Vender senhas e conseguir arranjar dinheiro para pôr no jornal um anúncio que recorde a morte de vinte e sete sindicalistas colombianos. Ganha pela metade porque se conseguiu o dinheiro, perdida pela metade porque ninguém parará para o ouvir no trabalho ou à porta da escola do filho mais pequeno, ninguém parará para escutar uma informação que não faz parte das coisas que lhe interessam. Vocês, Goyo, não podem decidir o que é aquilo que neste momento importa.

Agora queres falar-me da América Latina. Não faças isso. Olha, ninguém sabe o que lá se vai passar dentro de dez anos, não sabemos se irão acabar com tudo outra vez. Mas tu e eu estamos na Europa, não contamos nada quanto ao que lá se passa. Embora possamos ver documentários sobre os bolivianos não vamos organizar a nossa vida em função do que se passa com eles. Bom, é possível que tu vás ao ponto de o fazer.

Eu não vou, Goyo, e não é só por causa da minha filha: é que o momento para mim já passou, quando era estudante, sim, tive a fantasia de ir viver para outro lado, de começar do zero. Tive-a e deixei de a ter. Vivo aqui, até mesmo se entrasse para um dos teus grupos, seria aqui: é aqui que tenho de encontrar sentido nisso, mas a única coisa que vejo são cantos de papel dobrados, bordas, margens. Há homens como o que me apresentaste que são capazes de passar anos nas margens, que são capazes de suportar o medo de serem varridos pela história, de caírem, de a esquina se dobrar por completo e de a realidade os deixar de fora. A sua coragem e a sua persistência emitem uma claridade muito viva, mas não iluminam totalmente a escuridão. E ninguém espera, as pessoas procuram os seus próprios métodos, centrais térmicas, o que for preciso. Ninguém tem vontade de ficar às escuras.

Goyo, não sei se sou dos normais ou dos não normais. O facto de os meus pais terem ficado arruinados quando eu era muito pequena, por não poderem pagar a loja que tinham comprado enganados nos prazos por quem lha vendeu, talvez faça de mim de certo modo não normal. Ou o contrário: pode ser que tenha feito de mim alguém que quer uma vida o mais normal possível. Bom, isso significa ter uma família de anúncio que come cereais ao pequeno-almoço ao som do murmúrio do frigorífico último modelo. Significa protecção. Saber que estou na parte protegida do lugar. Que quando acontecer qualquer coisa e as pessoas tenham de ser abandonadas à sua sorte, a minha filha e eu não faremos parte da primeira leva. Há-de parecer-te egoísta, e também me parece a mim. Nos piores dias cheguei a perguntar-me se os que lutam não concederão no fundo valor à sua existência. Goyo, neste momento eu dava todo o meu mundo para que aqui estivesses e me abraçasses com força. A seguir, arrependia-me.

Juntamente com outras sete, foi aprovada a proposta de Félix. Goyo, Susana, Félix e mais um delegado comprometeram-se a redigir o documento de ingresso na corporação; caso este fosse aprovado, delineariam também uma acção produtiva possível.

Alguns delegados saíram antes de almoço, a maioria partiria depois. Estavam já a postos a equipa da limpeza e a que se encarregaria de transcrever as últimas intervenções. De um modo geral, todos estavam contentes, embora cansados. Uma rapariga pegou na máquina para tirar algumas fotografias, mas pediram-lhe que a guardasse. Por vezes eram acusados de ser um tanto paranóicos com a questão da clandestinidade. A assembleia não fora um acto clandestino, a maior parte dos grupos ali representados constava de um ou outro registo administrativo. Em todo o caso, preferiram não deixar imagens da assembleia. Apesar de todos os dias porem as intervenções na sua página web, sentiam-se mais protegidos sem imagens.

Apareceu alguém com duas garrafas de tequilha velha. Vários delegados e delegadas despediram-se. Dir-se-ia que os olhares traçavam linhas reais e que essas linhas formavam um desenho e que esse desenho tinha consistência, era possível tocá-lo. Vozes, risos, cansaço, os corpos aproximavam-se sem desconfiança. Depois da assembleia e antes de a cidade abrir as comportas, antes de tudo o que existia continuar a existir, houve um momento em que a vida parecia essa franja de luz que quando choca contra a esquina da parede se dobra sem violência, sem que o ângulo seja um obstáculo no seu caminho nem a faça perder consistência ou velocidade.

Enrique deitou-se ao mesmo tempo que Manuela e ficou à espera até se dar conta de que ela estava adormecida. Desde o maldito problema do equatoriano, Manuela tinha dificuldade em adormecer. Enrique sabia que ela adormecia melhor quando ele estava na cama. Mas havia dois dias que o equatoriano tinha trabalho. Enrique confiava que as coisas, pouco a pouco, mudassem. Uma semana, duas, e em breve o que se passara não seria mais do que uma história surpreendente que Manuela acabaria por contar nos jantares. Quando ouviu a respiração regular de Manuela, levantou-se sem fazer barulho.

Primeiro esteve a olhar para o aquário. Tinham-no oferecido ao Rodrigo, o seu filho mais novo, mas havia dois anos que era Enrique a única pessoa que se ocupava dele. Era um aquário grande, com metro e meio de comprido, sessenta centímetros de altura e quarenta de largura. Na realidade, Rodrigo não fora mais do que a desculpa que lhe permitira comprar uma coisa que sempre desejara. Um aquário asiático, com plantas aquáticas e peixes não muito vulgares. Quatro tubos fluorescentes regulavam a luz. Diante daquele rectângulo de outro mundo sentia-se bem, como quando fumava.

Uma vez no escritório, hesitou. Talvez Manuela tivesse fingido regularizar a respiração: dera-se perfeitamente conta de que ele se estava a levantar, mas não dissera nada porque não queria transmitir-lhe a sua inquietação. Nesse caso, ele também nada resolveria se voltasse e a encontrasse a ler ou quieta e com os olhos abertos. Manuela sabia que ele gostava de trabalhar de noite e também surfar na internet numa espécie de *zapping* informático. Era melhor assim, voltar cada um deles às suas rotinas.

Pouco depois de acabar o curso, Enrique concorrera a uma vaga para trabalhar em tecnologias da informação e comunicações do Ministério da Defesa. Obteve um bom lugar, mas não suficientemente elevado. Desde então mudara de uma empresa para outra, ocupando-se sempre de suportes informáticos. E mantinha um certo fascínio perante tudo o que tivesse a ver com a investigação militar. Era nisso que costumava consistir o seu *zapping* nocturno. Não visitava páginas pornográficas, não participava em fóruns, narcisistas ou não, sobre este ou aquele tema, mas limitava-se a procurar informação sobre instalações militares e outros projectos de defesa, fantasiando que neles trabalhava.

Se tivesse vinte anos menos teria namoriscado com a pirataria informática, não com fins danosos, mas pelo simples prazer de descobrir entradas ocultas em sistemas alheios. Todavia os seus conhecimentos de informática eram de outro tipo; não navegava em busca de lugares secretos, mas para deixar vaguear a imaginação. Ultimamente gostava de ler a secção de notícias do Centro de Contra-Inteligência e Estudos de Segurança. As notícias eram, na maior parte dos casos, as publicadas pelos jornais.

Atraíam-no as relacionadas com espiões de carne e osso: a nota necrológica de um grande crítico de música que espiara ao serviço da União Soviética, a história de um diplomata japonês que se suicidara porque estavam a fazer chantagem com ele tentando obrigá-lo a passar informação confidencial aos chineses. À primeira vista, tudo isto tinha pouco a ver com a sua pretensão de uma vida normal; contudo, para ele não passava de um *hobby*, bastante inofensivo e, segundo descobrira, absolutamente comum.

Acabou por sentir vergonha no dia em que entrou numa rubrica chamada Spy Trek. O nome parecera-lhe infantil e incomodara-o. Mas quando viu que oferecia viagens organizadas que tinham por tema a espionagem, incluindo uma rubrica especial dedicada a cruzeiros durante os quais se faziam cursos e conferências, não pôde deixar de rir. Pensou em quantas pessoas estariam a ler as mesmas notícias que ele em todo o mundo, e nas que iriam ao extremo de comprar uma visita guiada à Moscovo da guerra fria, com conferências pronunciadas por agentes do KGB na reforma. Bom, disse então para consigo, continuava a ser um homem normal e comum, um nada foleiro até.

Durante o episódio do equatoriano preferira suspender as suas navegações. Mas a água voltava ao leito habitual e ele queria documentação sobre uma velha história dos serviços da inteligência militar soviética que a sua filha Susana lhe contara.

FÉLIX A MAURICIO

Acaba a assembleia, começa a vida de todos os dias. Não é que façamos ali seja o que for de extraordinário, há muitas pessoas que achariam tudo inútil. E que sairiam. O problema é que eu não sei como sair da vida de todos os dias. Dou-me bem com a minha mãe e com o namorado dela, a minha irmã mais nova é um tanto estranha, mas também não me dou mal com ela. A faculdade, bah, estás farto de saber como é. Fazemos o que se pode, protestamos, exigimos, o mês passado decidimos libertar um espaço numa faculdade de direito, ocupámos o átrio e os corredores, organizamos um jantar popular e ateliês: de vídeo, de desporto, de cartazes. Não correu mal, mas no dia seguinte, outra vez tudo como sempre. Claro, eu não sou dessa faculdade, talvez os que lá andam tenham dado pela mudança.

Embora não muito, conheces-me um bocado. Se digo que quero sair, não é que despreze seja quem for. É que depois de um fim-de-semana de assembleia e do trabalho que nos deu organizá-la, aquilo acaba muito depressa, as pessoas vão-se embora e eu sinto-me muito sem jeito enquanto volto para casa e abro o frigorífico para ver se me deixaram alguma coisa do jantar. As assembleias não me caem bem, mas é como se a vida de todos os dias me caísse muito pior. Não acontece contigo?

O Juan, o namorado da minha mãe, não está mal. Não sei se a palavra certa é namorado, ele vive lá em casa, com a minha mãe, com a minha irmã, comigo. É professor de educação física e gosta do trabalho que faz. O Juan às vezes conta-me coisas. Há gente que fala sem querer saber para nada da capacidade de resistência de quem a ouve. O Juan não é assim, e também não é desses que falam como se quisesse sacudir as palavras de cima de si e acabar quanto antes.

O Juan diz que os chavalos do secundário mudaram muito, que quando jogam já não dão tudo por tudo de qualquer maneira no terreno. Eu, em desporto, não sou bom nem mau. Quando o Juan me fala destas coisas, penso nos nossos grupos: nós, digo para comigo, bem gostávamos de dar tudo por tudo de qualquer maneira no terreno, se conseguíssemos saber onde está, qual é o terreno.

Durante a assembleia imaginava de vez em quando um vírus, pequeno, redondo, azul claro e brilhante, o vírus do cartaz do metro com todo o seu sarcasmo: "Não são os novos comboios, as novas estações: é como te faz sentir". Exactamente isso, Mauricio, como faz com que nos sintamos viajar na Linha 1 direcção Congosto depois de passares a Tirso de Molina, sem gosto e com desgosto, não é um jogo de palavras, e a certas horas, em certos trajectos, qualquer pessoa poderá dizê-lo. O vírus sairia das rodelas coloridas que marcam as estações e o seu efeito sobre todos os viajantes seria como quando alguém que foi posto KO recupera os sentidos e diz: mas onde é que eu estou, o que é que estou a fazer aqui?

Claro, as coisas são mil vezes mais complicadas. Percebes agora porque é que eu às vezes gostava que as assembleias se prolongassem por semanas a fio? Que a vida estivesse nas assembleias e não aqui, com a Adela fechada no quarto o dia inteiro sem que ninguém consiga afastá-la do computador. Em japonês é bonito, *hikikomoris*, é como lhes chamam, isolados, mas numa casa perto da estação de metro de Portazgo não é poético, nem com uma mãe deprimida porque não sabe o que há-de fazer com a filha e porque na empresa foi anunciado o encerramento. Sim, o encerramento completo: vão levar a fábrica para outro país, os despedidos vão ser seiscentos e sessenta. O Juan e eu somos os únicos que estamos bem, às vezes olhamos um para o outro: de que nos serve estarmos bem se as pessoas que contam para nós o não estão?

Todos os dias se repetia a mesma cerimónia: ela dizia que ia deitar-se; pouco depois Enrique, que costumava deitar-se muito mais tarde, aparecia no quarto e deitava-se ao lado dela. Manuela não se abraçava a ele, nem tinha forças para o fazer, mas estendia a mão, tocava-o e deixava ficar a mão, ali, em contacto com a pele de Enrique.

Tentava dormir, de vez em quando mexia-se, mudava de posição. Depois, quando compreendia que não ia conseguir adormecer, começava a fingir. Com a mão continuando a tocar algures o corpo de Enrique, respirava de forma cada vez mais regular, primeiro profundamente, como havia muito tempo a tinham ensinado a fazer durante os exercícios de relaxação, para em seguida se limitar a certificar-se de que a sua respiração se mantinha rítmica e procurando não se mexer. Então Enrique pegava-lhe com delicadeza na mão, afastava-a do seu corpo, voltava-se na cama, acendia uma pequena lâmpada e começava a ler. Manuela continuava a fingir até o livro cair das mãos de Enrique. A seguir apagava ela a pequena lâmpada e chorava em silêncio. Muito tempo depois, adormecia.

Mas hoje foi diferente. Hoje, ao notar a respiração regular de Manuela, Enrique levantara-se e saíra. Ela acendeu a sua luz e pôs a almofada na vertical. Pôs as costas do seu lugar em posição vertical: pensou na sua cama a voar, pensou no tempo em que, havia cinco anos já, lia com Rodrigo, o seu filho mais novo, os livros dos Locopilotos no seu tapete mágico, e sentiu-se mal sem saber porquê. Endireitou o corpo, lá estavam elas de novo, as lágrimas:

sem soluços, abundantes e estranhas como se fossem de outra pessoa.

Ao fim de uns dez minutos o choro parava, ela já sabia. Era absurdo chorar assim, na realidade não estava triste. Envergonhá-la-ia dizer que estava, e explicar que o detonador do pranto fora Carlos Javier.

Enrique referia-se a ele dizendo o equatoriano, e também ela procurava chamar-lhe assim de si para consigo. E contudo, desde que o encarregado do supermercado lho dissera, o nome gravara-se nela. Via-o diante de si, com as costas um tanto curvadas, o boné de pala azul e, depois, como se ele o tivesse escrito na camisola, Manuela dizia: Carlos Javier.

Pois não, não chorava por Carlos Javier, nem por si própria ou por sentir que a sua vida corria mal. Havia uma válvula que se rompera, era assim que ela via aquilo. Uma válvula, ou a dobra de um tubo, qualquer coisa que fazia com que as lágrimas rompessem, ao mesmo tempo que avisava que ela, Manuela, estava a precisar de uma reparação. E de mais do que uma reparação. Já não bastava aplicar um pouco de massa e conter as infiltrações.

O choro parou. Manuela endireitou-se na cama, afastou o édredon e dispôs-se a levantar-se, mas não o fez. Continuou sentada em cima da cama, com os pés poisados no chão despido. Estava com certeza a envelhecer mais do que a conta, mas olhava as suas coxas, o seu ventre, os seus mamilos que o frio punha erectos e sentia-se ainda bonita. O seu corpo parecia-lhe desejável, a miopia impedia-a de se aperceber com precisão das imperfeições. Nas suas relações com os homens, Manuela sabia usar as cartas da mulher madura. Em contrapartida, disse para consigo, na sua vida quotidiana, quando qualquer coisa lhe batia à porta, começavam as perguntas, começavam as hipóteses e ela, que era professora, não sabia nada, não tinha uma resposta só que fosse, tudo o que conseguira fazer fora ficar quieta à espera de que tudo passasse.

Se Enrique não tivesse arranjado um trabalho para Carlos Javier, ela teria telefonado a alguém da família, ou a um conhecido, ou teria começado a estudar as ofertas de emprego. E isso era a mesma coisa que ficar com o computador bloqueado e só ser capaz de o desligar confiando que, ao ligá-lo, ele funcionaria outra vez. E às vezes funcionava, sim, mas não conhecer senão esse método equivalia a nada compreender, a não saber por que motivo parara, a não poder evitar que aquilo voltasse a acontecer, a não ter respostas. O que se passava era que não tinha uma resposta só que fosse. Quarenta e quatro anos e nem uma só resposta, não chorava de autocompaixão, deixava que as lágrimas brotassem como alguém deixa entrar água num barco sem a despejar, até que o barco começa a afundar-se e não há outro remédio senão nadar.

2

Sentados à mesa, a mãe de Elo, o seu irmão, a sua cunhada, os dois primos de Vera e Elo. Autorizaram as crianças a levantar-se da mesa enquanto os mais velhos tomavam o café. Eloísa parecia agora fazer estranhamente par com a sua mãe. Diante do irmão e da cunhada tinha sempre a impressão de que eles não a viam a ela, mas a ela enquanto casa vazia de um par ausente. Desde a sua separação, Eloísa apercebia-se desse olhar em quase toda a gente. Apercebia-se de que não a punham no centro do quadro, mas num lado, de que os olhos focavam um quadro onde ela compartilhava o seu lugar com a exibição de um casal estável, talvez alguém não necessariamente casado com ela, até mesmo alguém do mesmo sexo: os tempos tinham-se modernizado, pensava Elo, era verdade, mas não tanto que a reclamação se tivesse tornado dispensável.

Embora talvez não fosse uma questão de conservadorismo. Talvez no fundo houvesse uma atitude amistosa, uma sabedoria amável da espécie que interiorizara durante séculos a necessidade de ter dois corpos para prosseguir em frente, e não se referia apenas ao sexo, nem à alegria e à tristeza, à saúde e à doença, mas à própria espécie humana. Os cavalos obedeciam a outras regras, mas um corpo humano despido na infância, na adolescência, na maturidade, na velhice, parecia quase sempre deslocado, privado de contexto, perdido. Assim parecia até mesmo na juventude, disse Eloísa para consigo ao evocar Goyo, o seu corpo magro, os seus músculos não vencidos sobre o estômago, nem sequer alguém com a idade de Goyo tinha essa capacidade de ser igual a si próprio que têm os cavalos.

— A Elo foi-se embora outra vez — ouviu o seu irmão dizer.

Surpreendeu o olhar entre divertido e cúmplice da sua mãe. "Porque é que a avó pinta o cabelo?", perguntara-lhe Vera havia uns anos. Na altura Eloísa ficou a pensar na diferença entre pintar e tingir, ficou a pensar se o cabelo seria um tecido e que tipo de tecido seria; quando se preparava para responder a Vera, a criança já ali não estava. Agora tinha ali a sua mãe, com uma blusa verde e clara com botões doirados e dois pequenos bolsos de peito, com o cabelo pintado cor de palha e uma permanente frisada. A sua mãe que não fizera mais do que a escola primária e a deixara não sabendo mais do que ler e escrever. A sua mãe, que tivera de recomeçar a partir do zero quando lhes tiraram a loja e passara de ser a dona da loja a ter de fazer a limpeza de outras casas durante mais de dez anos. Até que o seu pai, matando-se de tanto esforço, assim constava, conseguiu arranjar outra loja mais pequena, também hipotecada. A sua mãe, que depois da morte do pai vira como os *franchisings* a iam encurralando e se empenhara em resistir e que quando o seu irmão e ela, numa espécie de conselho de família, lhe pediram que vendesse o estabelecimento de vez, os surpreendera dizendo: claro que vou vender, mas estou à espera de ocasião, informei-me e sei que se aguentar mais ano e meio o preço há-de ser mais alto; não quero vendê-la de graça e ter depois de vos maçar.

Elo sabia que, no fundo, a mãe achava bem que ela vivesse nas nuvens, que não desse sinais de si e só voltasse de quando em vez. Deu-se conta de que podia sentir-se bastante próxima desta mulher de blusa verde com bolsos no peito, cabelo pintado e uns brincos grandes, inverosímeis.

— Já voltei — disse ela.

— Diz-me lá, como estava Babia, muito turista? — perguntou-lhe o irmão.

– Muito sem escrúpulos – disse Eloísa. – Vais andando e não paras de dar com fantasias de assassinato, fantasias de bofetadas, chefes degolados, futebolistas esbofeteados, crianças penduradas pelos polegares.

– Há coisas dessas em Babia? – perguntou a cunhada. – E fantasias sexuais, não?

– Algumas, mas não demasiadas.

– Por favor – sorriu o seu irmão –, está aqui a minha mãe.

– Ai, Gonzalo, em que é que tu julgarás que pensam as mulheres da minha idade quando estão sozinhas?

– Lembram-se? – disse o seu irmão.

– Do que aconteceu, e do que ainda não aconteceu.

Elo riu com os outros. Estava bem: tudo estava bem, depois de alguns anos difíceis, com a morte do pai e a sua separação, agora estava tudo bem. Até o seu trabalho estava bem. Embora desde o princípio tivesse ironizado a seu próprio respeito dizendo que se vendera a uma multinacional, o certo era que só as multinacionais podiam empreender a elaboração de biodiesel de algas, e esse projecto interessava-lhe. Goyo queria acabar com tudo isso? Não seria justo ver as coisas assim. Mais ainda, dizia Elo para consigo, a sua sensação de que tudo estava bem incluía os seus dias com Goyo e ter-lhe escrito e ter-lhe pedido que voltasse. Mas a dúvida continuava a latejar. Como podia Goyo conciliar as suas convicções com as de Elo? Perguntou a si própria se teria sido uma fanática quando tinha vinte e cinco anos, e se Goyo seria agora um fanático. Perguntou-se se o fanatismo de Goyo seria uma consequência da idade ou um traço próprio, qualquer coisa de tão peculiar como a distância entre os ombros de Goyo ou a forma que ele tinha de a acariciar com as duas mãos. Seria qualquer coisa que passaria com o tempo? Se passasse, deixaria Goyo de ser Goyo para ela? Tê-la-ia Goyo atraído com esse fanatismo que ao mesmo tempo ela receava?

– Mãe!

Elo olhou para Vera; sem esperar que a criança falasse, disse:

– Sim, mas só um.

Os três primos desapareceram corredor fora para irem ver um DVD.

– Gonzalo, achas que eu era uma fanática quando tinha vinte anos?

– Mais ou menos do que agora, queres tu dizer?

– Agora não sou.

– Foste uma rapariga bastante exaltada – interveio a sua mãe.

– E o Gonzalo?

– O Gonzalo tinha mais paciência.

COMUNICADO 2 DEPOIS DA CHUVA

O pai da Branca de Neve vive com a madrasta, mas ninguém o nomeia, ninguém fala dele. A madrasta maquina contra Branca de Neve, e o pai, porque se cala? Porque não age? E contudo, o pai denuncia-nos. Eis o bosque no escuro; eis o tempo decorrido sem que a atenção se dirigisse para alguém que, uma vez nomeado, a atenção queria supor em viagem, ou na guerra ou morto. Mas o pai aguarda no castelo, mudo. Estava lá. Como a inadvertência.

As perguntas que a classe média não se põe, aí estão, embora sem que se olhe para elas. Sobre tudo aquilo que um homem ou uma mulher não se perguntam é possível asfaltar ruas, construir blocos de apartamentos, assoalhar quartos. O que mantém as nuvens é aí que está. E as perguntas que não se fazem. E os segredos que o coração da comunidade guarda.

Às vezes para se obter alguma coisa é preciso abrir a prisão que a encerra, abrir a construção social da vida interior para se obter um lugar que sirva para assentar uma vida interior diferente. Como uma pulsação que perdura. Manifestos privados, segredos públicos.

É possível que, um pouco mais adiante, vocês se dêem conta no vosso peito de uma nostalgia daquilo que não se abre nem se expande, de segredos privados, do tremor. Talvez digam: porque não viajar no tremor que agita as folhas e põe reflexos no vermelho dos autocarros? Porque o tremor se olha. Tine. E esta história não trata tanto do que se não vê como do que, ao ver-se, não se olha. A intimidade que conhecemos olha-se. A intimidade convencional escava-se. Mas quem a fez.

Há pouco choveu. Emito, na realidade, este comunicado de uma orla onde o ar brilha e o cimento, desgastado pela chuva, desprende claridade. É uma atmosfera fugaz e contudo extremamente luminosa. Através dela consigo vislumbrar correios, cartas, um caderno abandonado em cima da mesa de umas instalações, documentos, algas verdes e vermelhas, um ser colectivo emissor de comunicados, o passado projectando sombras sobre a Europa, e o público. Emito este comunicado antes que o tempo acabe. Os homens e as mulheres morrem. As palavras dormem até que alguém as desperte, lhes dê sentido, tenha necessidade delas.

Quebro agora, à minha maneira conturbada e consciente desta tarde, uma lança a favor da ideia da corporação futura. Sim, sim, estou a referir-me à corporação produtiva imaginária proposta por alguns dos meus membros individuais. Poderá um sujeito colectivo com tão pouca cultura de empresa como eu combinar os diferentes factores produtivos para a obtenção de um bem ou de um serviço que se ofereça à sociedade? Quais serão os bens ou serviços que tentarei obter? Como me irei libertar do controlo coercivo do capital? Que farei com o mercado e com o preço? Não tenho as respostas. Nós, os sujeitos colectivos, estamos conscientes de que só podemos conhecer o sentido do nosso pensamento quando agimos.

– Se finalmente to oferecerem aceitarás um lugar numa multinacional "responsável por crimes ecológicos, sociais e contra a soberania dos povos"? – perguntou Álvaro a Goyo no bar da faculdade.

– O que vem a ser essa linguagem, Álvaro?

– O panfleto, foste tu que mo passaste. Eu nunca deito fora nada.

Estavam os dois a tomar café com churros.

– Sim, aceitarei. Não há empresas mais capitalistas e menos capitalistas. Qualquer trabalho que eu aceite neste país será um trabalho para eles.

– Ora, pá, uma multinacional não é a mesma coisa do que uma loja de comboios de brinquedo, acho eu.

– Vamos lá, Álvaro, não andamos a estudar engenharia química para trabalharmos numa loja de brinquedos. A pergunta é antes a de se eles me aceitarão.

– Quando eu lhes disser que andas para aí a distribuir panfletos contra os esbulhos das multinacionais, não sei.

– Bom, afinal sempre és capaz de perceber porque é que somos um tanto paranóicos e às vezes brincamos à clandestinidade.

– Grande clandestino me saíste tu, quando me contas tudo.

– Traías-me?

– Claro, depende do que me oferecessem em troca.

– Não fazias isso. Além disso não precisas de me trair.

– Grande sacana, pensaste no assunto e chegaste à conclusão de que eu não o fazia porque sou rico.

– "Além disso", o que eu disse foi que, além de seres um grande tipo, não precisas de fazer isso. Talvez na empresa saibam que me movo em certos ambientes, mas contanto que não se passe o risco para eles tanto lhes faz. O petróleo está a acabar, têm pouco tempo.

– O risco? Tu sabes o que isso é?

– Sou um bom rapaz; leio livros de ficção científica, sonho com o desenvolvimento de uma bioindústria não poluente nos países do Noroeste de África, uma indústria que não necessita de infra-estruturas caras nem compete em torno de recursos e que, além disso, se alguém tiver um bocadinho de paciência para me ouvir, proporcionaria uma alga que faz desesperadamente falta nessa zona para remediar a desnutrição.

– Está bem, contratam-te por seres bom rapaz. Agora esquece a loja de comboios: há pequenas empresas, ou podias tentar ficar na universidade.

– Álvaro, tu conheces o projecto para que lhes chamei a atenção: "Depuração de gases acoplada à fixação de CO_2 por microalgas". Achas que o nosso ilustre catedrático não interpretou, digamos, adequadamente os resultados que considera significativos quando falou dele? Achas que não sabe o que cada interlocutor quer ouvir? O pior não é quando exagera os benefícios possíveis, nisso ele tem cuidado, mas tu e eu já o vimos esconder as vantagens de uma coisa só porque de momento são as vantagens de outra coisa que interessam.

– A universidade é um circo, cada vez há-de ser mais um circo, não precisas de me convencer disso. Mas uma multinacional como a que eu dizia devia parecer-te o pior de tudo.

– É ao contrário. Oxalá nos colectivos tivéssemos muitos quadros de grandes empresas. Nunca ouviste dizer que quando se fazem as revoluções há sempre falta de quadros?

– Por alguma coisa há-de ser. Ouve, eu sou muito aplicado, a sério. Leio tudo o que me dás. E li que "o ser social determina a consciência". Se fores trabalhar para uma dessas empresas, dentro de dois anos estás a pensar como eles. Não há outra maneira. Sobretudo porque vão ser eles que te vão pagar, e vão ser eles a aplaudir-te quando acharem que fizeste alguma coisa bem feita, vão ser eles a mandar-te de viagem a África.

– Tem de se estar organizado. De se pertencer a outro sítio: saber para quem se trabalha.

– És tu que o dizes. Mas o problema é que os teus grupinhos de fim-de-semana não te pagam. Não trabalhas para eles. És um diletante da política, tomes as posições que tomares.

– Houve semanas em que fui a quatro reuniões, algumas bastante compridas. Mas tens razão, não me pagam. Foi por isso que deduziste que o ser social é o salário? Caramba, não nego que seja uma parte importantíssima.

– Quais são as outras partes?

– O medo, por exemplo. Duas pessoas ganham o mesmo salário, mas uma tem três filhos e outra, nenhum.

– O medo torna-te mais conservador ou o contrário?

– Não é lá muito claro, isso.

– Não me dês cabo do juízo. O problema é que vocês nunca vão fazer a revolução. Jogas no campeonato distrital e falas-me de ganhar a Taça dos Campeões. Às vezes pareces louco.

– Vamos lá ver. O que é que faz um tipo do Atleti se viver num bairro do Real e trabalhar numa empresa onde toda a gente é do Real? Ou fica de fora, ou cala e aguenta. Também pode passar-se para o Real, mas não é a sua única opção.

– Mas é que vocês não são do Atleti. Eu disse que eram do distrital, dis-tri-tal, e acho que exagerei.

– Não deves exagerar também para o outro lado. As nossas ideias são as outras ideias, com mais ou menos matizes, com milhares de variáveis, mas há os que aprovam este sistema e ou tentam melhorá-lo a partir de dentro ou limitam-se a aproveitar-se dele, e depois há as pessoas como nós, que dizemos que é injusto.

– Está bem, está bem. E se dentro de trinta anos continuar a haver aqui capitalismo, terás passado a vida a trabalhar numa multinacional e vais considerar-te um revolucionário porque de vez em quando ias a algumas reuniões em vez de ires ao ginásio ou a um bom restaurante.

– Tenho de pensar no assunto – disse Goyo.

Mauricio. Idade: 25 anos. Altura: 1,94 m. Voz: de barítono. Trabalho: caixeiro de uma loja de luxo. Rendimentos pessoais: abaixo dos catorze mil euros anuais. Telefone móvel: sem contrato. Milita desde 2003.

MAURICIO A FÉLIX

Não sei se isso acontece comigo, Félix, isso de sentir um vazio ao voltar da assembleia. Bem, a verdade é que não acontece. Há quatro anos que compartilho um apartamento com alguns amigos, suponho que em parte é por isso: estão fartos dos pais. Eu não tinha a pressão familiar que tu tens, digamos que tinha outra espécie de pressões. De qualquer maneira, saí porque não aguentei.

Quando estava no terceiro ano de sociologia ofereceram-me um lugar de empregado de charme numa loja. Uma dessas lojas que levam quinhentos euros por um candeeiro e, para compensar, têm empregados dispostos a ouvir a opinião do cliente sobre a última série que se passa em Nova Iorque ou sobre como era o hotel de Amesterdão onde o cliente passou o fim-de-semana. Acabei o ano com maus resultados. Estou a trabalhar há quatro anos e a fazer umas cadeiras. Faltam-me ainda alguns créditos.

O meu quarto actual: nove metros quadrados. Vistas filhas-da-mãe, quer dizer, para o saguão, um pátio minúsculo com cordas para estender roupa e mais nada. Mas como é o quinto andar de um prédio de seis, apanha bastante luz. Mesa barata.

No fundo da terceira gaveta, um bocadinho de haxe. Cama de um metro e dez. Armário embutido: mais vale não olhar lá para dentro. Do lado de fora do armário o quarto parece bastante arrumado. Um portátil, uma fotografia que te vou mostrar. Uma cadeira, a janela, um cabide de plástico atrás da porta com um casaco pendurado. Um cesto de papéis de arame debaixo da mesa. E uma estante de nove prateleiras com livros.

Não abri a boca na assembleia. Suponho que tenhas notado. Em todo o lado tem de haver gente que não fala. O que acontece comigo, Félix, é que não percebo bem o que estamos a fazer. Devias ter visto a minha última cliente de hoje. Esteve meia hora a hesitar entre a batedeira niquelada de quinhentos e trinta euros e a carteira preta de pele de mil e quatrocentos. Acabou por levar as duas. Não aguentei mais e disse-lhe: "Levas dois meses da minha vida". O que vale é que sou um tipo alto, bastante alto, tu sabes, um metro e noventa e quatro. É o que me salva lá na loja. Entrei para o lugar porque o dono é amigo da irmã rica da minha mãe. O dono vive em Barcelona, embora eu esteja convencido de que manda espiões à loja, ou então todos os clientes são amigos de um amigo de alguém. Acaba sempre por ser informado do que fazemos. Sei que se aquela história dos dois meses for dita por um baixote, o tipo é posto na rua. A sério, pensam que é um ressabiado e põem-no na rua.

Mas eu estou lá no alto, com os meus óculos de estudante de aeronáutica, com a minha cara de belga despistado. Quando digo uma coisa assim a cliente julga que o digo como se fosse um bocado da letra de uma canção, olha para o tecto e atira-me um sorriso enquanto espera que eu lhe devolva o cartão de crédito. Além disso adivinha, e acerta, que não estou a dizer a verdade: não são dois meses da minha vida. Ou seja, 965 euros é exactamente o que me pagam, mas não é só com isso que eu vivo. Também não tenho outro trabalho, ninguém mais me dá dinheiro, mas apesar de tudo há os meus pais. Não é só comprarem-me coisas de vez em quando, mas qualquer coisa mais: a verdade é que eu não sei o que é a angústia económica porque posso voltar para casa dos meus pais ou pedir-lhes ajuda. Não sou filho de ricos nem de pobres: a minha mãe é advogada e o escritório tem fases, há fases boas, outras más, outras regulares. O meu pai é funcionário municipal.

Tenho amigos que dão, eles, dinheiro aos pais, que os ajudam, e outros que sabem que estão sozinhos: que se ficarem sem trabalho, terão de fazer pela vida, ir atrás dela, porque não têm um quarto para onde possam voltar. Nenhum deles pode permitir-se dizer um gracejo a uma cliente, por muito alto que seja e muita pinta de engenheiro aeronáutico que tenha. Têm trabalhos como o meu e piores do que o meu, sem pais que lhes sirvam de colchão, que possam ampará-los na queda. E não militam.

Isto preocupa-me. Montámos uma organização de organizações onde a maioria somos estudantes ou gente com trabalho e não estamos propriamente nas fábricas. Embora falar em fábricas pareça antiquado, sabes melhor do que ninguém que continua a haver fábricas. Tudo o que usamos, escovas de dentes, impressoras, papel, preservativos, janelas, isqueiros, iogurtes, salsichas, bolachas, sacos para guardar ervilhas congeladas, torneiras, todas essas coisas são feitas por alguém, e nem sempre, nem sequer metade das vezes, se trata de alguém de outro país. Mas o que eu queria dizer era isto: nós não somos os famélicos da terra.

Compreendo a tua raiva, Félix: não é preciso ter números vermelhos, nem sequer ter problemas em casa, como tu, para pensar que esta sociedade está completamente fora dos eixos. No meu caso, meti-me nisto por altura da Guerra do Iraque. Bem vês, ainda hoje continuam a massacrar gente todos os dias. Mas querer parar a guerra é uma coisa, e outra sonhar com a revolução. Reconheço que uma guerra não se pára com charangas e *happenings*, nem sequer com manifestações de grandes massas. Têm de se mudar os governos, as instituições, tem de se tomar o poder.

Receio que nos enganemos, é o que acontece comigo. Devia tê-lo dito na assembleia em vez de me calar. Por isso ofereci-me para a comissão. A quatro custa-me menos falar.

GOYO ABANDONOU O CENTRO de Tecnologia às onze da manhã. Aço, vidro, discretas câmaras de vigilância. A entrevista durara meia hora, mais a visita obrigatória ao Laboratório de Assistência Técnica e Desenvolvimento da Área Química onde em breve poderiam arranjar-lhe um lugar. Um corredor comprido e largo corria entre o grande vidro que dava para o parque de estacionamento e os vidros que, à maneira de montras, iam deixando ver o melhor conjunto de laboratórios do país. Quase não havia gabinetes individuais. Em contrapartida, junto aos vidros dispunham-se cerca de vinte módulos, cadeira, mesa, computador, separados uns dos outros por arquivadores baixos. Em cada um dos módulos trabalhava um químico de controlo de qualidade.

Eloísa devia estar num deles, mas talvez tivesse saído. Olhou também, procurando-a, ao atravessar o pátio circular que servia de entrada de todo o complexo. Não tentara ficar com ela, se voltassem a encontrar-se preferia que fosse numa situação neutra. Gostaria, contudo, de a ver de longe, com a sua forma de andar não encurvada mas um pouco inclinada para diante, como se cortasse o ar.

Goyo andou até à estação próxima. No comboio quatro raparigas falavam em tom alto da diferença entre a escola, o secundário e a universidade. Supôs que estariam no primeiro ano; e contudo, tinham um aspecto muito adolescente, ar de não terem deixado ainda o secundário. E ele sentiu-se velho, como se com a sua visita da manhã tivesse perdido para sempre a sua condição de estudante.

Embora não lhe tivessem feito uma oferta concreta, estava no ar que seria chamado. Sem dúvida, os grandes laboratórios continuariam ainda muito longe, mas pelo menos não o obrigariam a passar pelo mestrado de onze meses e dezoito mil euros. O seu catedrático uma vez insinuara que o fizesse, falara-lhe da possibilidade de uma bolsa que lhe garantiria uma parte dos custos. Goyo decidiu procurar outros caminhos. "Formação de Líderes", proclamava o anúncio do mestrado. Ainda que não o obrigassem a fazê-lo, disse ele para consigo, ainda que lhe oferecessem "externalidades" ou uma bolsa vinculada à universidade para continuar o seu novo projecto, ele não ficaria absolutamente à margem. Mais tarde ou mais cedo passaria a ser mais um membro da empresa; teria de assumir os seus princípios ou pelo menos de aparentar que os assumia. "Impulsionar a Organização Rumo à Nova Visão" – era assim, com as suas maiúsculas, que se exprimia o texto sobre Valores Profissionais que lhe tinham entregado. Apesar de tudo, estava disposto a aceitar o trabalho.

Saiu nos Nuevos Ministerios. No cais da estação, a iluminação artificial ofuscou-o. Subiu pelas escadas rolantes e pôs-se do lado dos que se mantinham quietos. Uma rapariga ruiva subia à frente dele. Poderia ter esperado para ver o rosto da rapariga, trocar um olhar com ela, arriscar-se talvez a roçar a mão na dela sem qualquer propósito concreto, só porque às vezes desejara que alguém rompesse a membrana invisível e o tocasse. Com certeza que outras vezes teria sacudido a mão que tentasse roçá-lo como se fosse um gafanhoto. Por isso não fez fosse o que fosse. Não chegou sequer a ver a cara da rapariga que continuou em frente o seu caminho enquanto ele se afastava para a direita.

Num anúncio de peixe congelado, a proa de um navio apontando o horizonte fê-lo pensar no ânodo de sacrifício, essa camada de zinco com que era necessário cobrir o casco do navio para que absorvesse a reacção química e se corroesse em vez do casco. Sentou-se num banco de rede metálica enquanto esperava pelo comboio seguinte. Estava cansado porque pressentia que Álvaro tinha em parte razão. Provavelmente uma empresa multinacional era para ele um meio tão agressivo como o mar o era para a estrutura metálica de um barco. Mais valia ter isso em conta e descobrir o seu próprio ânodo de sacrifício antes que fosse tarde.

Não sabia como, não sabia se a acção produtiva que tinham concebido cumpriria esse papel, pressentia que não. Por isso procurava mãos ou a visão do corpo de Eloísa passando veloz num comboio que atravessou a estação sem parar.

MANUELA. IDADE: 44 ANOS. Estudos: licenciada em Filosofia. Trabalho: professora do Instituto de Educación Secundaria. Mãe de: Susana, Marcos e Rodrigo. Presa quando tinha 17 anos por colar cartazes no metro e resistir à autoridade. Pele: clara. Não milita.

CADERNO DE MANUELA

Ninguém me viu. Estou há duas horas num bar em frente da frutaria onde o Carlos Javier trabalha. Entrei de óculos escuros e com o cabelo apanhado e coberto por um gorro. Agora tirei os óculos para escrever. Continuo com o gorro na cabeça, estou sentada junto à parede, centímetros antes do ponto onde começa o vidro que dá para a rua; assim passo desapercebida aos transeuntes. O Carlos Javier saiu duas vezes levando um carro cheio de caixotes.

Neste bairro ninguém me conhece, mas nunca se sabe. Se encontrasse um amigo, inventava qualquer coisa. Mas não quero que o Carlos Javier me veja. O gorro que trago é do Enrique e com ele fico com ar de psicanalista argentina, e trouxe também um blusão de cabedal que não vestia há séculos. De longe acho que não me pareço nada com a pessoa que o Carlos Javier andou a seguir. Além disso, agora que penso no assunto, não sou com certeza a primeira. Pelo menos, se o despedirem da frutaria é de supor que não voltará a minha casa, mas à de alguém a quem tenha levado fruta. Francamente, espero que assim seja.

Se o Carlos Javier seguiu várias pessoas como eu, é fácil que as confunda a todas. Para ele as professoras do secundário madrilenas, as médicas, as jornalistas, ou os médicos, os jornalistas, ou assim por diante, devem ser todos iguais, do mesmo modo que a mim me parecem iguais todos os equatorianos. O Carlos Javier é o meu primeiro equatoriano; dito assim parece que haverá mais, mas não é isso. Quero dizer que apesar de ser o único equatoriano que apareceu em minha casa, se não soubesse a direcção da frutaria, se não tivesse a certeza de que ele trabalha aqui em frente, ter-me-ia sido bastante difícil reconhecê-lo. Em contrapartida ele nem sequer imagina que eu esteja por aqui. É o que acho, embora acabe de me ocorrer que este meu comportamento pode ser uma síndrome. Se houve outras mulheres antes de mim, talvez também elas o tenham seguido. Eu nem ao certo sei sequer porque o sigo. Tenho as minhas explicações, mas vá-se lá saber.

Noutro dia o treinador do Marcos esteve a falar com os miúdos da autopercepção. É uma coisa bastante curiosa. Pelos vistos podemos fazer uma partida muito má, com setenta jogadas muito más e duas muito boas, e sairmos convencidos de que fizemos uma partida estupenda. Parece que é o que acontece com eles muitas vezes. O treinador disse-lhes que quando jogava era ao contrário: abundavam os atormentados, os que tinham feito uma partida estupenda com duas jogadas muito más e saíam de campo esmagados por essas duas jogadas.

Acho que só podia ser assim antes. Agora não. O que o voleibol tem de bom, como todos os desportos, suponho, é que tem estatísticas. Quer dizer, um jogador pode ter uma autopercepção completamente errada, mas há máquinas, ou árbitros, não sei bem, e o certo é que todas as jogadas são contabilizadas, mostram-se os números ao jogador, e dizem-lhe: olha para isto, rapaz, não me venhas com cantigas, porque as tuas estatísticas são estas que aqui vês. Acho que as estatísticas de computador só funcionam para o desporto de elite, nos campeonatos importantes, ou no futebol, que mexe com muito dinheiro. O resto são aproximações. O que o treinador do Marcos faz com os miúdos deve ser tomar notas num caderno. Depois há-de dizer-lhes: "Fizeste cinco serviços péssimos, e os remates foram quase todos maus, também". Pelo que conheço do Marcos e dos companheiros dele, não me admiraria nada que se ponham a discutir: "O que é que estás para aí a dizer? Se os serviços me saíram lixados, e os remates, olha..."

Enfim, tudo isto vinha a propósito do que me faz seguir o equatoriano. Julgo que tal como a autopercepção pode ser muito distorcida, a percepção pode sê-lo também. No fundo, toda a gente sabe que isso acontece na autopercepção, o que tem graça no caso do voleibol são as estatísticas.

A mim é a percepção que me preocupa. É como a visão espacial, pode-se ter mais e pode-se ter menos. O Carlos Javier teve uma boa percepção do estado de coisas: eu fiz o telefonema, eles despediram-no, ele pegou nas suas coisas e apareceu em minha casa. O Carlos Javier soube onde tinha de ir. Em contrapartida, se eu estivesse no lugar do Carlos Javier teria com certeza perdido tempo e dinheiro e tentaria por força ir para tribunal com o caso. Tenho uma boa visão espacial quando se trata de corpos geométricos, figuras com volume que giram no ar; sou capaz de dar a volta a um prisma imaginário e de compor mentalmente as peças do cubo Soma. Não me saía mal nos testes de inteligência. Devia ter ficado na universidade, era o que toda a gente me dizia. Mas optei por concorrer para o secundário porque não queria aprender a ser brilhante. Também estava grávida da Susana.

Ubuntu: "sou o que sou devido ao que todos somos" – é uma palavra africana usada no mundo do *software* livre. Eu estou a emigrar pouco a pouco para o Linux, embora isso enerve o Enrique. Acho que *ubuntu* é o contrário de brilhante. Os meus colegas de curso brilhantes, ao que tenho ouvido, acabaram como essas figurinhas fluorescentes que absorvem a luz e a reflectem só por uns minutos; é difícil ter luz própria. Eu fugi daquilo. E contudo, ao fim de tantos anos também não consegui aprender fosse o que de *ubuntu*. Não percebo bem as relações entre as coisas, não consigo fazer uma boa análise da situação. Acho que é por isso que estou nesta cafetaria a ver se estudando o Carlos Javier aprendo alguma coisa. Embora não ponha a mão no fogo.

Entrou um cavalheiro. Traz uma camisa cor de laranja, exibe têmporas elegantes cor de prata e uns espantosos sapatos de desporto em tons doirados. Pediu café e torradas com azeite, olha para mim. Está a ver uma mulher de quarenta e quatro anos com ar de psicanalista, quase magra, que escreve numa cafetaria às onze da manhã. Não está a ver a professora do secundário que todas as manhãs, na companhia de outros professores, tomava café com churros já moles num bar acanhado e sem cavalheiros de apresentação audaz. Observo ansiosamente a frutaria. O Carlos Javier saiu há mais de uma hora. E o cavalheiro está a olhar para mim.

Sei que não parece lógico eu estar aqui. E o Carlos Javier ter ido a minha casa, foi lógico ou não? Às vezes penso que foi tremendamente lógico. Outras vezes penso que existe o mundo do não lógico, que há passagens, corredores que levam a todas as suas dependências. Estou agora numa delas, mas ainda me restam muitas por explorar.

– Pai?

Susana estava de pé junto ao computador de Enrique.

– Estive a procurar informação acerca desse homem que, segundo me contaste, foi agente soviético nos Estados Unidos – disse Enrique.

– Bom, eu queria...

– Parece que era tudo verdade. Há um livro sobre um agente da CIA infiltrado que foi quem descobriu o mexicano entre muitos outros agentes.

– *Cassidy's run*, sim, ele falou-me desse livro. De um tal Wise, não é?

– Exactamente, David Wise. Nos anos sessenta escreveu *O Governo Invisível*, sobre as implicações da CIA em golpes de Estado como o da Indonésia, era um livro muito conhecido.

– Fico satisfeito por o teres encontrado, foi tudo há muito tempo em todo o caso, o mexicano deixou-se disso.

– Deixou porque foram descobertos, ele e a mulher.

– Sim, está bem, mas a verdade é que deixou, e também não faziam nada de que tivessem de se envergonhar.

– Susana, andaram a passar para a União Soviética informação sobre investigações relacionadas com um gás mortífero. Uma arma química de grande potência. Não é um gás que adormeça ou que envenene, é um gás que mata e foi concebido para esquivar os protocolos sobre as armas químicas.

– Eles eram espiões, era o trabalho deles.

– Sim, mas acontece que vais a um encontro sobre o zapatismo e é logo essa pessoa que lá está.

– E então? Lutou por aquilo em que acreditava, não fez nada que estivesse mal.

– Não sei. Uma coisa é vocês fazerem um *sit-in* para reivindicarem rendas de casa baratas, ou ires a Chiapas no mês de Agosto, e outra é relacionares-te com agentes soviéticos que nem sequer eram do KGB, mas dos serviços de informações militares, do GRU.

– Ainda bem, o GRU sempre é melhor; quer dizer que trabalharam para o Exército Vermelho, não fizeram nada que tivesse a ver com as funções da polícia política do KGB. Pai, vim ter contigo por causa de outra coisa.

– Mas sabes o que foi que realmente se passou?

– Sei mais ou menos.

– O John Cassidy, o agente duplo, passava-lhes informação manipulada, porque os americanos tinham a intenção de pôr os russos à procura de um gás nervoso que eles já tinham verificado que era instável.

– Sim.

– Tencionavam arruinar os soviéticos, e afinal os soviéticos acabaram por encontrar um gás estável.

– O meu amigo limitava-se a passar a informação.

– Estava dentro da operação! Sem ele, os outros não podiam ter feito fosse o que fosse.

– Era a guerra fria, pai. Ele pensa que dessa maneira ajudava a impedir a guerra real. Há muita gente que pensa a mesma coisa. Eu, no lugar dele, teria feito o mesmo, se é isso que queres ouvir.

– Sabes que o teu amigo e a mulher dele foram descobertos, mas que como nos Estados Unidos se respeitam os direitos individuais, as liberdades individuais, os puseram em liberdade porque todas as provas que tinham contra eles tinham sido obtidas por meio de gravações que violavam a sua intimidade?

– Sabia alguma coisa a esse respeito, e não me surpreende, há coisas que estão bem nos Estados Unidos, nunca o neguei. Eu vinha...

– Não digo que não sejas uma pessoa sensata. Digo que certos grupos flirtam com a violência. E não estão demasiado longe dos teus. A história do agente soviético preocupou-me. Contaste-ma como se fosse uma coisa interessante, ou até divertida. Não é uma história divertida, Susana, é um caso muito sério.

– Eu vinha falar-te da mãe.

– Não mudes de assunto.

– Quem é que mudou de assunto? Se nem me deixaste começar. Vamos lá ver, acontece que fui a alguns encontros sobre a América Latina e que conheci um zapatista que espiou para o GRU. Qual é o problema? Foi ele próprio quem me contou a história. Nos Estados Unidos foi publicado um livro que fala dele. Se procurares, encontras na internet toda a história dele. Qual é o problema, pai? Não terás visto que a mãe emagreceu não sei quantos quilos em menos de três semanas? Não notas que anda angustiada com alguma coisa? Esforça-se por não mostrar e ainda é pior. Assim que pode desaparece, sai para dar uma volta, fecha-se na casa de banho ou finge que está a ler, mas está a pensar noutra coisa.

– Sim, dei por isso. Estou à espera de encontrar um momento oportuno. Sabes muito bem que a tua mãe tem direito a ter a sua vida. A tua mãe e eu temos direito a ter a nossa vida contanto que isso não vos afecte.

– Achas que estou a insinuar que a mãe te engana?

– Estás a insinuar o quê, então?

– Sabes de sobra que tudo isto começou com a história do homem que foi despedido do supermercado.

– Olha, Susana, vamos tentar não misturar tudo. Eu ocupo-me da tua mãe. Confia em mim, vou falar com ela. Quanto a ti, se pudesses acalmar um bocadinho a tua militância, era uma alegria que me davas. Não digo que a deixes, nem pouco mais ou menos. Mas há outras coisas, estás a estudar agronomia, não é um curso qualquer, e antes davas-te mais com os teus colegas de estudos, fazias trabalhos com eles, saíam juntos.

– Ainda saio com eles. Se conseguires que a mãe fale contigo, gostava que me contasses.

Goyo ofereceras o seu apartamento para se fazer a reunião. Às cinco e meia interrompeu o que estava a fazer e arrumou um pouco a mesa. Trouxe duas cadeiras do quarto, pôs água ao lume. A seguir tocou o telefone, era Susana. Voltou a tocar: Félix e Mauricio vinham juntos. No colectivo tinham a regra da pontualidade, não eram rígidos para com quem não a observasse, mas fazia parte da maneira que tinham de fazer as coisas, do mesmo modo de nunca usarem os apelidos quando se falavam ou escreviam, do mesmo modo de terem uma direcção de correio compartilhada para cada assunto e dois nomes junto à campainha da porta de casa.

Goyo pôs no centro da mesa uma cafeteira e um jarro. Trataram todos de ir buscar as chávenas e os copos. Foram-se sentando e preparando papel em branco ou cadernos, papéis escritos, lápis, marcadores. Depois de vários rascunhos, formularam a adesão nos seguintes termos:

"Quando me for solicitado, na medida das minhas possibilidades e sempre que esteja de acordo com o fim escolhido, porei a minha força de trabalho, o tempo e os meios de fabrico que estejam ao meu alcance ao serviço da corporação."

Trabalharam também tendo em vista o modo como poderia funcionar o documento se os colectivos o aprovassem. Propuseram que cada grupo gerisse as adesões dos seus militantes através de um delegado ou de uma delegada. Era, além disso, importante que o documento pudesse ser assinado por pessoas que não militavam em qualquer dos grupos: concordaram que isso seria então feito por intermédio de um militante. O que significava que qualquer membro dos grupos poderia propor a um não-militante a adesão, mas ao mesmo tempo teria de responsabilizar-se por contactar essa pessoa não-militante quando fosse necessário. Os não-militantes que aderissem poderiam por seu turno sugerir a integração de um ou, no máximo, dois outros não-militantes, mas sempre através do militante de contacto. Se o número dos não-militantes disparasse, coisa não muito provável, seria necessário proceder a uma nova consulta sobre o método.

Quem teria capacidade para solicitar à corporação que pusesse em marcha um projecto? Félix pensava que qualquer militante devia poder fazê-lo, quando conseguisse obter o apoio de outro militante de um outro colectivo. Goyo, Mauricio e Susana eram partidários de uma obtenção do apoio de pelo menos mais três militantes de três colectivos diferentes. Acabou por se aprovar que fossem mais três, considerando que estava em jogo qualquer coisa de suficientemente complicado para que conviesse começar com um mínimo de organização. Os três militantes que dessem o seu acordo fá-lo-iam sabendo que poderiam encontrar apoio nos seus três colectivos, e isso garantiria uma certa estrutura.

Assentou-se que também poderiam solicitar que se pusesse em andamento um projecto de pessoas particulares ou membros de grupos que não pertencessem ao colectivo de colectivos, se por sua vez obtivessem o apoio de quatro militantes de quatro colectivos que pertencessem àquele.

Como na redacção do documento tinham incluído a fórmula: "... sempre que esteja de acordo com o fim escolhido", decidiu-se que não seria necessário haver votações. Quando fosse apresentada a solicitação, calcular-se-ia quantas pessoas deveriam trabalhar no projecto para este ser levado por diante – mais ou menos dez, mais ou menos cinquenta, mais ou menos cento e cinquenta – e o projecto seria encetado se, depois da contagem nos grupos, houvesse suficientes pessoas para o levarem a cabo.

Quando se preparavam para dar a reunião por terminada, Mauricio disse:

– Não sei se alguma vez chegaremos a usar isto. Bem sei que sou um desmancha-prazeres, mas é que me parece muito difícil inventar a pólvora.

– Aparece de vez em quando alguém que a inventa, não é? De vez em quando aparece alguém que descobre a penicilina – disse Félix.

– Mas precisamente nós, que não somos ninguém, que não passamos anos a investigar nem fechados na Biblioteca do Museu Britânico – disse Mauricio. – Não é lógico. O que se faz enquanto se trabalha sempre se manteve como qualquer coisa à parte. Os tempos não estão para podermos esperar que alguém perca o emprego para tirar horas de trabalho para outras coisas.

– Porque não? – disse Félix. – O emprego perde-se muitas vezes embora não se queira. Se te despedem sem teres feito nada, como aconteceu com a minha mãe, mais vale que te despeçam por teres feito alguma coisa.

– Sim, mas eu não me atrevo a solicitar nada se souber que com a minha solicitação posso acabar por causar um despedimento – disse Mauricio. – Também não vejo bem como é que, por este caminho, vamos fazer o que a Susana disse: levar as consequências dos problemas ao lugar onde os problemas têm origem.

– Não podemos ir casa a casa, como o equatoriano da minha mãe. Talvez um dia outros o façam. Os bolivianos, os argelinos, os ucranianos irão às nossas casas pedir-nos conta do gás da cozinha ou da luz do quarto. Mas sabemos que no trabalho, é no facto de alguns poucos decidirem e se apropriarem do trabalho da maioria que começa a maior parte dos problemas. Trata-se de avançarmos pouco a pouco.

– Sim – disse Goyo. – Além disso, primeiro vai ter de ser aprovado o documento e os mecanismos. E então veremos.

– Bem – disse Mauricio –, vocês têm razão, pouco a pouco.

Fizera-se noite, no vidro da janela reflectiam-se as duas luzes acesas. Susana foi a primeira a levantar-se, seguiu-se-lhe Félix. Embora fizesse frio, Goyo abriu a janela. Os reflexos das luzes moveram-se com as vidraças e depois desapareceram. Em seu lugar, a cor laranja, cinzenta e malva do céu. Era para onde Mauricio estava a olhar. Duas estrelas que mal se viam. Não havia vento, os papéis em cima da mesa continuavam imóveis embora uma leve descida da temperatura permitisse dar pela transferência de calor.

FÉLIX A MAURICIO

Para ti não é claro que vamos usar a corporação. Pois eu acho que vamos usá-la. De acordo, a mim também me custa falar em público. Há argumentos que não te disse e digo-tos agora.

É o que tu próprio disseste das fábricas: tocas nalguma coisa e quase tudo aquilo em que tocas foi feito por alguém. Olhas para o teu quarto e mais de oitenta por cento das coisas que há lá dentro foram fabricadas por gente dessa classe trabalhadora que dizem que já não existe. Gente como a minha mãe, Mauricio.

A minha mãe trabalha numa empresa de electrodomésticos. Supervisiona a área da embalagem das máquinas de fazer sumo, das batedeiras, dos secadores de cabelo. Bem, supervisionava. O encerramento é já certo. Os trabalhadores fizeram tudo o que puderam. A última coisa foi pedirem um boicote de um mês aos produtos da multinacional que, depois de ter comprado a empresa, a vai levar para outro lado. E sabes qual foi o problema? Foi que havia demasiados produtos. Se nos pedem que estejas um mês sem comprar desodorizante de não sei que marca, talvez te lembres de o fazer. Mas a lista de coisas que produz a multinacional que comprou a empresa da minha mãe tinha marcas de: detergentes, limpa-vidros, tampax, sabão para a máquina de lavar, lava-tudo, batatas fritas, pilhas alcalinas, lâminas de barbear, roupa de homem, roupa desportiva, escovas de dentes, champô anticaspa, champô com amaciador, perfume de homem, batons e produtos de maquilhagem, depiladoras, pastilhas para a garganta, inaladores e, claro, pequenos electrodomésticos: tábuas de passar, espremedores, batedeiras, picadoras, máquinas de batidos, cafeteiras, torradeiras, além de escovas de dentes eléctricas, máquinas de barbear, relógios de parede, despertadores, calculadoras, aparelhos de medir a tensão, termómetros digitais e de ouvido. É difícil boicotar tanta coisa. Mesmo que te proponhas fazê-lo, a verdade é que já compraste a torradeira ou que não tens tempo para avisar os teus pais que justamente ontem foram a um hipermercado e compraram precisamente esse detergente concentrado com aloé.

É por isso que gosto da corporação. Até hoje os trabalhadores sempre recorreram à sua possibilidade de não trabalharem, à greve, à ideia de que sem eles tudo parava. Mas que greve há-de fazer a minha mãe se lhe levam a empresa daqui para fora? E isso de mobilizar os consumidores não está mal, afinal de contas é quase a única identidade que temos, a de consumidor, quero eu dizer que é muitas vezes menos precária do que a de trabalhador. O problema é que deixas de consumir uma coisa, mas consomes outra sem te dares conta. Se nós, os mil e duzentos, ou os seis mil que talvez conseguíssemos reunir, nos coordenarmos para não comprarmos certas coisas, seria bom, mas não suficientemente significativo. Em contrapartida, poucas vezes nos damos conta do poder mais evidente do trabalhador: o poder de produzir. Ou, melhor, de transformar, como disse a Susana, porque a maioria das coisas vêm da terra e nós limitamo-nos a elaborá-las, não as criamos do vazio.

Já se sabe que um trabalhador sem um meio de produção morre de fome. Só que também sabemos o contrário: o meio de produção depende do trabalhador, e bem vistas as coisas é o trabalhador quem o controla. Está bem, não temos as empresas, não temos os edifícios, não temos as acções. Mas o que temos é o acesso ao meio de produção, porque nos pagam para isso. No viveiro onde eu trabalho aos fins-de-semana, a pessoa que acaba por decidir o que se rega e o que não se rega sou eu, e sou eu quem fecha as portas e conta as árvores.

Tu estás numa loja, eu sei. E na assembleia há uma grande maioria de estudantes, funcionários e por aí fora. Não creio que seja muito importante. A distribuição também conta. Dispormos de um ponto de venda como a tua loja, de uma caixa registadora e de um pequeno armazém: tudo pode ser útil. Como também, de outra maneira, dispormos da sala de aula de uma escola ou do seu refeitório. Além disso, estamos a começar. Se pusermos a funcionar a proposta do Goyo e da Susana vamos ter de falar com mais pessoas que trabalhem directamente na produção, e era isso precisamente o que tu querias.

Eu começo a não poder mais. Dispenso entrar em depressão; se depender de mim, se nalguma coisa, por pequena que seja, depender de mim, juro-te que deprimir-me vai ser a última coisa que hei-de fazer na vida. Mas que mais posso fazer? De palhaço? Karaté diante do sofá, para derrubar uma peça de louça e o candeeiro e dar um pontapé na televisão? Meter a minha mãe e a minha irmã num contentor e facturá-las como carga de um navio a caminho do Cabo Horn? A assembleia não vai mudar coisa nenhuma. Mas se não fizer isso, Mauricio, a quem vou poder dizer que meta a minha inteligência emocional no cu? Tenho tudo o que é preciso para entrar um dia aos tiros pela faculdade dentro ou para ficar catatónico depois de me ter passado um bocado a mais com alguma mistura. Está bem, peço uma bolsa para o Canadá, transformo-me num cínico e toca a andar. Mas não quero pôr-me a andar. Não quero que me obriguem a pôr-me a andar. Não quero que este capitalismo de merda se meta em minha casa e me obrigue a cegar de inteligência emocional ou de cinismo. E eu não sou um condenado da terra, nisso tens toda a razão.

CADERNO DE MANUELA

Parece surpreendente. Com os meus quarenta e quatro anos um desconhecido acaba de pagar-me a despesa. Não sou uma mulher espectacular, nem perto disso, mas tive uma juventude de rapariga bonita. Agora começa a decadência. E no entanto o cavalheiro de camisa cor de laranja, que hoje a tinha azul-marinho e com quem não troquei uma só palavra, disse ao empregado que eu era sua convidada. Pode ser que o problema seja dele. O problema ou o não problema. Tal como eu sigo o Carlos Javier, este cavalheiro, cuja decadência, com certeza, já começou também, este cavalheiro, digo, pode ter-se levantado pensando que lhe apetecia convidar uma desconhecida. E deu comigo. Acaso.

O que me surpreende é a ideia de estas coisas serem habituais. O que significaria que durante os vinte anos que passei na sala de aula ou a ir tomar café na companhia de outras professoras e professores da escola, havia bares onde mulheres e homens desconhecidos exibiam camisas de cores intensas, blusões juvenis, gorros de psicanalista, enquanto trocavam olhares e convites. Distraio-me um momento a pensar no que se seguiria, talvez encontros de sexo genital e velocíssimo, ou massagístico e sensual. Ou conversas intensas sobre Peter Greenway e *O Cozinheiro, o Ladrão, a Sua Mulher e o Amante Dela*. Talvez simplesmente o compartilhar de um cigarro e de uma obsessão sabendo que amanhã estaremos noutro sítio.

É uma pena não poder averiguar. Não tenho tempo. Dei-me conta sobre o tarde de que, sem o ter procurado, estava a transformar-me numa mulher misteriosa, magra, com um caderno em que toma notas e uma certa tendência a olhar menos para os cavalheiros e mais para o vidro, como se a perseguissem ou como se para ela a realidade do outro lado do vidro fosse mais premente. Mas não posso ficar-me por esta etapa; a minha transformação continua a progredir. Vou deixar de ser uma psicanalista argentina para me tornar fresadora, caixeira ou empregada de loja.

A decisão está tomada e avizinha-se o momento das explicações. Sou funcionária, tenho um marido, três filhos. Não posso desaparecer de um dia para o outro sem avisar. Tenho de dizer que vou a um sítio qualquer, embora não possa dizer onde. Não disporei de tempo nem terei coragem para inventar, por isso vou dizer-lhes que preciso de desaparecer durante uns meses. Espero ir para Parla. A nossa casa é para os lados da Alonso Martínez. Sei que seria mais fácil encontrar alguém em Barcelona ou em El Salvador do que em Parla. A minha filha mais velha anda metida em grupos políticos, mas reúnem-se em sítios mais centrais. Ninguém irá procurar-me num supermercado de Parla, disso tenho a certeza.

Eis o Carlos Javier. Regressa com dois caixotes de fruta vazios. Pára, olha para mim. Está a piscar os olhos. Penso que estou a sonhar. Ele tenta saber se eu sou eu, ou seja, se a mulher do gorro e do caderno e do olhar enigmático é a mulher abatida que ainda não há três semanas fugia dele. Não me escondo, é o meu último dia neste bar. Parece que há alguém a chamá-lo. Perco-o de vista.

ENRIQUE PREFERIU NÃO SAIR para o café das onze. Era a primeira vez em vários meses, aquele café convertera-se numa necessidade. Dormia pouco e o seu corpo ansiava pela pausa das onze com um café duplo que o despertava por duas ou três horas. Mas queria estar só, a olhar para a sala deserta, com as sete restantes cadeiras vazias, os objectos imóveis em cima das mesas, agrafadores, bonecos, os monitores dos computadores apagados. Tocou um telefone que ninguém atendeu.

Havia algum tempo que pensava que Manuela tinha um amante. Suspeitava do director da escola, um professor de física com cara de pica-pau, magrizela, feioso mas de espírito vivo e, sobretudo, um desses tipos que pareciam ter escrito na cara: gosto de todas as mulheres. Surpreendera-o mais do que uma vez a olhar fixamente para Manuela, e surpreendera Manuela aceitando o seu olhar. Enrique sentia uma leve sonolência agradável na sala vazia.

Apoiou os cotovelos em cima da mesa e o rosto num dos braços, com indolência. Permitiu-se fechar os olhos e evocou os dias em que vira Manuela chegar a casa especialmente bem-humorada, e então ele desconfiara. Era assim a vida da classe média, aquele rapaz, Goyo, devia sabê-lo: nada em excesso, e menos do que nada o entusiasmo do cônjuge, o seu entusiasmo dissolve-nos, disse ele para consigo, e enquanto se aproximava da perda da consciência reconheceu que as sequelas da visita do equatoriano lhe tinham a princípio parecido satisfatórias. Eram mais fáceis de suportar a inquietação e a melancolia de Manuela do que o seu entusiasmo.

Acordou devagar. O ruído de passos e de vozes foi crescendo à medida que ele se endireitava. Quando a porta se abriu e a sala se encheu de som real, Enrique contemplava com uma expressão beatífica o monitor negro do computador.

Lembrou-se de telefonar a Manuela. Poderia ter-lhe ligado para o telemóvel, mas num alarde de optimismo marcou o número da escola secundária. Ela não estava. Não aparecera durante toda a manhã. Como a avestruz obrigada a enfrentar o perigo, deixou de tentar esquivá-lo:

– Está doente? Sabe se vai estar aí da parte da tarde?

– Não estou informado. Só sei que está há três dias sem vir.

MAURICIO A FÉLIX

Apesar de todos os meus receios, alegra-me estar no projecto da corporação, e isso é a ti que o devo. Ajuda-me bastante que me tires as peneiras apesar de eu, pelo meu lado, não saber o que te hei-de dizer sobre os problemas da tua casa.

Alimentar ilusões assusta-me, mas tenho a convicção mais ou menos razoável de que alguma coisa havemos de conseguir. Não vamos poder encontrar um trabalho para a tua mãe depois da deslocalização da fábrica, nem vamos conseguir construir para a tua irmã um ambiente menos cruel, destrutivo e vazio do que a porcaria em que se meteu para dessa maneira a fazermos sair do quarto. Gostava de poder dizer-te que sim, mas não é verdade e controlo-me. Mas, seja como for, a jogada vale a pena.

Sempre a vender distintivos e a fazer manifs e a organizar brigadas para o Iraque para podermos contar o que vemos. É necessário, muito necessário. E quanto às decisões? Sempre a apanhar as bolas e as ruínas e o sangue das decisões dos outros. Escolher não é só o como, o chefe da minha loja insiste sempre no "como", está-se mesmo a ver porquê, porque o "quê" é ele quem decide. Antes de sabermos como fazer as coisas temos de saber o que queremos, e escolher o que queremos supõe que imaginemos a vida.

Tira-me as peneiras tu agora, se achas que estou a pender muito para o outro extremo. O que se passa é que de repente confio, e penso que não temos de passar a vida toda metidos no nosso canto, não temos de passar a vida a tentar organizar, metidos no canto do costume, as sobras do que é realmente importante.

Primeiro entrou o pai. Incomodado, nervoso e com pressa, empurrou a porta quase ao mesmo tempo que lhe batia com os nós dos dedos.

– Sou eu – disse ele. – Vais sair? – E antes de ouvir a resposta de Susana: – A tua mãe quer falar contigo.

Deu meia-volta, e deteve-se já junto à porta. Disse:

– É possível que tivesses tu razão.

Nem dois minutos depois a mãe entrou.

– Tens um bocadinho? Podemos falar?

Susana estava deitada na cama a ler uns apontamentos. Desta feita endireitou-se e pôs os apontamentos em cima da mesa.

– Sim, claro que tenho.

Não sabia onde havia de se pôr. Convidar a mãe a sentar-se na cama parecia-lhe um tanto deslocado, sobretudo porque não fazia ideia do que iria ela dizer-lhe. Mas oferecer-lhe a cadeira da mesa de trabalho parecia ainda mais esquisito. Acabou por se sentar ela na cadeira e por deixar a cama para que a mãe se sentasse. Aproximou depois a cadeira para ficarem as duas mais perto.

– Vou estar fora três meses – disse-lhe a mãe.

– Onde?

– Bem, isso ainda não sei. Fora de Madrid, fora de Espanha. Não estou certa. Preciso de um semestre sabático. Acho que é uma boa altura. O pai, tu, o Marcos e o Rodrigo estão bem, não há motivo para haver problemas nos próximos três meses. Além disso, para qualquer sítio que vá, hei-de estar localizável para qualquer emergência.

– Mas como é que podes ir-te embora sem saberes para onde vais?

– É que talvez saiba, mas prefiro guardar o segredo.

– E depois dos três meses?

– Logo se vê.

– É por causa do equatoriano?

– O equatoriano, a escola, os anos, suponho que há de tudo um pouco.

Susana sentou-se agora na cama, com as costas contra a parede, junto às da mãe. Sem olhar para ela, perguntou:

– Tens um amante?

– Acho que não – Manuela sorria. – Não estou a pensar separar-me do teu pai. Nunca se sabe o que pode acontecer, mas de momento não me deu para aí.

– E ele, como foi que reagiu?

– À sua maneira, não muito mal. O que aceitou pior foi a história do telemóvel. – Manuela pegou na mão de Susana e começou a brincar com os dedos dela. – Não vou levar o telemóvel. Preocupa-o que possa acontecer alguma coisa de manhã e eu não veja os mails até à noite e esteja longe. Prometi-lhe ver todos os dias o correio electrónico.

– Gosto disso, dos mails – disse Susana. – Sempre te posso escrever.

– Claro, e lembra-te de uma coisa, são só três meses.

Manuela soltou a mão de Susana. Levantou-se, sem modos bruscos mas com firmeza, como se não quisesse deixar um centímetro de abertura a qualquer forma de fraqueza.

– É verdade – disse Susana pondo-se de pé. – Só três meses.

Quando a mãe saiu Susana deu-se conta de que não lhe perguntara em que dia se ia embora. Compreendeu que devia estar a referir-se ao dia seguinte. Tinha a persiana meio descida para o sol não a incomodar. Subiu-a até acima e abriu a janela. Rodrigo estava lá em baixo a brincar com uns amigos. Supôs que a mãe esperaria até à noite para lhe dizer. Não conseguia distinguir Rodrigo embora reconhecesse a sua voz entre a dos outros rapazes. Depois viu-o passar fugazmente, camisola vermelha de manga comprida, calças beges, e pensou que era um disparate continuar a preocupar-se com Rodrigo. A verdade é que, com os treze anos que tinha, seria ele quem melhor compreenderia que a mãe quisesse desaparecer por uma temporada.

Telefonaram-lhe uma semana depois da entrevista para ir assinar os papéis. As condições coincidiam mais ou menos com as que o seu catedrático lhe anunciara: terminaria a tese sobre a biofiltragem do CO_2 por meio do cultivo de algas, mas a fundação da empresa assumiria os encargos da bolsa e em Junho seria integrado na empresa com um contrato.

No Centro de Tecnologia pediram-lhe uma quantidade enorme de dados e deram-lhe várias pastas com documentação. Depois um homem com cerca de trinta anos levou-o ao módulo de Eloísa.

– É a engenheira química que vai supervisionar a tua investigação.

Goyo sabia que havia muitas possibilidades de o encaminharem para Eloísa. Por um lado desejava-o, por outro receava que fosse pior misturar as coisas. O homem de trinta anos foi-se embora deixando-os a sós embora rodeados de módulos, vidros e centenas de avisos que, junto aos instrumentos dos laboratórios, exigiam precaução, cuidado.

– Estava à tua espera – disse Eloísa.

– Tens essa vantagem. Por mim, acabo de saber.

– Sabias que podia acontecer.

– Sim. E também queria que acontecesse, embora torne tudo mais complicado.

– Aqui nada pode ser complicado, Goyo. Isto é uma empresa.

– Sim. Não me referia ao que se passa aqui dentro.

– Fico contente por trabalhar contigo. Os sistemas intensivos de produção de microalgas interessam-me muito. Se há um caminho aceitável para a produção de biodiesel, passa pelas algas, não pelo óleo de palma nem pela soja.

– Vais querer que nos vejamos lá fora?

– É melhor falarmos disso noutra altura. Conta-me como vai a investigação.

Goyo esteve quinze minutos com Elo. Não foi fácil para ele. Desejava-a, parecia-lhe que ela também o desejava e a naturalidade com que lhe fazia perguntas sobre o projecto era desconcertante. Agradava-lhe poder falar com alguém que punha toda a sua atenção nos problemas que tinham surgido e nos resultados, em vez de se agarrar aos prazos e às expectativas, como de costume acontecia. Mas esse alguém era Elo. Ele não podia deixar de ver o corpo dela enquanto lhe falava.

– Voltamos a ver-nos na próxima quarta-feira – disse Eloísa.

– Posso telefonar-te?

Ela assentiu.

GOYO A ENRIQUE

Onde está a intersecção? Tiveste de estudar a matemática dos conjuntos? Lembras-te dessa zona que pertencia aos dois conjuntos? Costumávamos preenchê-la de riscos, como um sombreado indicando que o troço com forma de caramelo não pertencia a A nem a B, mas a ambos. Entre nós os dois há uma zona de intersecção e talvez seja enorme, Enrique. Talvez cada um de nós pense que é muito pequena, como a ponta de um dedo, ou pouco mais. E talvez seja o contrário, a ponta de um dedo é tudo o que fica de fora e o resto sobrepõe-se. Não te passes, dizes tu; OK, talvez a zona seja do tamanho de um pulmão, ou do baço, pode ser que tenhamos o baço em comum.

Como és tu, Enrique? Suponho que trabalhas de casaco e gravata, ou pelo menos de casaco vestido. Cabelo castanho, curto, sem barba, óculos sem aros, quarenta e nove anos. Acho que te vi uma vez, vieste buscar a Susana porque a avó dela – a tua mãe? – fazia oitenta anos e não querias que ela se atrasasse para o jantar.

Tu e eu, com o baço em comum, ou meia perna. São duas da madrugada, deixei-me cair em cima da cama, vestido, com o nosso baço a meias, os olhos cravados na luz do tecto como se alguma coisa me impedisse de os tirar de lá. Há coisa de seis meses que os meus pais deixaram este apartamento. A empresa do meu pai mudou de sede e ofereceu aos trabalhadores uma espécie de hipoteca subsidiada se comprassem casa numa determinada urbanização. Decidiram aceitar a oferta e deixar-me este andar. Faltava-lhes pagar seis anos de hipoteca, que se transformaram então em doze até eu acabar de a pagar. Pensaram que seria uma boa coisa para a minha mãe a casa nova, que tinha além disso melhores transportes para a associação onde ela trabalhava da parte da manhã, e, sobretudo, queriam ajudar-me evitando-me o ter de arrendar uma casa. Eu disse-lhes que levassem o que quisessem, que preferia que o apartamento ficasse o mais vazio possível. E é assim que o tenho. O meu quarto está igual. A cama do meu irmão continua aqui, ao lado da minha. Acho que a minha mãe gosta de ver que por enquanto não a tirei daqui. Embora não tenha sido por causa dela, mas por mim, que a deixei ficar.

O dia foi cansativo. Devia tomar um duche, dormir, mas acho que também preciso de falar com alguém, quer dizer, contigo. A Susana disse-me que gostas de histórias de espionagem. Nada mal, o que se passa é que é necessário haver alguém que precise da informação, que saiba cruzá-la com outra e saiba, a seguir, para que há-de usá-la. Por exemplo, durante alguns anos o meu pai foi muito vulnerável. Vivia cheio de medo. Aterrava-o a ideia de morrer e de a minha mãe ficar sem dinheiro suficiente para cuidar do meu irmão. E aterrava-o ainda mais a ideia de morrer ao mesmo tempo que a minha mãe, a ideia de morrerem os dois num acidente de automóvel ou qualquer outra coisa no género e de me deixarem a mim, com dezoito anos, responsável pelo Nicolás. Porque o cérebro do meu irmão Nicolás não funcionava bem. O meu pai fez vários seguros de vida. E se o despedissem? Perder o emprego e continuar vivo mas sem dinheiro não significava para ele o mesmo que para outras pessoas que ficam sem trabalho e têm dois filhos para sustentar, porque as pessoas não costumam ter em casa bebés de vinte anos, e era essa a situação do meu irmão.

Se o chefe do meu pai tivesse sabido o que ele sentia, poderia tê-lo espremido mais. Se tivesse sabido que o medo do meu pai não era o que qualquer empregado tem de ficar sem trabalho, mas que naquele medo havia o ter visto que o Nicolás não andaria, e ter visto a minha mãe uma tarde atrás da outra levar o Nicolás a fisioterapeutas, sozinha, com esperança, e que a esperança não servia. Se o chefe tivesse sabido disto, poderia ter obtido quase tudo o que quisesse do meu pai.

Talvez o tenha sabido, Enrique. Não me atrevi a perguntar. Agora, pelo menos, para o chefe já é tarde. O Nicolás já cá não está: o medo do meu pai é igual ao medo de qualquer outro empregado.

Dizes que a tua filha Susana celebra como um avanço incrível o facto de um homem desesperado ter estado prestes a destroçar a vida da tua mulher, o equilíbrio da tua família, essa, como tu dizes, tola e insípida placidez de certos seres felizes da classe média que te parece uma das conquistas mais valiosas do género humano. Embora, sem dúvida, "celebrar" não seja a palavra. Creio que se trata de tentar ouvir. Posso imaginar alguns motivos, mas não sei dizer-te com certeza por que razão Susana tenta ouvir um homem desesperado.

Quanto a mim, poderia pensar que o equatoriano é o meu pai, ou o foi, ou quis sê-lo. Porque o problema, Enrique, são as intersecções, as membranas semipermeáveis que deixam passar moléculas como as da água. O problema é que às vezes há poros gigantes. Há uniões de conjuntos e os anéis que as rodeiam abrem-se, permitindo a entrada e a saída de corpos estranhos. O problema é que a classe média não é um conjunto fechado, não contém o seu próprio limite. O que não significa que vá expandir-se sem parar, mas antes, pelo contrário, que nela penetra quase tudo, porque não está protegida nem vedada e não pode está-lo.

Quem quer acabar com a tua placidez? Nos nossos grupos há quem pense, como tu, que o ideal seria que toda a gente pudesse viver como a classe média de alguns países ocidentais, e se não o defendem é porque sabem que não há recursos suficientes para tanto. Consideram que é um ideal reaccionário na medida em que distrai da busca de objectivos verdadeiramente possíveis. O que tanto eu como a Susana, segundo me parece, pensamos é que a classe média está cheia de buracos. O meu irmão Nicolás pertencia à classe média, o medo do meu pai era o medo de um homem da classe média, e nem o meu irmão nem o meu pai são uma excepção, os poros fazem parte da membrana do mesmo modo que o tecido compacto que os rodeia. Por outro lado estamos de acordo sobre aquilo que é, na realidade, um facto. Não há recursos para uma classe média universal, nem sequer para a classe média existente: há limites que não respeitámos e por isso a qualquer momento tocam à campainha ou se ateia o material inflamável, a pólvora, a gasolina que rega as ruas da classe média.

A única coisa que tem de bom o conjunto não ser fechado e não comportar o seu próprio limite é que, às vezes, a classe média tenta sair.

ENRIQUE A GOYO

Vocês, os não normais, são melhores – não é assim, Goyo? É como os de esquerda, porque, rapaz, não me venhas com histórias, afinal de contas os não normais são os de esquerda, e os de esquerda, vocês, são os heróis da fita. Nisso têm certo mérito. Foi qualquer coisa que conseguiram, sim, porque embora matem, embora nós fiquemos roucos de repetir isto e mais aquilo, o *gulag* e as purgas e o totalitarismo, apesar de tudo, são vocês os bons. E nós os gordos de chapéu alto e charuto. Simples como é, idiota como é, a coisa funciona. A verdade é que acabamos por vos acusar mais de andarem mal vestidos, de serem anorécticos ou desprovidos de sentido de humor, do que de serem péssima gente.

É certo que a verdade está muito desprestigiada. De um modo geral as pessoas não estão interessadas em adquirir bondade para a sua vida de todos os dias, no trabalho os empregados bondosos são desprezados quando não lhes fazem *mobbing* ou coisas piores, nas escolas faz-se pouco dos bons colegas, etc. Mas a imaginação é diferente, e a nós, normais e portanto um tanto conservadores ou de direita, lixa-nos que sejam vocês os bons. Espero que não penses que digo isto por causa do que me contaste do teu irmão e dos teus pais. Merecem todo o meu respeito, mas deixo-os fora das ideologias.

Voltando ao meu assunto: nunca tive a minha própria empresa; apesar disso, imagino que deve ser muito divertido fazermos avançar uma empresa e depois ver que os tipos a quem pagamos no fim do mês não vêem em nós uma pessoa com nome, história, dificuldades, nem menos ainda qualquer coisa mais do que um empresário e, não podia deixar de ser, um empresário de direita.

Porque os empresários são todos de direita e o PSOE é de direita, e eu que ganho três mil e setecentos euros por mês tenho, ao que parece, de me sentir culpado. A própria Manuela que é funcionária, que ganha menos, que atura alunos do secundário há vinte anos, que passou cinco anos numa escola de San Blas onde a polícia tinha de intervir dia sim dia sim, a própria Manuela tem de se sentir culpada.

Tu não, Goyo. Tu és inocente porque és de esquerda e como és inocente espero que não te aproveites do que te conto agora. Considera que escrevo em estado de necessidade. Considera que tendo a hipoteca paga e três filhos saudáveis e um bom ordenado, também posso viver estados de necessidade. Ridículos, se quiseres. Estados que não merecem a preocupação de ninguém. Apesar de tudo, considera que não te escrevo por prazer nem para obter um benefício. A Manuela foi-se embora e eu, amante das liberdades, liberal eu próprio, revistei as coisas dela.

Pode ser que me desprezes tanto que nem sequer te surpreenda. Pode ser que julgues conhecer-me melhor do que eu próprio me conheço. Julga-o, e adiante. Nunca até hoje tinha feito nada que se parecesse, e tive suspeitas, algumas delas fundadas. Tive realidades, pouco importa, não tas vou contar. Apesar de tudo, nunca abri uma carta que lhe fosse dirigida, nem tentei ler-lhe o correio electrónico, ou os documentos, nem lhe mexi nos bolsos, nas gavetas da mesa, nem lhe olhei para o registo de chamadas do telemóvel. Nunca. Vais pensar que é fácil respeitar os direitos de alguém que está contigo, vais pensar que quando a Manuela escapa ao meu controlo, a minha prepotência vem ao de cima e eu atraiçoo as minhas regras sem pudor. Não, Goyo, nem tudo se resolve tão simplesmente.

A Manuela vai voltar. Parte só por uma temporada, um trimestre sabático, segundo a expressão dela. De maneira que não se trata de me estar a tornar um animal porque a perdi. Não a perdi. Vai voltar. Além disso, diz-me lá: não é verdade que às vezes se escrevem diários íntimos para chamar a atenção? Fecham-se à chave, escondem-se, mas quanto mais fechados e mais escondidos, com mais força reclamam aos gritos curiosidade, interesse.

Suponho que é fácil troçar deste último argumento. Poderias comparar-me com os que pensam que quando uma mulher se nega está a pedir outra coisa. Está bem, eu acalmo-me. Não sou uma caricatura. Atenção, tu também não precisas de o ser. É possível que me respeites alguma coisa e compreendas que os motivos do comportamento humano encerram certa complexidade. Porque é que a Manuela não compartilha esta história comigo? Se ela tivesse ido com um amante acho que teria sabido comportar-me respeitando-a, mas é como se lhe tivesse sobrevindo uma, se me permites, absurda vocação de freira laica que eu preciso de compreender.

Porque não fala ela comigo? Primeira hipótese: sente medo de si própria, medo de que eu lhe faça ver, em menos de dez minutos, que aquilo que está a fazer não tem o menor sentido. Segunda hipótese: a Manuela pensa que eu sou um capataz. Inclino-me para a segunda. Não tenho um mau ordenado, comparado com o que para aí há, mas não sou um empresário, isso é também evidente: podem despedir-me amanhã e ficam tão sossegados como antes. Não sei o que é rebentar de cansaço físico ou trabalhar à peça subcontratado e sem papéis. Por isso suponho que sou um capataz. Para usar um termo que o meu pai usava: o patrão. Dir-se-ia que eu, aos olhos da Manuela, sou um desses que trabalham para o patrão e ainda por cima o defendem.

Ganho por mês mais mil e seiscentos euros do que ela: foi com isso que me compraram? Uma miséria assim, não se está a ver? Está bem, acalmo-me outra vez. Embora não possa evitar sentir-me ofendido. Segundo parece, é-se de esquerda pela razão e é-se de direita pelo interesse. Vocês têm a razão, nós só temos a conveniência, a comodidade, o privilégio defendido com unhas e dentes. A Manuela gosta de argumentar, gosta de discutir: porque não discute comigo? É fácil: não discute porque a razão é desinteressada, discute-se com argumentos e não com interesses e as coisas que eu possa dizer-lhe, pensa ela, não vão ser argumentos, mas simplesmente desculpas, argúcias, sofismas, tergiversações com que dissimulo o meu interesse.

Não será isto desprezo? Não será despojar-me da presunção de racionalidade? Não será dar a entender que me falta a capacidade de ficar sossegado num quarto e, depois de ter meditado durante algum tempo, chegar a uma conclusão fundamentada? A minha conclusão é a seguinte: uma vez que não podemos desfazer o mundo e voltar a montá-lo de alto a baixo, é melhor, racional e razoavelmente melhor, colaborar para que este país continue a prosperar e as vantagens da classe média se tornem extensivas ao maior número possível de indivíduos, ainda que esse número, admito, acabe por ser afinal de contas bastante raquítico.

"Tal como as coisas estão", insisto. Se fosse possível fazer tábua rasa e começar de novo não te digo que tu e eu não concordássemos acerca de mais coisas, Goyo. Mas é que não há tábua rasa. E não fui eu que escolhi que não haja. Admito que de certo modo me convém continuar assim, mas isso invalidará o meu raciocínio? Seria necessário que não conviesse a Newton que as maçãs caíssem para baixo para que a sua observação fosse mais acertada?

Nem sequer a minha filha me ouviria. Estou só. Sou um normal e descobre-se que vivo numa casa de não normais. O Rodrigo, o meu filho mais novo, já o vejo preparar-se para ir pelo mesmo caminho. Tem treze anos e começou a preocupar-se com a ecologia. Antes éramos três contra dois. Agora já não posso contar com a Manuela. A minha filha Susana, que tu bem conheces, é a grande mestra do Rodrigo. Resta-me o do meio, o Marcos: o Marcos não se interessa pela ecologia nem pelo contrário. Pode ser que dentro de alguns anos se pareça comigo: de momento está demasiado preocupado com o seu voleibol e as suas miúdas.

Mas porque não posso contar com a Manuela? Revistei a mesa de trabalho dela. Não encontrei números de telefone, nem versos, nem preservativos, nem capas de bilhetes de avião, nem folhetos com ilhas. Só, numa pasta guardada na gaveta, estas linhas escritas com a sua letra: "Na terça-feira de 4 de Dezembro de 1934, Simone Weil – professora de filosofia, de família burguesa – entrava como servente numa fábrica. Durante um período da sua vida quis viver como um operário, com o seu salário e com o seu trabalho".

3

CADERNO DE MANUELA

Vim parar a uma tinturaria. Tinha outros projectos, grandes cadeias de supermercados, algum tipo de multinacional. Mas não é fácil. Na maior parte dos anúncios pedem pessoas de vinte e três a vinte e oito anos e nalguns outros, de vinte a quarenta. É verdade que alguns nada dizem da idade, mas eu não seria capaz de levar à certa a nova geração de especialistas em recursos humanos. Uma coisa é mudar de ar e outra inventar uma biografia completa, sem que se note que fui professora do secundário. Mais difícil ainda deve ser fazê-los crer que este trabalho representa para mim a garantia da minha vida material quando isso não é verdade. A vida material, disse eu. Sou ateia, mas nem por isso deixo de pensar que existe uma vida espiritual nem de a sentir ameaçada.

Estou no bairro de Parla com seiscentos euros, o máximo que posso levantar por dia do multibanco. Deixei trezentos de fiança para alugar um quarto. Gastei setenta a comprar algumas peças de roupa que me dêem outro ar, menos de professora do secundário e menos também de psicanalista argentina: mais de mulher sem estudos universitários com um casamento desfeito. No meu casamento real não quero pensar muito por agora.

Disse ao dono da tinturaria que não tinha experiência de engomar, que não me opunha a usar percloroetilenol e que funcionava bem no contacto com o público, uma vez que trabalhara seis anos numa mercearia e oito numa frutaria.

Não é que goste de mentir. Procuro não o fazer em proveito próprio, quando posso evitá-lo. Podia ter tentado pedir baixa por depressão e continuar a receber o ordenado, mas não era necessário. O que não diz nada a meu favor, fala simplesmente da minha situação. Quero dizer que outras pessoas inventam uma depressão porque têm necessidade de o fazer, têm os seus motivos. Outras têm realmente uma depressão e às vezes nem sequer é muito fácil distinguir um e outro caso. Tive necessidade de inventar que trabalhei numa mercearia. Se tivesse explicado ao proprietário da loja quem sou, ele não me teria contratado, é mais do que certo. Espero que a minha mentira não venha a prejudicá-lo, porque embora não tenha trabalhado numa mercearia, os meus vinte anos no ensino ensinaram-me a ter paciência. É isso que é preciso para atender os clientes, não é verdade? Paciência.

Começo amanhã. Entretanto aqui estou, em Parla, absolutamente sozinha. As minhas companheiras deste andar ainda não apareceram, e quase me sinto agradecida. Não vou pôr-me a chorar, sei perfeitamente que fui eu quem procurou isto mesmo. Não tenho jeito para Simone Weil. Fiz a minha tese sobre ela, alguns dos seus escritos são esplêndidos, mas Weil acabou cristã e eu não vou por esse caminho. Nem cristã nem filósofa nem ninguém que vá ficar nas enciclopédias. Teimosa, sim, sempre fui obstinada. E frívola? Também, sim. Tive alguns acessos bastante frívolos por sinal, por períodos.

Bastante frívola devo estar também agora para dizer aos meus filhos e ao meu marido, assim de um dia para o outro: vocês ficam, eu vou-me embora por três meses. Pode ser-se frívola e tenaz ao mesmo tempo? Pode. Por algum motivo não consegui explicar-me bem com a minha filha.

Gostava de lhe ter dito simplesmente o seguinte: que para se ser revolucionária tem de se ser um pouco frívola. Bom, é verdade, tenho uma filha revolucionária. Bem sei que parece uma coisa do século passado, mas acontece que em Madrid, numa zona central, arborizada, e nos princípios do século XXI, me saiu uma filha revolucionária. Acho que não é uma questão de moda, como quando disse que queria fazer esqui, comprámos-lhe as botas, os esquis, os óculos, tudo, e ela ao fim de três meses fartou-se. Tinha então doze anos e a culpa também foi nossa, não devíamos ter-lhe comprado tudo. A política é diferente, porque a Susana tem vinte e um anos e isto dura nela desde os dezoito, a maior parte dos seus amigos é desses colectivos em que ela milita, muitas das suas leituras têm também a ver com isso. Acho que leva as coisas a sério e que quer continuar.

O Enrique, o meu marido, está preocupado com o assunto. Eu não sei. Antes da irrupção do Carlos Javier estive um bocado. Digamos que não me entusiasmava, embora também não me dessem as aflições que dão ao Enrique quando pensa que a Susana acabará aos tiros nas Filipinas ou na Bolívia. O que me preocupa é não ter sabido transmitir à Susana esta ideia de que os revolucionários poderiam ser leves, e não me refiro a fracos. Também não digo que tenham de ser irresponsáveis. "Se vivêssemos no Chile de há trinta anos podiam apanhar-me e torturar-me e matar-me", disse-me a Susana e continuou: "Bem sei que aqui é diferente, mas tenho de ser leal, não posso levar isto como se fosse uma brincadeira". "Claro, claro", disse-lhe eu. Ela não me compreendia e eu não sabia explicar-me. Por isso aqui estou, a olhar como uma tonta para a parede deste quarto, a pensar que posso ter vindo parar à tinturaria Lavagem a Seco de Parla por não ter sabido explicar-me a mim própria nem explicar à minha filha que relação havia entre ser-se revolucionária e a frivolidade.

Nessa altura, quando tentava ainda falar com a Susana, algumas amigas com filhas da idade dela disseram-me que já era tarde. Há um momento na vida em que a mãe morre e deixa de poder fazer coisas pela sua filha, a não ser muitos anos depois, como avó. Cheguei a pensar que tinham razão. Talvez eu tenha vindo agora para Parla como para o lugar para onde vão as mães mortas. Mas não me parece. Diria antes que as mães continuam de vela, ainda que mortas. É por isso que olham à volta e reflectem sobre o que vêem.

SUSANA DESCEU DO AUTOCARRO meio a dormir. Pareceu-lhe que o edifício de tijolo ficava muito longe e que era mais alto do que o costume. Começou a andar e foi acordando à medida que pensava na aula que ia ter. Antes Economia da Empresa Agroalimentar era uma das disciplinas que lhe interessavam. Queria dedicar-se à investigação e sempre supusera que o faria na universidade ou em empresas de outros. Não mudara de ideias, e também não lhe ocorria confundir a corporação com uma cooperativa imaginária e gigantesca. Todavia, tinha agora um lugar a partir do qual ouvir a aula daquela disciplina.

Os votos dos delegados tinham acabado de chegar havia dois dias. Cinquenta e oito a favor do documento, três contra e duas abstenções. O resultado surpreendera-a. Esperava que o documento fosse aprovado, mas não com tantos votos a favor. Entrou na aula. O professor estava a falar do raio de acção do mercado e Susana pensava que eles não iam vender o que produzissem, mas pô-lo simplesmente ao alcance da realidade.

"CUI...!", DISSE ELO, mas o sapato de Goyo já pisara caca de cão, parte da qual assomava agora dos dois lados da sola. Puaggh! Goyo esfregou a sola na terra. Riam-se. Ao chegar diante da porta de casa de Eloísa, tirou o sapato e entrou com ele na mão. Goyo lavou o sapato na cozinha, sem poder evitar deixá-lo todo molhado. A filha de Elo, Vera, estava em casa dos primos. Goyo tirou o outro sapato para andar mais comodamente; o gesto pô-lo um tanto nervoso. Disse, no entanto, que não tocaria em Elo. Chegou descalço junto ao sofá onde ela estava sentada e sentou-se ao lado dela, deixando um espaço vazio no meio.

Provocaram-se. Sustentavam com decisão o espaço vazio no meio, absorvendo a tensão sexual e também o desespero que por vezes assomava nos olhos de Goyo, nos de Elo, e se extinguia como uma centelha para pouco depois voltar a irromper. Alimentavam aquele espaço interposto com o receio e o cálculo, com o: que espécie de relação virá depois; com a memória dos oitenta e três dias com as suas noites e o medo à ansiedade, ao poço no estômago, ao vazio. O intervalo parecia ir ficar ali toda a tarde enquanto eles discorriam sobre as diferenças entre o chá e o café, sobre os dentistas e o efeito de estufa.

Até que Eloísa, que também se descalçara, tocou as meias azul-marinho de Goyo com os seus pés despidos. Não imaginaram qualquer depois, só o corpo alheio excitando a excitação que já sentiam.

Enrolados no sofá, com a roupa a servir de cobertor, adormeceram. O gato atravessou em silêncio o quarto de extremo a extremo.

GOYO A ENRIQUE

Então decidiste falar a peito descoberto, diante da cova aberta. Pois bem, falemos. Amo uma mulher, amo-a dessa maneira ingénua, tola e até infantil típica dos amantes, mas também da maneira mais radical e desprovida de senso comum e de prudência, da maneira que imaginas quando te vês na Antárctida ou sentes nostalgia diante da febre de um amigo que destrói a sua vida por uma paixão obstinada. Tudo se encaixa bem, não é verdade? Revolucionários, radicais, irresponsáveis, loucos, gente capaz de causar males ou cometer erros ou provocar catástrofes só para obedecer aos seus impulsos.

A Eloísa é sete anos mais velha do que eu, tem uma filha com dez, não partilha as minhas ideias, não acredita no futuro desta relação. "É um disparate / diz a razão / É o que é / diz o amor / É desgraça / diz o cálculo / Não é senão dor / diz o medo / Não pode acabar bem / diz a prudência / É o que é / diz o amor."

A Elo perguntou-me se não me estarei a apaixonar justamente disto, do amor, do enorme descanso que significa entregarmo-nos, ficarmos completamente à mercê de alguma coisa que não somos nós próprios e acabarmos por dizer coisas como: "o que é a minha vida, senão tu?" Durante as primeiras semanas teria sido capaz de aceitar que o meu mundo se volatilizasse, ter-me-ia desinteressado de pai, mãe, irmãos, ideias, colectivos, amigos, teria abandonado a cidade e a engenharia química, o meu país, a política.

Mas talvez me engane, talvez não o fizesse e tudo o que sentia era o desejo de que alguma coisa me impelisse. Não sei o que se podia ter passado. Sei o que se passou, e o que se passa agora. Passa-se, Enrique, que não deixo de pensar. É como se os dias com as suas noites, quando me entreguei abandonando todo o senso comum, tivessem cobrado o seu preço e não houvesse agora um só gesto, uma só frase, um só momento de silêncio em que não esteja presente uma pergunta que se interroga sobre Eloísa e o meu mundo e o dela e o que poderia ter-nos acontecido e o que seria bom, injusto, desejável, mau.

Penso em tudo isto, Enrique. Penso: isto que sinto agora está condenado a extinguir-se. Penso: a minha racionalidade é uma traição ao que sinto, e a minha febre, uma traição à racionalidade. Penso que existimos, de facto, os não normais e que podemos ser uma merda, por amor, por egoísmo, por simples despiste. Eu teria deixado tudo pela Elo, e estou bem consciente de ter dito tudo, sem excepção, num dado momento teria, por exemplo, deixado a memória do meu irmão.

Ninguém nasce já feito. A minha militância não me dá qualquer espécie de carta branca, e posso enganar-me, cometer erros tremendos, convencer-me de que não sei o que na realidade sei. Sei que este sistema económico é injusto e abominável. Sei-o pelo meu irmão, mas também poderia tê-lo sabido por um amigo ou sentando-me a reflectir ou através de alguma coisa que me tivesse acontecido, acho eu.

Medo, claro que tenho medo. Penso que se ganhássemos, se conseguíssemos acabar com isto tudo, me sentiria perdido. Mas continuo a reclamar outra vida e não o faço por altruísmo, mas porque isto que sou não me acalma, porque conheço a minha liberdade e não escolhi construir-me sobre os cadáveres dos outros. Sei que não o escolhi, mas apesar disso amanhã a Eloísa aparece e eu deixo de saber, e desejo que o seu amor me levante nos ares levando-me com ela, desejo-o acima de todas as coisas.

Não sou inocente, Enrique, sou volúvel e muito capaz de esquecimento. A minha vida não está antecipadamente pensada – nem por ser não normal, nem por ser de esquerda. É uma coisa que me desconcerta, mas também me tranquiliza. Porque teria eu de ser dos *nacionales* para sempre, se os *rojos* tivessem fuzilado o meu bisavô? Ser-me-ia negado o direito a reconstruir a minha história na direcção do futuro? Pensas que a minha lealdade ao Nicolás é uma lealdade ao seu ADN ou às suas pupilas? É uma lealdade ao futuro, à sua vida possível. E se eu não compartilhasse as ideias de um avô fuzilado pelos *rojos*, a lealdade ao meu avô não teria de ser lealdade ao seu ADN nem às suas ideias, mas, uma vez mais, à sua vida possível, a uma vida na qual não houvesse um golpe de Estado fascista.

O Álvaro pensa que quando eu ganhar dois mil euros por mês, entre outras coisas mais, a minha vida se inflectirá. Sei que tem uma parte de razão e não deixo de me perguntar como fazer para poder continuar a determinar o rumo, a direcção que tomem os meus passos. E duvido, Enrique, e receio perder a Elo por excesso de racionalidade, por querer tudo, e pergunto-me se o nosso colectivo de colectivos não se dispersará como cinzas quando o vento soprar, e inquieta-me que a corporação acabe por ser somente mais um cartucho queimado, outro de entre essas centenas de projectos que mobilizam oitenta pessoas durante uma manhã, ou duzentas e, na manhã seguinte, nada mudou.

Da Manuela, a tua mulher, posso dizer-te que se transformou numa espécie de ponto de referência para mim. Ao contrário do que determinariam a sua idade e as suas circunstâncias familiares, e laborais, assume que a sua vida não está antecipadamente pensada, nem com a sorte prescrita. Dizes que terias preferido a estabilidade. Mas o mundo move-se, Enrique, e isso não é culpa tua nem minha.

Uma vez aprovados os procedimentos de adesão, começaram a chegar os nomes e as ocupações das pessoas que aderiam. Durante as duas primeiras semanas chegaram mais de trezentas adesões, a seguir o ritmo foi afrouxando. Nos princípios de Março tinham trezentas e setenta e três, e todos os dias chegavam três ou quatro mais. Supuseram que o nível se manteria assim pelo menos até à Semana Santa. Esperavam ser capazes de pôr a funcionar alguma solicitação no prazo de um mês.

"Limpeza a seco, eliminação de nódoas especial, passagem a ferro mecânica e retoque e passagem a ferro final à mão", eis no que consistia o serviço B que era aquele que Manuela se comprometia a fazer em numerosos talões. Punha uma marca no tipo de peça, blusa, calças, casaco, manta, o que fosse, escrevia a letra B e depois o preço. O talão continha uma longa lista de defeitos ou deteriorações dos quais as peças podiam sofrer, mas

Manuela costumava passá-la por alto. Só se por acaso via defeitos, um forro descosido ou um botões instáveis, assinalava os quadradinhos correspondentes: "forro descosido" ou "não nos responsabilizamos pelos botões". Por vezes tomava também nota da cor, sobretudo nos casos que não fosse contemplado pelas abreviaturas correntes, ou seja, A de azul, AM de amarelo ou C de Castanho. Em certas ocasiões, por exemplo, Manuela escrevia F de framboesa ou AA de Azul de Auto-Estrada.

Nos dados do cliente, depois do "Sr." costumava limitar-se a pôr o nome: Sr. Julio ou Sr. Elena, pois não fora prevista a abreviatura "Sr.ª". Ao escrever a data da recepção e a da entrega, acontecia-lhe lembrar-se quase sistematicamente de um ou mais filmes em que um talão de tinturaria se transformava na chave que descobria um adultério, um crime ou o destino de uma testemunha subitamente desaparecida. Manuela entregava o talão e via a cliente sair imaginando que, ao fim de três semanas, entraria por aquela mesma porta o marido dela ou um comissário portador do mesmo talão que ela entregara à mulher, para descobrir nos bolsos do casaco limpo um bilhete comprometedor. Na realidade, as coisas não eram assim. A maior parte das vezes os bolsos estavam vazios. Manuela estava encarregada de os revistar e, até ao momento, o único papelinho que encontrara dizia: Corte Inglés, soutien desportivo, champô Ponemo, camisola de lycra, escova.

Quando o cliente saía, Manuela ficava uns segundos a olhar para a rua desejando que outro cliente entrasse a seguir. Caso contrário teria de ir para a parte das máquinas e ajudar Ramón na lavagem a seco e no retoque e na passagem a ferro final à mão. A parte de atendimento ao público ocupava só uns vinte por cento do seu dia de trabalho. Chamara-lhe a atenção o facto de não haver cadeira na parte detrás do balcão para os momentos mortos, mas era porque não havia momentos mortos.

Ramón conseguia quase sempre completar sozinho a passagem a ferro mecânica. Em contrapartida, as peças para os retoques e para a passagem de ferro final à mão acumulavam-se sem piedade. A princípio Manuela, enquanto passava a ferro, pensava em paisagens, em bosques que visitara em criança e em adolescente quando os seus pais viviam em Navarra. Depois, um dia sem se dar conta começou a pensar num tamborete. Passava e pensava que o dono trouxera um tamborete e que ela, entre cliente e cliente, ficava sentada a ouvir a rádio.

No primeiro dia o dono da loja insistira nesse aspecto: nem rádios nem leitores de música nem telemóveis ligados. Manuela assentiu sem ligar importância ao assunto. Não gostava de ouvir rádio, e também não costumava ouvir música quando andava de carro ou em casa. E quanto ao telemóvel, era coisa que não tinha, embora tenha preferido não o dizer ao dono. Em breve, todavia, Manuela começou a fantasiar com o tamborete. Falavam pouco. Ramón era um tipo calado, ou pelo menos assim parecia. Na segunda semana Manuela deixou igualmente de falar. Sentia-se cansada.

Na quinta-feira chegou ao seu quarto às dez da noite, depois de passar pelo ponto internet para ver o correio electrónico e por uma loja de produtos alimentares onde comprou algumas coisas. Jantou iogurte com cereais, gostava da combinação e era uma refeição fácil de preparar. Lavou a tigela de vidro e a colher, enxaguou o copo de água. As suas duas companheiras de apartamento chegavam mais tarde. Manuela tomou um duche, pôs a camisola comprida que lhe servia de pijama e um casaco por cima, a casa estava fria. Já no quarto leu as mesmas doze linhas que lia às vezes antes de adormecer:

"O esgotamento acaba por fazer com que me esqueça das verdadeiras razões da minha estadia na fábrica e torna quase invencível para mim a forte tentação que esta vida traz consigo:

a de não pensar mais, a do não pensar como único sistema de não sofrer. Em geral dou-me conta de que até sábado à tarde ou domingo não volto a pensar nas minhas recordações e ideias soltas, e lembro-me então de que além de um instrumento de trabalho sou também um ser pensante. Experimento um forte calafrio ao verificar a dependência em que me acho das circunstâncias exteriores: seria suficiente que me obrigassem um dia a um trabalho sem descanso semanal – coisa que, apesar de tudo, continua sempre a ser possível – para que eu me transformasse numa besta de carga, dócil e resignada (pelo menos para mim própria)."

Era um fragmento do *Diário da Fábrica*, de Simone Weil, que se referia à sétima semana. De vez em quando Manuela lia-o e relia-o pensando que ela própria só ia nas duas semanas, que não estava numa fábrica mas numa tinturaria, que não estava em 1934 mas em 2006 e que não tinha qualquer paixão pela justiça absoluta e desencarnada como a tivera Simone Weil. Não conseguia sequer conceber o desencarnado nem o absoluto. Acreditava, pelo contrário, no café com açúcar e na bondade do meio-termo.

Apagara a luz para dormir, mas tornou a acendê-la. "Que desastre!", disse para consigo: "Que desastre!" Teria de queimar a sua conta-corrente, teria de saber que não haveria regresso nem à escola secundária nem a casa e nem sequer a uma nova vida, teria de ficar fechada em Parla para sempre, com um ataque de amnésia que a impedisse de recordar que vinha de outro lado e podia voltar a esse outro lado. Mas se perdesse a memória, não seria como matar-se, como desaparecer?

Apagou a lâmpada. A luz da rua repetia no tecto o desenho das ripas da persiana. Manuela imaginou que ainda era capaz de imaginar o quarto como um compartimento de comboio que se movia com ela dentro, e que atravessavam quilómetros de terra às escuras, aldeias com as luzes apagadas, passavam rios.

ELOÍSA A GOYO

Não acredito em coincidências. Prefiro chamar-lhes acasos, parece-me que soa menos místico. Nos acasos não se acredita nem deixa de acreditar, acontecem às vezes e é tudo. As coincidências fazem pensar numa vontade misteriosa que as provoca. Mas eu não acredito em vontades misteriosas nem no destino.

Por vezes, reconheço que se produzem várias causalidades seguidas, embora haja por detrás delas qualquer coisa de parecido com o que acontece quando vês muitas mulheres grávidas porque tu própria estás grávida, ou alguém vê muitas pernas engessadas pelo facto de ter a sua própria perna engessada: aconteceu qualquer coisa que faz com que a nossa atenção se oriente preferencialmente para certas zonas da existência em vez de outras. Põe-se em funcionamento um dispositivo que acaba por reunir factos que na sua maioria não são sequer casuais. O enamoramento é um desses dispositivos e faz assim com que duas pessoas prestem uma atenção desmedida ao que lhes está a acontecer, desejando encontrar razões para a atracção que sentem, misteriosas ou não.

Faço todo este rodeio, Goyo, porque me perguntei hoje se existem acasos negativos, coincidências negativas. Estava diante da minha mesa, de vez em quando movia o rato para evitar que o monitor ficasse negro, e apesar disso tinha a impressão de que qualquer pessoa que passasse por ali se daria conta de que eu não estava na realidade a olhar para o computador.

Alguns minutos antes tinha saído do gabinete do director de divisão, o Jaime, já o deves ter conhecido. "Passámos-te o programa de biodiesel de soja e girassol", disse-me ele. Na realidade, não me lembro se ele disse passámos-te "o" programa ou "para" o programa. Mas soou-me mais a "para", o que significava que era eu quem passava a responder ao programa, em vez de o programa a mim.

Estou há sete anos nesta empresa, sei que se joga nela o mesmo jogo que em qualquer outra, por isso aceitei, como era considerado evidente que faria. De facto, ninguém me tinha perguntado fosse o que fosse, estavam a informar-me de uma promoção e ponto final. Parece que já demonstrei o suficiente a minha capacidade para gerir os projectos de outros e para continuar a fazê-lo cada vez mais de agora em diante. Não falámos muito dos biocombustíveis agrícolas, mas suponho que pensas como eu. A maior parte da matéria-prima é obtida do Terceiro Mundo, através da destruição das suas florestas e causando estragos irreparáveis nos seus solos a fim de se conseguir superfícies de cultivo cujo produto não irá alimentar as pessoas desses países, mas sim os nossos automóveis. Só isto bastaria para fugir deles, esta equivalência sangrenta, mas além disso os cálculos energéticos que se fazem são falsos, sabemo-lo tu e eu, e o Jaime também. Os biocombustíveis serão rentáveis graças aos subsídios do Estado e eu penso, como tu, suponho eu, que o dinheiro do Estado deveria ser usado para outras coisas.

Também não é verdade que não poluam se contarmos com as florestas primárias que são destruídas por sua causa, as emissões dos pesticidas e fertilizantes que exigem, os gases que são gerados durante o processamento, o refinamento, etc. Poderia continuar, Goyo, mencionar agora cada um dos argumentos contrários aos biocombustíveis agrícolas para que, dentro de uns meses, quando eu tentar retirar importância a esses mesmos argumentos ou os negar, me mostres o que te escrevi. Mas que ganharíamos com isso?

Foi por isso que acabei por pensar nos acasos negativos. Tínhamos voltado a ver-nos, a falar, a dormir juntos, a tocar-nos.

Há dias em que tenho a impressão de despertar, de ter estado em letargia, de ter vivido hibernada, mas acabando por voltar à tona. E então: coincidência negativa. Promovem-me e eu – sabes? – não tenho vontade de apostar que dentro de um ano tenha conseguido manter a esquizofrenia. Poderia sustentar agora e continuar a sustentar dentro de um ano que se não me ocupar deste projecto, outra pessoa se ocupará.

Na realidade, parece-me mais provável que dentro de um ano, e talvez antes, eu acabe por encontrar argumentos tão falaciosos como peregrinos a favor dos biocombustíveis agrícolas. Não sei, pelo que me é dado ver todos os dias, a esquizofrenia cansa; quase toda a gente acaba por falar de "nós" quando se refere à sua empresa, e convence-se de que os projectos que a sua empresa faz são bons. O mal, Goyo, é que não tenho saída. Com esquizofrenia ou sem ela, o que vai ser a minha relação contigo?

Aprendi a pensar que não é caso para tanto. Quem, para ser sincero, trabalha no que considera socialmente útil? Quase ninguém, mas o mundo não cai por causa disso. Para não falar já de quem não tem vontade de pôr sequer a questão. Os emigrantes que trabalham na construção perguntarão se construir tanto é bom para os litorais? Vender gelados Camy num quiosque será bom para a sociedade? "Não é caso para tanto", digo eu para comigo, não sou mais responsável do que o vendedor de gelados. O certo é que ganho mais, o que quer dizer que o meu trabalho é mais conveniente para mim, e menos conveniente, mais duro, etc., para o vendedor de gelados.

Imagina que passam cinquenta anos e estamos tu e eu a jogar às damas. Suponho que sorriríamos ao recordar os dias em que foste um exaltado e sonhavas mudar a história. Mas agora não é dentro de cinquenta anos, por isso só posso pensar que se tratou de um acaso negativo. Tu estás numa terra de ninguém.

O biodiesel de algas é diferente do biodiesel de soja ou girassol. As algas não consomem solo agrícola, só consomem água, não aumentam as taxas de erosão do solo, não consomem pesticidas, consomem muitíssimo menos energia e, além disso, absorvem o CO_2 directamente dos gases de combustão, e absorvem metais pesados dos mesmos gases. Agora trabalhas para aquilo em que acreditas, como se passou comigo durante alguns anos. Nem tudo era limpo, eu não compartilhava muitas das actividades da minha empresa, mas interessava-me o trabalho concreto que fazia. E contudo, desta manhã em diante, já não há como voltar atrás.

Que se passará contigo quando te puserem num projecto em que não acredites? Oxalá continues então a considerar-te um infiltrado embora ninguém te tenha enviado, nenhum país, nenhum bloco soviético, ninguém. Porque os teus grupos não estão mal, mas sabemos também que os biocombustíveis nada têm de justos nem de ecológicos, sabemos do mesmo modo que os teus grupos são inexistentes, quero eu dizer que esses partidos, agrupamentos, colectivos são tão pequenos que não têm relevância real. Tal como a não tem a corporação que vocês andam a inventar: não existe, Goyo, nem tu nem eu acreditamos em fantasmas. E se existir, se por acaso um dia acabar por existir, então talvez devas tomar uma decisão diferente da que eu tomei esta manhã.

Coincidência negativa, Goyo. Podíamos pensar que estávamos no mesmo barco, mas a mim acabam de dizer-me que fique e eu vou ficar. Por medo? Também por medo. Porque me habituei à luz eléctrica e não quero passar agora a viver à luz das velas, e a coragem da gente dos vossos grupos não ilumina por completo a escuridão. Vais telefonar-me quando leres isto, tenho a certeza. Iremos jantar os dois para celebrar a minha promoção. Vamos rir. Ao olhar o teu rosto pensarei no teu rosto e pensarei coisas melodramáticas, como essa de que, quando um dia estiver à beira da morte, verei a cara da minha filha, sem dúvida, mas também a tua, talvez sobretudo a tua, e o teu corpo. E embora depois voltemos para casa, será difícil continuarmos juntos.

Às vezes apaixonas-te por alguém que muitas pessoas desejam e quando tens essa pessoa para ti começas a pensar se na realidade te apaixonaste por ela, ou dela e do desejo de toda a outra gente, e, embora à custa da tua tranquilidade, choras por um momento esse desejo alheio. Eu encontrei em ti o exaltado tímido e ainda mais exaltado por seres tímido, e amei esse exaltado. Mas quando te manténs ao meu lado, Goyo, começo a não gostar de mim. É o preço que vocês, os exaltados, têm de pagar. Fazem com que nós, os outros, nos sintamos culpados. E talvez vocês fiquem sós.

Enrique procurou na pasta dos Enviados a mensagem que escrevera havia meia hora: "Aqui estamos. Aqui estou. Amo-te". De repente pensara que Manuela podia interpretar aquilo como uma chantagem sentimental. Mas ao ler de novo a mensagem tranquilizou-se. Eram só seis palavras, um sinal de que não estava magoado, de que respeitava a decisão de Manuela. Ela não tinha por que procurar motivações obscuras, tanto mais que elas não existiam. Passados os primeiros momentos de desconcerto, Enrique ia-se habituando à ideia da experiência de Manuela.

Por um lado, confiava em que Manuela acabaria por abreviar o prazo. Por outro, lera os *Ensaios sobre a Condição Operária* de Simone Weil e não lhe tinham parecido completamente extravagantes. No fundo daqueles escritos identificava o germe de uma beneficência moderna, inteligente, por momentos brilhante. Embora fosse uma maneira de ver que podia parecer cínica, não era isso que ele pretendia ser. Grandes companhias, como a sua, célebres executivos como Gates, bancos como o seu banco afectavam cada vez mais recursos a uma beneficência moderna que, no entanto, nem sempre era inteligente, e brilhante quase nunca. Simone Weil, ao ter ela própria a experiência das causas do mal-estar, proporcionava conselhos imaginativos, indo para além da ideia de oferecer alimentos ou vacinar crianças; todas essas fábricas do México, da África ou da Índia, com os seus operários em péssimas condições, poderiam melhorar se o dinheiro das doações fosse usado para aplicar as ideias de Weil. Outra coisa era que todo aquele assunto lhe fosse indiferente, mas compreendia que interessasse Manuela mergulhar noutros meios e adquirir novas experiências. De certo modo, podia comparar a incursão de Manuela com um dos cursos de actualização que a sua empresa preparava de vez em quando, sendo a diferença que Manuela tivera de procurar essa actualização por sua conta própria.

Animado deste novo espírito de compreensão, Enrique falara com os miúdos, e também com Susana. Contara aos miúdos uma parte da experiência; dissera-lhes que uma professora tem de continuar sempre a aprender. E com Susana abordara frontalmente o assunto do equatoriano. Na vida da classe média havia poucos acontecimentos. O equatoriano fora um acontecimento, alterara o curso normal das coisas. Os acidentes, as perdas de dinheiro, as doenças eram também acontecimentos, mas que estavam já codificados. A visita do equatoriano não o estava. E Manuela tinha de a colocar nalgum lugar, de fazer com que ela passasse a fazer parte da sua vida, não ficasse como qualquer coisa de estranho e de ameaçador. Susana escutara, atenta, as suas palavras.

Às duas da madrugada Enrique desligou o computador, as luzes do escritório. Já não se sentia isolado no interior da sua família. Pelo contrário, sentia que precisavam dele e que para todos representara um grande alívio verem-no assumir a situação. As pessoas às vezes pensam que devem reagir, disse Enrique para consigo, e isso é bom. Também disse para consigo que aquele rapaz, o Goyo, estava enganado; Manuela não era um exemplo para jovens radicais. A vida não se volta do avesso para pensar, se o rapaz queria fazê-lo, era lá com ele, mas a vida era um material extremamente quebradiço, parecido com uma folha seca, não se podia andar a dobrá-la e a desdobrá-la e menos ainda a tentar voltá-la do avesso como uma luva porque nesse caso se desfaria.

Enrique saiu do escritório e foi ver o aquário. Acalmava-o ficar a olhar para os peixes à noite, com a sala às escuras. Onde quer que fosse que Manuela estivesse agora, lá não haveria, com certeza, qualquer aquário.

SUSANA

"Somos como essas velhas árvores, batidas pelo vento que fustiga vindo do mar". Gosto de cantar na rua, também canto no duche ou quando estou a fazer coisas, a arrumar papéis, à espera de que a água do chá comece a ferver. Decidi fazer um pedido à corporação. Com todas as adesões que agora há parece-me melhor não esperar. Há sempre o medo de queimar cartuchos: se fizermos uma primeira coisa mal, será a própria ideia da corporação que poderá cair por terra. Se fizermos as coisas mal. Mas se o resultado for qualquer coisa de modesto e bem levado a cabo, recolheremos experiências e ajudaremos a que se compreenda para que poderá servir a ideia.

Ultimamente discuti bastante com o meu pai. O que nada tem a ver com o resto, embora tenha. As pessoas metem-se em política por razões muito diferentes. Porque vivemos num bairro operário e os nossos pais fizeram greves, suponho eu, ou quando estamos realmente tramados. Dizem que Marx se fez revolucionário a ler livros e a pensar. O meu caso é um tanto vergonhoso. Com sinceridade, sem tentar inventar para mim uma biografia, meti-me na política por causa das canções. Tinha-as em casa, em discos de vinil, em cassetes gravadas: "... e então temos de comparecer a correr se o futuro cai em qualquer selva deste mundo, em qualquer rua." Uma ou outra vez, a minha mãe, sabendo que eu gostava deles, comprou versões em CD desses discos. Cantei-as muitas vezes sem saber em que momento tinham sido escritas, sentindo que era a mim e a milhares de pessoas como eu que se dirigiam. Nunca estive num sítio onde essas canções fossem cantadas em comum, com as pessoas sabendo a letra, os punhos erguidos ou os isqueiros acesos na mão. Sei que isso acontecia, mas então eu ainda não era nascida. Ouvia-as em casa e gostava do mundo de que essas canções falavam. Foi por isso que entrei para o colectivo.

As canções mudaram; de vez em quando reconheço alguma, mas há muitas novas. Discuti com o meu pai porque ele não acha bem que eu esteja tão metida em política, por isso esta história da corporação, no caso de chegar a informar-se, tenho a certeza de que lhe há-de parecer o cúmulo.

Não é que ele seja um desses vermelhos nostálgicos que a seguir se tornam de direita e preferem que a filha jogue ténis a que vá a reuniões. O meu pai nunca foi vermelho, pois chegou a querer ser militar. Também há militares de esquerda, mas ele teria sido, tenho quase a certeza, desses que se dizem apolíticos. Levou-me a lições de ténis quando eu tinha cinco anos, nunca pretendeu dar-se ares de progressista. A única coisa um pouco estranha que fez foi apaixonar-se pela minha mãe, e acho que a deve ter acompanhado a vários desses recitais em que se acendiam isqueiros. Mas não a muitos, porque quando os meus pais se conheceram tudo isso estava já a acabar. Depois houve essa discussão que tiveram precisamente um dia antes de eu nascer. A minha mãe queria ir à manifestação contra a NATO, o meu pai não só não queria ir como também não queria que a minha mãe, cuja gravidez passara já do termo previsto, fosse. No dia seguinte nasci eu e deixou também de haver manifestações de esquerda multitudinárias.

Se o meu pai suspeitasse de que a culpa daquilo que tanto agora o preocupa foi de alguns discos, ficaria furioso. Pensaria que evitá-lo teria sido tão fácil como deitar fora os discos. Porque, exceptuando as canções, a minha mãe não conservou muitas coisas desse tempo. Não passou a ser de direita como o meu pai. Começou a preocupar-se com outras coisas: com os seus livros, com as suas aulas, connosco. Penso que algumas vezes vota Izquierda Unida e que a maior parte das vezes se abstém.

É daqui que venho. É uma origem muito pouco sólida e convém-me sabê-lo. Até mesmo o meu nome é um tanto flutuante. Estava para me chamar Nieves, mas no último minuto decidiram-se por Susana, e não posso deixar de pensar que tenho mais ar de me chamar Nieves. As Susanas costumam ser raparigas altas, bonitas, um tanto Marilyns embora mais magras, com o cabelo comprido e solto. Pelo menos é assim que o meu nome me soa. Não é que esteja magra, mas sou magra por constituição. Não sou nada alta, dizem que sou bonita, mas sei que não sou sexualmente bonita, mas sexualmente banal, com uma cara agradável, pálida, com sardas e o cabelo cortado à rapaz. Nieves serias um bom nome, como é plural faria imaginar muitas nieves pequenas, como eu. Pelo contrário, muitas susanas, acho que enjoariam um pouco. Mas apesar de tudo chamo-me Susana. E esta Susana magrizela, com a pele demasiado clara, nada alta, vai fazer um pedido à corporação.

De todas as canções que havia em casa, a que conheço melhor é a das velhas árvores. Chamou-me a atenção porque os meus pais quando a cantavam deviam ter vinte anos, ou menos, eles e os amigos deles. E claro: "Somos como essas velhas árvores" faz-nos imaginar gente rija, mais velha; não uns miúdos como deviam ser então o meu pai e a minha mãe. Por outro lado, dizem que Labordeta, que compôs esta canção e a cantava, ele sim, tinha um aspecto de árvore rija, mudou um pouco entretanto, tornou-se mais adaptável, dúctil perante certas políticas. Também há exemplos opostos, conheço vários. De qualquer maneira, parece às vezes que nós, os jovens, somos mais rijos, pelo menos enquanto nos dura a juventude.

Não sei se é por isso, mas gosto de cantar a canção, vejo-me a mim própria uma coisa pequena, franzina, a dizer "somos como essas velhas árvores, batidas pelo vento que fustiga vindo do mar" e sinto que de certa maneira condiz comigo. Talvez seja só a minha vontade de que condiga. A canção continua: "Perdemos companheiros, paisagens e esperanças no nosso caminhar". Eu não perdi ninguém, eu, a Susana. Mas também posso cantar essa parte porque sei que perdi companheiros, não me importa que soe incrível, que são os que caíram na Nicarágua ou no Chile ou na Argentina e que assim perdi. Na época das ditaduras do Chile e da Argentina eu ainda não era nascida – e depois? Na altura da Nicarágua tinha três, quatro, cinco anos, mas também perdi os companheiros que morreram nessa guerra suja.

Há dias em que penso que ser de esquerda é uma espécie de faculdade, como a memória. Todos a temos em estado de latência. Se nunca a usarmos, morreremos sem sabermos que a tínhamos. A prova de que existe é, no entanto, que em determinadas situações aparece. Confunde-se muitas vezes com o orgulho. Mas há duas espécies de orgulho. Para mim, quando essa outra faculdade não intervém, o orgulho é simples amor-próprio. E quando o orgulho é amor-próprio, o resultado é a birra, a indisposição, a cara que cora e a falta de ar. Em contrapartida, quando a faculdade em questão intervém, o orgulho generaliza-se. A pessoa compreende que a ofensa, o abuso, seja o que for, não a tem só a ela por alvo; e enchem-se de ar os pulmões; dizemos "não pode ser" e estas três palavras vêm de muito longe, de muitos companheiros caídos e muitas companheiras, de muitas pessoas esmagadas, humilhadas; e sobe à tona em nós uma coragem, uma determinação que não sonhávamos sequer.

Toda a gente tem este orgulho de esquerda, e eu vi-o em pessoas nas quais nada o faria esperar: irrompe nelas de repente e damo-nos conta de que essa pessoa se sente então parte de qualquer coisa que vem de muito longe. O problema é que logo a seguir deixamos de nos servir dele, passada uma hora já estamos noutra coisa, a faculdade adormece, esquecemo-la.

No meu caso, o orgulho de esquerda cresceu com as canções. Reconheço que tal como há pessoas que o têm adormecido, o meu tendeu um tanto para o outro extremo, está hipertrofiado. Dadas as minhas circunstâncias – uma estudante de agronomia que não teve sequer de trabalhar para pagar a matrícula, que nunca correu perigo físico, que vive no nono andar de um prédio com dois porteiros e alcatifa azul nos corredores –, não deixa de ser cómico que leve tão a peito letras como: "De pé, lutar, o povo vai triunfar, será melhor, a vida que virá". De acordo, mas que tem o cómico de mal? Não tento ser grande representante de coisa nenhuma. Sei, muito pelo contrário, que sou uma representante de pouca monta, com pouca história e pouco corpo.

Cada um de nós cai onde calha. Podia ter-me calhado um campo do Brasil e ser do movimento dos Sem Terra. Calhou-me cair aqui, neste nono andar, neste quarto com o seu computador portátil e a sua janela para uma rua onde há grandes acácias. Mas também daqui é possível ver como as coisas exercem a sua pressão sobre nós, sobre os rostos. Sempre gostei de ver as rugas que se formam à volta dos olhos e na testa. Às vezes parece que têm vida própria. Se o espírito existisse, seria com certeza aí que viveria, nesses leitos mínimos, móveis. Não acredito no espírito, mas compreendo as pessoas que o procuram. Bem vistas as coisas o mundo inteiro é feito dos mesmos átomos, e as pessoas também são feitas dos mesmos átomos que as rochas e a água e as estrelas. Porque não poderia haver uma partícula dentro desses átomos? Uma mais pequena do que a partícula mais pequena do que todas as encontradas até agora – e seria isso o espírito, o motivo, por assim dizer. Embora eu não o procure.

A melancolia, sim, por vezes procurei-a. Encantava-me pôr uma cara de miúda vadia, mover também ao mover a cabeça a franja do meu cabelo curto e andar com as mãos nos bolsos a olhar para as pessoas como se acabasse de sair do pêssego gigante e o mundo me parecesse muito triste e muito belo.

Às vezes ando ainda assim, com as mãos nos bolsos, a olhar para o que não se passa. Nisso pareço-me com o meu pai. O que acontece é que ele está demasiado dependente deste prédio, quer que nós vivamos num parecido. Não o julgo, acho que até o compreendo. Preocupa-o a segurança. Mas que pode fazer uma árvore velha com a segurança? Quando é derrubada uma árvore ficam muitas outras. É isso que penso.

Desenhei um pequeno estudo de viabilidade para a solicitude que quero fazer. É uma loucura.

Goyo não pôde jantar com Eloísa e celebrar a sua ascensão. Sem lhe darem tempo para preparar fosse o que fosse tinham-lhe dito que tinha de ir a Sevilha, ao Instituto de Bioquímica Vegetal e Fotossíntese, onde estava a ser desenvolvido um novo protótipo de fotobiorreactor tubular fechado destinado ao cultivo de microalgas. Ao sair do comboio encaminhara-se directamente para a Isla de la Cartuja. Os fotobiorreactores pareceram-lhe demasiado caros e complexos. Não disse nada porque não o tinham feito ir ali para dizer fosse o que fosse. Fez uma ou outra pergunta, tomou nota de tudo, ficou sozinho por minutos na sala com aqueles tubos que continham no seu interior um verde luminoso.

Não sabia sequer porque o tinham enviado. Os interesses do mundo académico e do mundo empresarial traçavam com frequência figuras curiosas e num dos vértices dessas figuras estaria ele, desempenhando algum papel insignificante. Em vez dessa viagem podiam ter-lhe pedido que acompanhasse a uma corrida de touros o subdirector de uma empresa associada. À noite havia um jantar com diversos convidados entre os quais se contavam dois cientistas ingleses, um director de projectos da sua empresa e vários políticos. Não poderia regressar a Madrid até ao dia seguinte de manhã. Por isso, quando lhe propuseram levá-lo a comer alguma coisa, recusou amavelmente o convite e disse que preferia descansar um pouco no hotel. Foi aí que encontrou a mensagem de Elo.

Não foi capaz de esperar e telefonou-lhe, deu-lhe os parabéns, falaram, trocaram gracejos. Depois Goyo disse:

– O que é isso de eu te fazer sentir culpada? Por favor, não te vás embora.

– Duas vezes culpada, por causa das minhas ideias e de estar a confundir-te assim.

– Confunde-me quanto quiseres. Não penso deixar que te vás outra vez embora. E quanto às ideias, bem vês que eu não faço nada, Elo. Somos um colectivo pequeno. Achas que, se em vez de ir às reuniões, eu fosse a uma oficina de escrita literária, te sentirias menos culpada?

– Goyo, sabes muitíssimo bem o que eu quero dizer. É como se numa missa todos fossem crentes, menos uma pessoa. Mesmo que essa pessoa não faça nada, torna-se sem querer um desmancha-prazeres.

– Mas quase ninguém acredita. Tu própria não acreditas, pomo-nos a trabalhar nestas empresas porque não há outras, mas não acreditamos nelas.

– Até que chega um momento em que, eu pelo menos, deixo de me interrogar sobre se acredito ou não. Não posso comer todos os dias torradas ao pequeno-almoço, perguntando-me se acredito nas torradas. Vou trabalhar para um sítio, vivo do que me pagam, destino quase toda a minha energia intelectual ao que lá faço. Ou decido acreditar, ou decido deixar de me perguntar se acredito.

– Também podias estar num parêntese. Há pessoas que esperam anos. Não podes pensar que estás à espera?

– Isso parece-me um truque.

– Não queres que nos vejamos quando eu voltar? Pelo menos para podermos discutir de viva voz.

– Claro que sim.

– Preciso de te abraçar agora.

– Amanhã, um beijo.

– Outro, muito grande – disse Goyo.

Depois de desligar, olhou para a parede onde um espelho rectangular lhe devolveu a imagem do rosto acriançado, exibindo ainda esse precioso trejeito de ternura que atenuava a desconfiança. Sentiu que ia espirrar e no instante de o fazer tentou não fechar os olhos. Impossível. Ali estava Goyo de novo. Falar ao telefone era por vezes desesperante. Sabia que as hesitações de Eloísa não faziam parte de uma estratégia e não se sentia capaz de a tranquilizar só com a sua voz. Precisava de lhe tocar.

Pôs-se de pé. Nervoso, dirigiu-se para a porta. Era a química, pensava, as enzimas, a boca do estômago. Um fenómeno fisiológico como qualquer outro; o corpo alterava-se ao apaixonar-se. Podia estudar como se efectuava essa alteração, podia saber de que modo se punha em marcha o mecanismo – mas que faria com a necessidade de não saber? Existiam a assembleia e as algas e a vida, mas também o desejo de uma rendição sem condições, e ele conhecia o lugar onde isso era possível, o corpo de Elo abraçado ao seu.

Ao sair do quarto voltou ainda a ver-se ao espelho, parecia ter um corpo firmemente unido. Nada faria pensar quem o visse que a falta de Eloísa escavara poços no seu íntimo, vazios de onde irrompia uma dor agradável, suave e suportável se não fosse, a intervalos, as pás que cavavam perfurarem uma nova zona do seu corpo.

FÉLIX A MAURICIO

Pedi à minha irmã que assinasse a adesão e ela fê-lo. Tal como está, sempre fechada no quarto com as suas sagas de vikings, poderia ter assinado fosse o que fosse. É verdade, mas a Adela pegou no papel que eu lhe estava a mostrar e afastou-se um pouco da mesa para o ler. Depois olhou para mim. Juro-te que estava pelo menos há seis meses sem o fazer, sem olhar para mim, sem olhar para quem quer que seja. A Adela está sempre no quarto, é lá que vive. Quando sai para ir à casa de banho ou ao quarto de dormir vai como quem continua a pensar nas suas coisas, mas quando tropeça noutra pessoa não olha para ela. Baixa a cabeça ou olha para outro lado. Eu já nem me lembrava do olhar dela. Pensava que o teria apagado, como a cor da pele ou a sua maneira de andar. Há mais de dez meses que ninguém toca na Adela, que ela não vê a luz do sol, e se fosse uma planta já teria morrido. Por isso eu estava à espera de um olhar murcho, mas não. Tinha os olhos como sempre os teve, de uma espécie de castanho luminoso, da cor da luz do sol quando bate no leito de um rio limpo, que não o esconde. Olhou para mim, deu-me o papel e pareceu até sorrir. Isto durou meio minuto, ou menos ainda. A seguir voltou-se outra vez para o monitor.

A minha mãe também assinou. Leu tudo tão depressa que não pode ter-se dado bem conta do que estava a assinar. Bom, é assim que faz agora todas as coisas, muito depressa, sem prestar atenção. Deve ter assinado por se tratar de um papel que eu lhe dava. Tem bastante confiança em mim.

A quem não o dei a assinar foi ao namorado dela. Olha, Mauricio, é aqui que começam as minhas dúvidas. Não o dei ao Juan porque ele é um tipo sensato, saudável. Está bem, podes pensar que se fosse alguém completamente saudável não teria vindo ter a uma casa como a nossa. Não é que sejamos leprosos, mas o Juan mudou-se para cá no pior momento: quando já se sabia que iam deslocalizar a fábrica da minha mãe, e quando a minha irmã já tinha engordado quinze quilos e era mais do que evidente que ia perder o ano e ficar sem sair do quarto.

Acho que ele veio precisamente por ser saudável. Acontece-nos a todos, quando um dia estás muito bem dás-te conta de que te sobra bastante energia e parece-te extremamente lógico emprestá-la a outra pessoa. De resto, ele não se arma em dador de conselhos nem coisa que se pareça. Está connosco e ajuda-nos a sermos capazes de dizer vou "a casa", ou esqueci-me do livro "em casa" sem que a palavra nos gele nos lábios. O Juan não ignora a Adela, mas também não tenta fazê-la sair do quarto. Sei que fode bastante com a minha mãe porque os ouço nisso muitas vezes, e não é que eles queiram que eu ouça, é a casa que é pequena e eles não podem esperar uma e outra vez que eu lá não esteja para fazerem o que querem.

Parece-me que o Juan tem uma teoria, pensa que se continuarmos a viver juntos, tranquilamente, um dia há-de compor-se uma coisa, noutro dia outra. Talvez nunca se componha tudo, ou que as coisas só se componham pela metade ou ainda menos. Mas parece-me que ele pensa que se continuarmos juntos, com a casa mais ou menos em ordem, a fazer sumo de laranja certas manhãs, a fritar batatas na sertã, a ver filmes e a encher o sofá de migalhas e a limpar as migalhas de vez em quando, se a casa não morrer, se nós não nos dispersarmos, um dia alguma coisa se há-de compor: a Adela vai começar a sair, a minha mãe há-de arranjar outro trabalho. O Juan está convencido de que o importante é que então, quando as coisas se compuserem, continue a haver um sítio, e nós não tenhamos fugido nem transformado a casa numa ruína inabitável.

Para que precisa uma pessoa como o Juan de assinar o nosso documento? Quando faço a pergunta a mim próprio, Mauricio, preocupo-me a sério. Se afinal a adesão vai ser uma coisa das pessoas como nós, que não estamos completamente bem... olha, isso faz-se algum medo. Os escravos do Spartacus não estavam completamente bem, nenhum escravo pode estar completamente bem, e quanto aos famélicos da terra, é a mesma coisa, mas é na tristeza que estou a pensar. Não pode ser que todas as pessoas que assinem sejam como nós, que temos no nosso corpo a cicatriz da tristeza. Não seria bom, acho eu.

Enrique esperava que caísse a última luz da tarde sem fazer nada, a olhar para a varanda com os três canteiros de cimento cheias de plantas verdes. Do sofá não se tinha uma vista propriamente dita, só os canteiros, a balaustrada e um céu sem relevo ao qual, lentamente, alguns tons roxos começavam a conferir profundidade.

Havia meses que não se sentava ali sozinho a ver o fim da tarde. Na realidade, disse para consigo, não havia meses, nem sequer anos: nunca se sentara ali deixando-se ficar por mais de cinco minutos seguidos sem fazer nada.

Há qualquer coisa de patético, pensou ele, na figura de um homem sem fazer nada. Se nesse momento tivesse ouvido a chave de algum dos seus filhos, teria com certeza disfarçado pegando num livro ou numa revista. Era domingo, a empregada não estava e por volta das nove seria ele próprio a fritar uns filetes para o Rodrigo e para o Marcos. A Susana não jantava em casa. Não o incomodava prever que, à sobremesa, o Rodrigo diria: faltam seis semanas para a mãe vir – e ele diria: sim, é isso mesmo, e continuariam a falar de outras coisas.

Distraía-o ver a última luz. Mas aqueles canteiros... Enrique fez um gesto com a mão, não pudera evitar o encadeamento de um pensamento noutro. As plantas transbordavam dos canteiros, talvez houvesse demasiadas plantas e a terra fosse demasiado pouca, dissera ele para consigo e nesse instante lembrara-se do dia em que Susana o acompanhara quando fora comprar o aquário. Sem o prevenir sequer do que pensava fazer, Susana dirigira-se ao empregado para lhe explicar que os aquários estavam superlotados.

"Um peixe tropical com dois centímetros e meio de comprimento precisa pelo menos de trinta centímetros quadrados para poder respirar tranquilamente", dissera ela. Pequena como era, magra, com a pele pálida e sardenta, os olhos claros, embora nessa altura devesse ter já os seus dezoito anos, podia passar por uma rapariguinha de doze. O empregado respondeu fria e cortesmente: "Os nossos aquários são lugares de passagem, os peixes só aqui estão quatro ou cinco dias". Então Susana continuou: "Quatro ou cinco dias é muito tempo na vida de um peixe. Por exemplo, ali, ao canto, está a boiar um que parece morto, e..."

O empregado olhou para Enrique. Susana exprimira-se sem malícia, quase com espanto, mas não baixara a voz e um miúdo dos seus catorze anos que se aproximara chamava agora outro miúdo para lhe assinalar a presença do peixe morto.

"Muito obrigado", foi tudo o que Enrique disse antes de sair. Esteve prestes a acrescentar: "Desculpe", mas não o fez. A filha agira com extrema educação, desculpar-se teria sido exagerado embora Enrique sentisse desejo de o fazer, e desejasse não ter ido com Susana ao aquário, e desejasse não ter que voltar com ela para casa em silêncio durante todo o caminho e não ter de procurar outra loja, pois incomodava-o agora voltar à mesma.

O trajecto de regresso fizeram-no, com efeito, em silêncio. Todavia, quando estavam a chegar à garagem, Susana disse: "Pai, para que é queres arranjar peixes de companhia?" Peixes de companhia! Ele não respondera àquela pergunta. Disse-lhe com dureza que o aquário era uma prenda para o Rodrigo e que lhe pedia, ou melhor, lhe exigia que não falasse com o Rodrigo sobre as condições de cativeiro dos peixes. Disse condições de cativeiro com ironia, com um assomo de sarcasmo. Mas acabou por esbarrar noutra parede: "Como quiseres, pai, mas sabes que os peixes num aquário não são felizes, sofrem de stress e de aborrecimento, vivem uma vida miserável e morrem prematuramente".

Enrique reclinou a cabeça contra a orelha da poltrona e fechou os olhos. Diante dele a luz prosseguia o seu caminho para a noite. Vou passar pelas brasas, pensou; se Marcos entrasse agora e visse o pai a dormitar não se preocuparia. Em contrapartida um homem sentado numa sala que, sem fazer nada, vê cair a última luz do fim da tarde parece um animal desconhecido.

MAURICIO A FÉLIX

Isso da cicatriz da tristeza é muito obscuro, Félix. Sei o que queres dizer, mas vem-me à ideia o que dizia São Tomé: ou toco a cicatriz, ou nada. Não é que eu não acredite na tua cicatriz, simplesmente o que te digo é: chama-lhe outra coisa e tudo será mais fácil. Esta manhã a Susana foi ver-me à loja, contou-me uma história de ficção científica e eu estive também a tentar animá-la, eu que sou de letras. Olha, parece-me que a história de ficção dela vai pôr a nossa cicatriz noutro lugar.

O que se passa, Félix, é que se dizes cicatriz da tristeza, eu fico pensativo, não sei, sinto-me doído e dá-me para pensar que tens razão. Experimenta, em vez de dizeres a cicatriz da tristeza, descrever o que se passa com cada um de nós. Não faço a mais pequena ideia de como será a família do namorado da tua mãe, nem da vida dele. Vamos supor que é um desses tipos a quem o Goyo chama completamente normais, saudável e com sorte. Pois apesar de tudo isso, penso que esse tipo poderia estar interessado em aderir à corporação.

A Susana também é normal. Quanto a mim, até ao ano passado não reconheci que gosto de gajos, vinte e quatro anos é demora bastante para os tempos que correm, mas também não é demasiado. Tempo e mais tempo a ver como os outros se apaixonavam e a fazer figura de parvo. Podia ficar a pensar que é essa a minha cicatriz, mas acontece, Félix, que se toda a gente tem a sua cicatriz, então vem tudo a dar no mesmo, e é como se dissesses: "Não pode ser que todos os que os vamos assinar sejamos pessoas que têm nariz" – não estás a ver?

Se não é disso que se trata, o que vamos ter de explicar é por que motivo um tipo saudável e com sorte poderá querer aderir à corporação. Vou contar-te a história que a Susana me contou e assim em vez de apresentares ao namorado da tua mãe uma adesão abstracta, falas-lhe da primeira coisa que, no caso de a proposta ser aprovada, vamos tentar.

A ideia da Susana é que nos tornemos em qualquer coisa semelhante a produtores de oxigénio. Não vamos vender botijas, não é isso. A ideia dela é pormos em prática o projecto que o Goyo está a investigar em pequena escala, fazermos um ou dois modelos de divulgação. Pelos vistos há pessoas a investigar a possibilidade de se usarem as algas para absorver o CO_2 e os metais pesados directamente dos gases de combustão. Dependendo da espécie de alga a cultivar, além de oxigénio podem produzir-se proteínas nutritivas, ou então lípidos que se transformem depois em biodiesel, ou seja, numa espécie de gasolina vegetal.

Suponhamos que tu ao lado de uma indústria poluente colocas um monte de tubos com algas que absorvem a luz do sol e os gases da indústria. Dessa maneira as emissões regressam ao ar purificadas numa medida de quarenta a oitenta por cento, e o CO_2 transforma-se em matéria orgânica reutilizável. Ainda não esclareceram como hão-de fazer para, se escolherem o caminho do biodiesel, a coisa lhes saia muito rentável, mas estão a estudar esse aspecto. Parece que a maioria das empresas prefere investir em combustível agrícola, que embora não polua também não despolui e em contrapartida aumenta as taxas de erosão do solo, condena os países pobres a dedicarem as suas terras a culturas que em nada os ajudam, etc. E as poucas empresas que investigam com algas, centram-se sobretudo no malfadado biodiesel e mal prestam atenção à capacidade de se purificar o ar sem que isso seja necessariamente feito para se produzir mais óleo que volte a ser queimado.

A Susana quer ir falar com o dono de uma padaria, acha que ele talvez se disponha a admitir que montemos um dispositivo no seu terraço. A ideia da Susana é cultivar espirulina, uma alga que contém proteínas e ácidos gordos de grande qualidade. Pelos vistos é bastante fácil, tira-se do tubo, põe-se a secar durante três ou quatro horas e fica com um aspecto de farinha, que pode ser consumida directamente ou misturada com a farinha do pão. Além disso, a Susana queria propor ao padeiro várias visitas de escolas primárias e secundárias, enquanto nós difundiríamos também o caso pela net, montaríamos um segundo dispositivo noutra padaria do mesmo dono e conseguiríamos assim várias coisas.

Primeiro: dar a conhecer que há uma linha de investigação muito interessante e que está a ser preterida em favor de outras muito mais destrutivas. Segundo: mostrar que uma instituição colectiva é capaz de divulgar isso por meio de um dispositivo industrial, a pequena escala, sem dúvida, mas que passaria realmente a produzir oxigénio diariamente e também uma alga extremamente interessante. E o mais importante: mostrar que as decisões fundamentais sobre o que é bom investigar e elaborar e transformar nos foram arrebatadas. Seria a nossa maneira de contar que a luta política pode fazer-se nesse campo, na produção, ou na transformação, como quiseres. Acho aliás que a luta política se conjuga com a ecológica, porque toda a produção implica sempre uma destruição, e também nos tem sido negada a decisão acerca do que deverá ser destruído.

Suponho que estou a exagerar bastante, mas a verdade é que gosto desta ideia da Susana. Quando lhe disse isso mesmo, ela começou a pensar nos inconvenientes. Ia-os dizendo para não deixar pontas soltas, mas estava encantada por eu ter achado bem e prometeu-me que ia falar com o padeiro. O que mais a preocupa é que isto possa prejudicar o Goyo no trabalho dele. Não sei bem como vai ser, é preciso pensar no assunto, mas se o padeiro estiver de acordo e o Goyo disser para avançarmos, a Susana vai fazer a proposta. Volto ao namorado da tua mãe, não me esqueci. Diante de uma proposta concreta é mais fácil responder à pergunta: por que motivo pode interessar a um tipo saudável e com sorte, professor de educação física, aderir ao projecto de montar em dois terraços dois dispositivos de purificação de gases através da fotossíntese das algas? Dirás que assim a coisa parece ainda mais disparatada. Mas estás a sorrir, ou parece-me a mim que estás, porque não podes deixar de pensar que o tipo ficaria interessado.

Se o Juan se interessar, quererá isso dizer que também ele é um ressentido? Ao fim e ao cabo foi isso que me perguntaste, ou não foi? Ressentimento é a palavra menos poética que alguns usam para aquilo a que tu chamas a cicatriz da tristeza. Entre o ressentimento e a luta política há muita gente que encontra uma relação directa. Mas entre o ressentimento e a fotossíntese, já não.

Nas partículas fotossintéticas não há ressentimento. Essas partículas, Félix, fazem o que têm a fazer. Quanto aos seres humanos, o trabalho é a nossa fotossíntese. É importante. Deixaram as algas fazer o seu trabalho e apareceu a atmosfera. Estar numa loja de luxo a aturar betos não é trabalho a sério, não tem resultados, não devia ser um emprego nem para mim nem para ninguém.

Acho que a nossa proposta vai interessar o Juan porque ele está a dar aulas, imagino, a gajos e gajas que nem sequer sabem para que precisam de aprender, mas não são tontos, é claro que não são tontos. São inteligentes, sabem bem que a sua energia será apanhada por uma empresa qualquer de pizzas ou de roupa desportiva, no caso de alguma se dignar a apanhá-la: para que lhes serve então compreenderem a origem do universo e da vida, ou sequer o conceito de desporto? Isto é o que eu acho, mas se puderes leva-o a tomar uma cerveja, conta-lhe o que estamos a fazer e vê o que ele diz.

Os sujeitos colectivos impregnam-se daquilo que os seus elementos ou membros sabem, lêem e vivem. Por isso acabei por saber alguma coisa de algas e quero impregnar, pela minha vez, do meu conhecimento a corporação. Gosto dessas estruturas do mundo aquático.

As algas apresentam pouca diferenciação celular. Não estou contra a especialização, sou desprovido dessa tendência para os moldes férreos de que já falámos. Mas interessa-me o pouco diferente, que é qualquer coisa que recebeu em geral muito menos atenção do que o muito diferente. Por outro lado, compartilho com os sujeitos individuais a tendência para me comover diante do que é frágil e, nessa medida, a frágil biologia das algas enternece-me e surpreende-me. A fragilidade não comove porque sim. No caso das algas, o facto de serem extremamente dependentes dos aspectos físicos e químicos do meio circundante transforma-as em bioindicadores das variações ambientais.

Com os sujeitos frágeis sucede qualquer coisa de parecido: são os primeiros a cair e a sua queda alerta para as variações ocorridas no meio, entre as quais sobressai com frequência a degradação. Se a sociedade humana conseguir não se destruir e viver duzentos anos pode ser que compreenda, como algumas pequenas tribos compreenderam, a necessidade de proteger os seus sujeitos frágeis.

Algumas algas pertencem, por fim, ao grupo selecto dos organismos que inventaram a fotossíntese do oxigénio, o tipo de fotossíntese que actualmente predomina, transformando a evolução da Terra através da introdução gradual de oxigénio na água marinha e depois na atmosfera. Também as plantas terrestres fixam durante grande parte do tempo CO_2 e libertam oxigénio, mas as microalgas ultrapassam largamente as florestas mais exuberantes na sua capacidade de fazerem com que o

CO_2, graças à enzima rubisco, gere – e tenho de ser aqui sentimental se quiser ser rigoroso – doçura, graças ao que vivemos todos os seres que nos fotossintetizamos.

Escrevo este comunicado minutos antes de entrar na minha fase obscura. Embora nós, os seres colectivos, estejamos mais evoluídos do que os individuais, a fotossíntese permanece fora do nosso alcance. Somos incapazes de transformar a energia radiante em substância em crescimento. E contudo gostaríamos de poder fazê-lo e é talvez por isso que acusamos mais a noite do que os seres individuais. Quando nos é encomendada a realização de alguma tarefa no escuro, realizamo-las sem nos dispersarmos, mas uma parte da nossa vontade mantém-se como que reconcentrada, semidistante, semiprópria.

Há ainda alguma luz. Dirijo-me a mim próprio, quer dizer, dirijo-me aos seres individuais que me compõem, mas também me dirijo aos seres individuais que poderiam vir a compor a corporação em marcha. E, com a febre anterior ao declínio da fase escura, dirijo-me a todos os seres individuais do planeta que possam prestar-me atenção.

Ninguém decide da sua existência, é um facto. Um punhado de genes não escolhidos começa a desenrolar a sua actividade num polígono semi-industrial de Barcelona – mas quem decidiu fosse o que fosse? Aos sete anos há quem tenha o uso da razão sequestrado quase por completo pela necessidade de usar a defesa própria ou o ressentimento. Estou a falar de um país como Espanha, não sei sequer o que se poderá passar nas cidades de miséria de duas terças partes do mundo.

Ninguém decide da sua existência, mas existem percentagens. Dirijo-me sobretudo à percentagem de seres individuais que em parte pode ou poderia decidir de questões relativas ao seu carácter e ao seu perfil profissionais. Dirijo-me, de entre eles e elas, aos que algumas vezes se tenham perguntado como investir não os euros, com frequência escassos, mas os nós na garganta.

Sabemos que uma corporação intermitente nada é, brasa de cigarro, fraco fulgor alaranjado de um momento. Mas nesse fulgor arde a pergunta central de cada vida: para onde vai a energia? E enquanto há quem menospreze com um gesto os que morreram por uma ideia, um princípio, um sonho, todas as manhãs centenas de milhões de pessoas entregam as suas horas a accionistas que nem sequer pensam, que nem sequer sabem, cujo único princípio não escolhido é imporem um produto no mercado em troca de um preço.

Agora vou dormir porque a nós, sujeitos colectivos, o sono visita-nos sem aviso prévio.

CADERNO DE MANUELA

Qual é o ponto de ebulição de uma mulher burguesa? Em que momento passa do estado líquido ao gasoso? Por outras palavras: evaporar-se-ão as mulheres burguesas? Tendo a pensar que não. Estou já há mês e meio na tinturaria. Simone Weil resistiu quase cinco meses seguidos na mesma fábrica. Despediram-na e ela voltou a procurar trabalho como operária. E resistiu mais uns meses. O seu trabalho era mais duro do que o meu. Mas penso que nem mesmo no seu caso se deu a evaporação da mulher burguesa. De qualquer modo, aqui continuo. Não se trata de obstinação, mas creio que posso aprender de facto algumas coisas. Coisas – como dizer? – graduais.

Recebi três mensagens do Enrique. Diz que está à minha espera. Parti sem lhe apresentar as minhas razões e agora, quando penso com vagar no assunto, conhecendo-o como o conheço, tenho quase a certeza de que deve ter-se sentido muito ofendido. Pensaria que eu não confiava no seu critério. E não é disso que se trata. A excitação, a confusão do tiro de partida, é como quando decidimos tomar banho numa praia onde a água é gelada, e largamos a correr para entrar nela, pelo que não é momento em que possamos dar explicações seja a quem for, e precisamos de nos concentrar no nosso impulso.

Há também outra coisa. Se quando estamos a afogar-nos nos agarramos a alguém de má maneira, tudo o que conseguimos é que a outra pessoa se afogue também. Eu precisava de saber um pouco melhor o que me estava a acontecer antes de poder agarrar-me.

Já não escrevo de manhã em cafés nem deparo com cavalheiros que vestem camisas vistosas. Também não escrevo na tinturaria – é impossível. Em casa, no meu quarto, não sei porquê mas fico tristíssima só de pegar no caderno. É por isso que escrevo no ponto de internet. Venho cá todas as noites e vejo o correio electrónico para ver se há alguma coisa do Enrique ou dos miúdos. Alguns dias, como hoje, pego no caderno e pergunto aos donos da loja se posso ficar a um canto a escrever. Eles entreolham-se e deixam-me ficar.

Diante de mim, no computador que ocupei há minutos, uma rapariga lê em voz alta o horóscopo a um tipo que não faz mais nada senão apalpá-la e bocejar. De uma espécie de aquário não muito maior do que aquele que temos em casa, olham-me o dono e a dona e um bebé de dois anos, os três com as suas feições orientais. Na loja há quatro computadores. Serão quatro metros quadrados de espaço, com o aquário incluído. Há oito cadeiras. Eu sento-me numa das oito, mas quando há mais de seis cadeiras ocupadas vou-me embora, para não dissuadir alguém que queira entrar. Esse filme que tanto agradou à minha geração, *Blade Runner*, nada é comparado com este ponto de internet. Este, não sei como dizê-lo, não chega a ter sequer atmosfera. Não é que seja um lugar sórdido, é outra coisa. Se a antimatéria existe, deve ser feita de lugares assim.

4

A CONVERSA DE SUSANA com o dono da padaria foi fácil. Fechara--se havia dias, a estudar material que pedira a Goyo com a desculpa de fazer um trabalho para o curso, e a consultar todos os *links* da internet a que esse trabalho a conduzia. Fizera o esquema de uma unidade de cultivo da espirulina, calculando os gramas de algas que seriam produzidos nela e, por conseguinte, a quantidade de CO_2 que seria possível subtrair da atmosfera, dois gramas de CO_2 por cada grama de peso seco de alga. Ocupara--se até do ruído que faria a bomba ventiladora ligada à chaminé e estudara a melhor maneira de a insonorizar. Soube transmitir ao padeiro seriedade e confiança, garantiu-lhe que o colectivo assumiria todas as despesas e a mão-de-obra. O padeiro mostrou--se receptivo. Só faltavam três anos para se reformar, disse ele. Então iria viver para o México deixando a padaria a um dos filhos, mas nada tinha, bem antes pelo contrário, a opor a fazer aquela experiência antes de se ir embora.

Susana disse que no colectivo ainda tinham alguns aspectos por resolver. Sabendo que ele estava interessado, o mais provável seria que na semana seguinte voltasse a visitá-lo com um especialista que examinasse o terraço. Levantaram-se. O padeiro apertou a mão de Susana. Estavam para sair quando Susana disse:

– Tenho de voltar ao princípio.

O padeiro sentou-se e olhou para Susana com uma expressão divertida.

– Imagine – disse Susana – que quando a unidade de cultivo estiver a funcionar você sabe que aqueles que a instalaram não pretendem simplesmente dar a conhecer um projecto de cultura de algas. Mas querem também denunciar publicamente a falta de democracia quando se trata de decidir o que deve investigar-se e ser fabricado.

– Estão a pensar em pôr os meus empregados a distribuir panfletos, ou quê?

Susana negou com a cabeça, preparando-se para dizer qualquer coisa, mas o padeiro interrompeu-a:

– Hás-de ver, Susana, que com a minha idade posso permitir-me não saber o que não me interessa saber. Não te sintas obrigada a entabular comigo um diálogo sincero e edificante. O vosso projecto interessa-me, diverte-me. Se por detrás há outras coisas, vocês não têm de me dar explicações. Creio que o terraço onde está a chaminé é suficientemente grande. Aconselha-te com alguém e quando quiserem ver o terraço avisas-me.

Dois dias mais tarde, Goyo chegou à padaria. Susana marcara-lhe ali encontro dizendo que lhe explicaria tudo pessoalmente. Como não a encontrou à porta, entrou no lugar onde o pão era vendido. Havia algumas madalenas com excelente aspecto, e vários pães de formas diferentes. Goyo reparou nuns sacos de papel amarelo e ocre com a seguinte divisa: "Pão fresco do dia, não congelado". Que estranho, pensou ele: pessoa viva, não morta. Apareceu um homem de trinta anos para o atender. Tendo sido apanhado desprevenido, Goyo comprou um pão de forma pequeno e ficou à porta à espera. Às sete e dez Susana continuava por aparecer. Goyo começou a comer um pedaço de pão, era bom.

Às sete e um quarto viu a pequena figura de Susana que corria na sua direcção, ainda ao longe.

– Desculpa! Houve um imprevisto lá em casa, não pude sair mais cedo.

– Alguma coisa grave?

– Não, não. O meu irmão mais novo precisava que eu o ajudasse num trabalho. Entramos neste café?

– Bom, porque foi que quiseste que aqui viéssemos?

Susana sorriu:

– Já vais saber.

Entraram no café.

– Tenho uma ideia para uma proposta à corporação – disse Susana. – Creio que é boa, mas afecta-te muito directamente. Por favor, se vires que te há-de trazer problemas, diz-me, e podemos lembrar-nos de muitas outras coisas.

– Vamos lá ver a tua ideia.

– É um bom bocado tua, também. Deste na assembleia aquele exemplo do fabrico da pasta de algas. Trata-se de fazer com que a corporação instale no terraço desta padaria, e talvez numa outra também, vários fotobiorreactores com algas que limpem os gases da chaminé.

– Não vais querer fabricar biodiesel?

– Não, concentrávamo-nos na filtragem dos gases, e se achasses viável talvez pudéssemos produzir espirulina para a padaria.

– Não está mal. Nada mal. Vai ser preciso estudar a questão. Que combustível usam eles? Se tiver metais pesados, não será bom para a espirulina.

– Creio que não tem. É propano.

– Perfeito. Temos de ver o sítio, a luz, verificar a que temperatura saem os gases, mas em princípio a coisa parece exequível.

– Não pode prejudicar-te?

– Profissionalmente, queres tu dizer?

Susana assentiu.

– Não me parece – disse Goyo. – Fomos bastante discretos. Excepto a Elo, ninguém na empresa sabe que estou metido em grupos políticos.

– Mas vão saber que alguém nos assessorou na montagem, e não há muitas mais pessoas que trabalhem sobre o uso das algas para absorção dos gases de combustão.

– Há algumas. Em Madrid, não são muitas. Fora de Madrid há mais, e também fora de Espanha. Se chegarem a saber, no que eu não acredito, digo que me veio pedir conselho alguém que estava a fazer um trabalho na sua faculdade. Há bastante informação acessível. Os dados mais escondidos são os que se referem à qualidade do biodiesel. Mas não é o caso. E o cultivo da espirulina com gases de combustão é relativamente simples. Tu própria serias capaz de pôr um dispositivo a funcionar, fazendo algumas perguntas e algumas leituras, sem precisares da minha ajuda.

– Quanto pode custar?

– O mais caro é a bomba de ar, um pouco menos de três mil euros. Os fotobiorreactores são uns tubos transparentes onde se põe água com algas de maneira a que possam receber luz. Podemos fazê-los com garrafas usadas, cortando-as pela base e ligando-as umas às outras. Teríamos de comprar a rede metálica e os outros materiais para as montarmos, mas tudo isso é barato.

– E deixando de fora o aspecto profissional, o que é que te preocupa?

– É que, apesar de tudo, a captação do CO_2 por meio das algas é uma solução de fim de chaminé. Supõe, quero eu dizer, que se continua a produzi-lo, em vez de se procurarem caminhos que permitam reduzir as emissões.

– Bom, mas os activistas radicais em torno das transformações climáticas vão apoiar com certeza a iniciativa. Seria pior não fazer nada.

– Eu estava a pensar no que diz o Riechmann: "Pedimos uma mudança de civilização e oferecem-nos percentagens de biodiesel". Sei que nós não estabeleceríamos relação entre isso e o biodiesel, mas apesar de tudo...

– Não podemos mudar tudo, Goyo. A ecologia passa pela contenção, mas nunca chegaremos à contenção por meio de invenções técnicas. A contenção depende da luta política, e é luta política o que nós vamos fazer.

– Preocupa-me transmitir a ideia de que pouco importa que se polua uma vez que, ao fim e ao cabo, as algas vão limpar a poluição e, além disso, produzir outras coisas.

– Não estamos sob pressão – disse Susana. – Podemos ir explicando as coisas devagar. O nosso objectivo não é o CO_2, mas politizar o fabrico, e também a destruição que acarreta. Explicar que a questão deve ser debatida e argumentada. Foi o que tu próprio disseste.

– Acho-te muito convicta.

– Penso que podemos tentar. Tudo coincide: tu estares a trabalhar neste campo, o dono da padaria estar interessado, ser qualquer coisa de dimensões aceitáveis para o nosso projecto. Mas tens de me garantir que não te vais meter em sarilhos.

– Garantido – sorriu Goyo. – Vamos lá ver, fala-me do dono da padaria. Deve estar à nossa espera, com certeza.

Susana olhou Goyo nos olhos agradecendo-lhe a cumplicidade:

– Bom..., eu disse-lhe que talvez passássemos, mas que não era certo.

– E onde é que encontraste alguém disposto a montar uma coisa do género?

– Por acaso. Tinha ido a casa de um amigo que vive por aqui, e acompanhei-o quando foi comprar pão. O dono estava lá dentro a falar ao telefone, mas ouvia-se bem o que dizia. Estava a falar de uns índios nómadas do México. Não sei, chamou-me a atenção. E quando tive esta ideia, lembrei-me dele.

– Apresentaste-te assim na padaria sem mais?

– Nem mais nem menos. Lembrava-me do que ele tinha dito dos índios seris. E contei-lhe a verdade: que ouvira essa conversa e queria falar com ele. Viemos até este café.

– Mas estar disposto a montar um protótipo de cultivo de microalgas não tem muito a ver com os índios nómadas.

– Não, eu não lhe falei dos índios, disse-lhe que me tinha parecido uma pessoa interessada em diferentes aspectos da vida, que eu pertencia a um colectivo e que tínhamos uma proposta.

– Falaste-lhe de política?

– Um pouco, em abstracto. Ele interrompeu-me imediatamente e disse que não tínhamos de lhe dar explicações.

– Bom, vamos então a isso. É importante sabermos de que espaço dispomos. Nem todos os sítios servem.

Um empregado fê-los entrar, havia grandes cestas de vime, prateleiras metálicas, luz artificial. Numa divisão pequena, o padeiro estava à espera, sentado ao lado de um computador. Levantou-se para os cumprimentar e indicou-lhes uma mesa quadrada. Sentou-se com eles. As paredes do compartimento estavam despidas, exceptuada uma fotografia da Ilha do Tubarão, com a sua cadeia de montes azuis a mil metros do mar. Depois das apresentações, o padeiro disse:

– Por onde começamos?

– Pelo terraço – disse Goyo. – Preciso de ver que espaço livre há. Depois teríamos de estudar a temperatura das emissões.

Damián conduziu-os às escadas comuns do edifício. Subiram três pisos e atravessaram uma porta que dava para uma escada de caracol metálica pela qual subiram uma altura equivalente a mais dois pisos. Uma vez no exterior, Goyo olhou para a chaminé e a seguir para Susana, assentindo. Junto à chaminé havia um espaço amplo e irregular onde poderiam ser instalados os fotobiorreactores. Susana assomou à borda do terraço. Quando se voltou de novo viu que o padeiro se encostara a uma saliência a meia altura da parede. Goyo estava ao lado dele. Susana aproximou-se também. O padeiro parecia satisfeito quando disse:

– Agora, jovens, encham-me a cabeça de sonhos.

CADERNO DE MANUELA

Volto amanhã. Estou esgotada. Faltam duas semanas e meia para acabar o prazo de três meses que me tinha imposto. Embora o meu regresso vá provocar a ironia bem educada do Enrique, ficar mais tempo só para evitar essa ironia era uma tolice. Quero ver o Enrique, explicar-lhe, quero estar com os meus filhos.

Tinha pensado que se começasse a trabalhar num sítio parecido com aqueles onde trabalha o Carlos Javier poderia aprender alguma coisa do que ele sabe. Erro, erro crasso. Não crasso no seu sentido literal, quer dizer, indesculpável. Crasso no sentido de grande, ou até mesmo de tremendo. Não me parece que seja um erro indesculpável porque, salvaguardando as devidas distâncias, aconteceu a Simone Weil qualquer coisa de parecido. Ela procurava saber o que pensa um operário, o que sente, o que se passa com um operário, qualquer coisa como isso, mas aquilo que acabámos, salvaguardando, repito, as devidas distâncias, por conseguir saber tanto ela como eu é o que acontece a Simone Weil ou a mim quando começamos a trabalhar numa fábrica ou numa tinturaria. A experiência reduz-se um tanto, ainda que não por completo, penso eu.

Deixemos de lado a Simone, que é uma figura que me ultrapassa. Vejamos o que se passou comigo. Com a minha experiência fui sentindo um esgotamento cada vez maior que não dá sinais de vir a estabilizar-se se aqui continuar. Ou seja, ontem estava cansada e hoje estou mais cansada e amanhã, sei que é assim, estaria mais cansada ainda. O sono não chega porque todas as manhãs me levanto como se ainda precisasse de mais três horas de sono, ou quatro, ou cinco. A casa está muito fria, há dias em que não tomo duche para ter mais um minutos de quente na cama, mas depois é pior. Doem-me os pés, as costas. Pelo que vi, não há limite para o cansaço, nunca se lhe toca o fundo. É por isso que vou voltar, porque estou morta.

Creio que saberia ser fiel a um compromisso até ao fim; e houve ocasiões, posso afirmá-lo, em que soube sê-lo. Se alguém tivesse necessidade de que eu permanecesse aqui os três meses completos, penso que aguentaria. Mas como não é o caso, vou andando. E como sou um tanto frívola, quando vir a ironia nos olhos do Enrique não me eriçarei nem corarei: voltei duas semanas e meia mais cedo, e afinal de contas saber que a minha resistência como tintureira voluntária alcança as dez semanas e meia também faz parte do que aprendi.

Quando eu tinha a idade da Susana, deixei um rapaz depois de andar com ele durante três anos. Foi uma ruptura bastante equilibrada, não houve episódios dramáticos, mas o tempo ia passando e nós víamos que eu puxava para um lado e ele para outro. O certo é que depois de o deixar eu esperava ter muitas aventuras, estava cheia de vontade de uma época de loucuras. Mas nada. E não compreendia porquê, não era especialmente desajeitada nem retraída, havia rapazes que me rondavam, mas nada. Uma noite – estava numa festa – perdi-me num canto com um amigo desajeitado, baixinho, que não parava de ter aventuras, e contei-lhe o que se passava comigo. Ele disse-me que para ter aventuras era preciso uma pessoa não ter ego, nem ponta de ego, era preciso uma pessoa desfazer-se dele. A princípio não o entendi. Não, não. Entendi-o perfeitamente, mas a princípio quis fingir que não tinha entendido. Olhei para o meu amigo e soube porque tinha ele tantas histórias, desejei-o e se nada aconteceu foi porque eu continuava a fingir que não entendia.

Não ter ego é, para começar, compatível com a dignidade; quem não tenha ego não fica obrigado a servir de capacho ao resto das pessoas. Comparo a dignidade com um corpo levantado e nu. E o ego com a virgindade, com o que deve permanecer idêntico. O ego é como estar-se de ponto em branco. Uma vez, quando éramos pequenas, a minha mãe tirou o ego à minha irmã mais velha. Ela tinha-se arranjado para ir a uma festa, estava com um vestido grená com os ombros nus, meias finas, sapatos novos, brincos, um bocadinho pintada – e estava a ser insuportável para nós e para si própria. Não se queria sentar para não amarrotar o vestido, ficou furiosa porque eu a despenteei a brincar, não quis lanchar: estava para ali, de pé, inacessível.

Depois de a ter deixado passar mais de quinze minutos assim, a minha mãe deixou o que estava a fazer; sem a mais pequena irritação aproximou-se da minha irmã como se quisesse tirar-lhe um fio do vestido ou um cisco qualquer. Mas o que fez foi arrancar-lhe um botão. O vestido era abotoado à frente por três ou quatro botões. A minha mãe pegou num deles e puxou até o soltar, deixando-lhe os fios pendurados. Eu tremi. Por um instante vi a minha irmã gritar ou chorar e sair a correr para se enfiar no nosso quarto, onde ficaria fechada sabe-se lá porquanto tempo depois de bater com a porta. Estou convencida que esta sequência desfilou também diante dos olhos da minha irmã. Mas surpreendentemente não fez nada disso, olhou para o botão, olhou para a minha mãe e começaram as duas a rir-se. A minha irmã esteve a brincar comigo até chegar a hora da festa. Nunca soube se com aquele botão se lhe foi também a virgindade, mas sei de certeza que se lhe foi o ego, ou pelo menos uma parte dele.

A minha filha Susana não gosta de vestidos complicados. Usa quase sempre *jeans* e camisola, desse estilo confortável e um tanto desleixado que não permite repetições da façanha da minha mãe. Mas não desisto de vir um dia a encontrar maneira de o fazer. Gosto muito da maneira de ser da Susana, tudo o que queria era explicar-lhe que podemos arrancar o ego como um botão sem que isso signifique deslealdade. A minha filha acaba às vezes por ser muito intransigente. Não sou contra a intransigência, melhor ainda, acho que é necessária, não sei como alguma vez sairemos deste mundo reles se não formos intransigentes perante a crueldade, a devastação e a barbárie. E contudo gostaria de ser capaz de explicar à Susana que a intransigência pode ter altos e baixos e – porque não? – as suas vertentes suaves, sem que nada de essencial seja assim posto em perigo.

Quando tens ego qualquer coisa te ofende, te distancia. Quando não tens ego aguentas o que vem e esperas a ver o que acontece. Os frívolos arriscam-se; sem ego torna-se mais fácil sair da formação, penetrar outros territórios, explorá-los. Não me refiro à frivolidade de quem compra quinze carteiras, mas a uma forma de estar na vida sabendo que o ego é uma cobertura desnecessária. Há outras: a pele é necessária, a lealdade pode ser necessária – porque terão os traços da personalidade de ser reunidos em pacotes? Renunciar a alguns não nos impede de conservarmos outros.

Enfim, vou voltar. Comprei um bolo de velas. Como temos horários trocados, as minhas companheiras de apartamento estarão a dormir quando eu sair. Vão encontrar no frigorífico o bolo com as suas três velas, uma por cada uma de nós. Não sei porque arranjei este bolo, mas desejo que lhe acendam as velas, e que as soprem.

Hoje não fui escrever ao ponto de internet. Estou a fazê-lo na mesa da cozinha deste apartamento de Parla a onde provavelmente nunca voltarei. Amanhã estarei em casa. O meu ego diz-me que fiz uma figura ridícula, mas lembro-me então de que o não tenho. Se não temos ego, não é o nosso ego que está em questão. São as outras coisas que estão em questão. Se não tivermos ego também não teremos de ser fiéis ao nosso ego, mas sim a essas outras coisas.

É curioso, eu via a Susana e dizia-me o tempo todo: tenho de explicar-lhe que o ego é como um botão de veludo, arranca-se e não acontece absolutamente nada. Mas um belo dia o ego volta e instala-se outra vez. Como havia a Susana de me entender se eu não me tinha dado conta?

FÉLIX A MAURICIO

Pois assinou, Mauricio. Ontem à noite a minha mãe deitou-se cedo. Eu estava a estudar, saí do quarto e vi o Juan no sofá a ler umas folhas, com um copo de vinho e um prato com queijo em cima da mesa pequena. Perguntei-lhe se tinha tempo para conversarmos um bocado. Disse-lhe que tinha de jurar que guardaria segredo e que se jurar ou prometer segredo lhe parecesse uma estupidez, então que me prevenisse. Ele não se riu. Disse: dou-te a minha palavra.

Em vez de começar pelo princípio, lembrei-me do que me tinhas dito e comecei pelo fim: tudo isso que o Goyo e a Susana nos disseram, aquele terraço, os tubos com algas verdes. Ele fez-me duas perguntas a que eu não soube responder: se havia algum perigo no manuseamento dos gases e onde pensávamos ir buscar os três mil e quinhentos euros. Disse-lhe que quando soubesse essas duas coisas lhe diria, e que ele podia esperar e assinar depois de ter a resposta. Não quis, disse que assinava já, que gostava de saber as respostas quando eu as tivesse, mas que fosse como fosse estava disposto a assinar, e que além disso me agradecia muito eu ter-lhe pedido a assinatura.

Nesse momento eu devia ter-lhe perguntado porquê: porque é que agradecia, porque é que assinava e até porque é que, já que tínhamos chegado até aí, se tinha apaixonado pela minha mãe. Mas não me atrevi a fazê-lo e fiquei calado. O Juan ofereceu-

-me queijo, vinho, mas eu não tinha vontade de tomar fosse o que fosse. Também não estava com vontade de me ir embora. Apontei para as folhas dele e perguntei-lhe se aquilo era um trabalho urgente, e ele disse que não, que era o trabalho de um miúdo muito desajeitado a quem, depois de tentar sem o conseguir pô-lo a fazer alguns exercícios, tinha pedido que escrevesse cinco páginas sobre algum aspecto do corpo humano. O rapaz tinha escolhido por tema a lentidão motora e, pelo que o Juan já tinha lido, não parecia ter-se saído nada mal.

Ficámos calados, eu sentia-me um bocado embaraçado, tinha a impressão de que qualquer coisa que dissesse soaria a conversa profunda. O Juan comeu mais queijo e bebeu mais vinho, e marcou assim mais um ponto, porque não é fácil alguém continuar a comer tranquilamente diante de outra pessoa que se limita a olhar. Depois foi a sua vez de falar. Disse-me que o trabalho do rapaz o estava a interessar muito porque, apesar de ser professor de educação física, e apesar de gostar de o ser, tinha começado a pensar desde havia uns tempos já que o problema dos seres humanos era não serem suficientemente lentos. Precisamos de tropeçar mais, disse ele. Precisamos de ir mais devagar. Eu interrompi-o:

– Dizes isso porque tens jeito para os desportos, porque és ágil.

– Gosto do desporto, acho que faz com que o organismo funcione melhor e isso dá-nos uma sensação de liberdade, quase nos predispõe para a felicidade. Em contrapartida o ágil…, às vezes tenho as minhas dúvidas a esse respeito. Parar, tropeçar, dar conta das dificuldades, não me parece que esteja mal, pois não?

– Que mal tinha que toda a gente fosse ágil? Ou de outra maneira: achas que é feliz toda essa gente que para aí anda inchada de comida-lixo?

– Uma coisa é a gordura acompanhada de sedentarismo, e outra a lentidão motora. À gazela convém não ser lenta, mas nós, os homens, devíamos ser um pouco mais lentos, e as mulheres também.

– Para quê?

– Para irmos mais devagar. É uma questão de ordem geral, nada se vai resolver pelo facto de haver em cada curso dois lentos motores a mais ou a menos. A maior parte das pessoas com lentidão motora também não pode hoje contribuir com grande coisa: o critério é a agilidade; essas pessoas vivem a sua lentidão como uma carência. E de facto, hoje, é uma carência.

– E que achas tu que acontecia se a proporção mudasse?

– Acho que nos ajudava a recordar que entre o nosso corpo e as coisas há qualquer coisa, qualquer coisa de físico, de material, não estou a pensar na alma nem em nada de parecido; há pensamento, elaboração, memória. Olha, nem o melhor atleta do mundo pode comparar-se na corrida a um leopardo. Tendemos a comparar-nos com as coisas que funcionam na perfeição. Mas é um erro. A espécie humana é um dos muitos improvisos da natureza. A vida é feita desses improvisos. Como aquilo que me explicaste da fotossíntese que é um improviso atamancado, talvez até pouco eficiente de certo ponto de vista, mas foi graças a ela que apareceu a atmosfera que nos permite viver.

– Mas faz-nos falta uma medida, Juan. Até para fazeres um improviso que funcione precisas de ter a perfeição como ponto de referência.

– Porquê? Porque a referência tem de ser a perfeição e não a vida? A perfeição pode ser mais uma possibilidade, mais um dado, mas não a referência. Na empresa da tua mãe, a busca da perfeição, do máximo, vai deixar muita gente sem trabalho, e eu penso que foi essa mesma busca que acabou por fechar a tua irmã no quarto dela.

– Sim, mas o que eu digo é que se queres fazer qualquer coisa é bom teres um modelo. Não sei, queres fazer uma cadeira e imaginas a melhor do mundo, e embora acabes por fazer uma regular, não vais começar por imaginar uma regular.

– É que a melhor cadeira do mundo não serve para nada, seria uma cadeira para sempre indestrutível, por exemplo; mas para que queres tu uma cadeira que dure cinco biliões de anos? Devíamos tropeçar, Félix, para andarmos mais devagar, para nos lembrarmos de que tropeçar faz parte da nossa vida. Ou de que a distância mais curta entre dois pontos só produz linhas rectas, e há outras.

Ficámos os dois juntos um pouco mais. Ainda não sei bem porque foi que ele assinou. Também não sei bem porque é que alguém que é tão ágil pode ter interesse em tropeçar a todo o momento. Talvez tenha a ver com a rapidez. Como se um corpo rápido não pudesse deixar de ser rápido a não ser tropeçando, como se o Juan quisesse deixar de ser rápido.

Manuela apareceu em casa, sem avisar, uma sexta-feira às quatro da tarde. Enrique ouviu o ruído da fechadura e, pensando que fosse Marcos, abriu ele próprio a porta antes de Manuela ter tempo de acertar com a chave. "Dois meses e meio são suficientes para ela se esquecer de qual é a chave de casa", pensou ele. Pensamento pouco romântico para ser o seu primeiro pensamento na ocasião, pouco hospitaleiro, pouco alegre, embora Enrique tenha sido capaz de o manter na zona abissal das coisas que se pensam e não se dizem.

Depois beijaram-se. Os rapazes não estavam e Susana também não. Foram para o quarto, a persiana ficara semidescida, a cama estava feita. Envoltos numa penumbra que obscurecia os corpos, amaram-se com ciclos sucessivos de obscenidade e de ternura que por vezes excitavam Enrique até à dor. O habitual era o sexo confortável, por vezes animado por fantasias, outras vezes simplesmente rápido. Mas de vez em quando acontecia assim, Manuela aproximava-se dele de pé, não o deixava deitar-se na cama e começavam uma perseguição sem limites.

Antes de adormecer ele conseguiu ouvi-la levantar-se. Depois, ao despertar, viu que Manuela estava ao lado dele. Foi então que lhe contou tudo desde o princípio. Aquele equatoriano tinha um nome, Carlos Javier, e com efeito fora ele o detonador da viagem de Manuela aos espaços exteriores. Falou-lhe da tinturaria sem se alargar demasiado. E sobretudo falou-lhe dos seus planos, que a ele, por sorte, não pareceram mal. Na realidade, limitava-se a dar as aulas de outra maneira e, embora não tivesse sido essa a palavra utilizada por Manuela, a fazer um pouco de voluntariado. Não, Manuela não disse voluntariado. Disse "ocupar-se dos pontos sensíveis do capitalismo". Enquanto ouvia o que Manuela lhe ia contando, Enrique pensava que voluntariado resumia bem a intenção de Manuela e que fora sem dúvida por isso, para fugir ao lugar-comum, que ela escolhera uma expressão diferente.

Enrique pô-la em dia no que se referia às coisas dos miúdos. De Susana disse: "Discuti com ela duas vezes". Esperava que ela não lhe perguntasse mais e, na realidade, Manuela limitou-se a acrescentar: "Eu pensei muito nela nestes últimos dias". Era evidente que ambos pareciam querer passar com pés de lã por cima do assunto. "E tu?", disse a seguir Manuela. As duas palavras soaram estranhas a Enrique, recordou por um momento o perfil e o olho solitário de um peixe de companhia. Depois falou do seu trabalho e fez rir Manuela com as diversas histórias que inventara para explicar a ausência dela, dependendo do colega, do familiar ou do amigo com quem falava. Explicou-lhe que a princípio se sentira magoado não por ela se ter ido embora, mas pelo facto de não ter compartilhado com ele a sua angústia. Depois pensara que a angústia às vezes não nos permite que escolhamos com quem compartilhá-la.

Enquanto falava, Enrique desconfiou de si próprio. Não estava a mentir, não estava a esconder nada, do mesmo modo que o peixe de companhia não esconde o seu outro olho quando olha através do aquário. Mas há outro olho. Um olho que aguarda, não sem complacência, que Manuela dê de caras com a realidade. E o olho deseja, silenciosamente, que depois de dez ou doze aulas na escola secundária o renascer do entusiasmo de Manuela murche, porque dar as aulas de outra maneira é um combate inútil contra as circunstâncias: o contexto permanece e as novas formas não conseguem alterar o substancial. O olho diz para consigo que o voluntariado não proporciona alimento nutritivo, mas qualquer coisa capaz de não mais do que excitar as papilas gustativas. O olho confia em que ao fim de umas semanas, ou talvez meses, Manuela desperte um dia sem vontade de se enfiar num gabinete a preencher papéis para emigrantes ou num centro cívico a dar aulas de espanhol a estrangeiros. Então o olho, o outro, acolherá Manuela com compreensão, ternura e uma certa, e absolutamente velada, sensação de triunfo.

Passava das seis, os miúdos deviam estar a chegar e decidiram os dois levantar-se.

Eloísa estava deitada ao lado de Vera no sofá verde onde costumavam ver filmes gravados. Estavam a meio de *A Princesa Prometida*. Dissera à filha que veria o filme todo com ela, mas embora ali estivesse, a olhar para o ecrã, o pensamento vagueava-lhe por longe. Às vezes ria, outras apertava com força a mão de Vera pois sabia o filme de cor e acabara por automatizar aqueles gestos como as curvas de uma estrada. Entretanto, recordava o dia em que Goyo voltou de Sevilha. Abriu-lhe a porta e, ao ver a sua expressão, não pôde deixar de sorrir: era como se as razões, a ênfase, aquilo que Goyo pensava dizer-lhe, estivessem ali diante dela, como se Goyo tivesse aparecido em casa dela com um enorme rebanho de ovelhas ou com uma mala cheia de malas disposto a fazer uma espécie de demonstração. Eloísa tapara a boca de Goyo com a mão ao abraçá-lo: "Não me vou embora", disse-lhe ela, "mas risca o que eu escrevi; não tentes convencer-me. Fico porque quero".

Passara quase um mês desde então e começava a estabelecer-se um costume implícito: normalmente Goyo dormia em casa de Eloísa. Quando Vera ia a casa de uma amiga ou dos primos, dormia ela às vezes em casa de Goyo. Quando Goyo tinha reuniões até tarde ficava em sua casa, porque Eloísa sabia, por outro lado, que a filha desejava agora com especial ansiedade ter alguns momentos a sós com ela.

Terminado o filme, Eloísa verificou com Vera as coisas que esta última tinha de levar no dia seguinte para a escola. Ficou no quarto da filha a conversar um momento e depois foi ler para a sala. Ainda não chegara a abrir o livro quando Goyo lhe telefonou:

– Elo...

– Sim.

– Não sabia o que havia de fazer, aparecer aí ou telefonar-te. Mas acho que vou aí.

– O que foi que aconteceu?

– É a corporação, foi aprovado um projecto e não posso continuar sem falar disso contigo.

– Não venhas, fazia-se muito tarde, conta-me assim pelo telefone.

– Conto se me prometeres que não decides coisa nenhuma, que esperas até nos vermos amanhã.

– De acordo.

– Tem a ver com as algas.

– Com o biodiesel? Goyo!

– Não, não!... Trata-se simplesmente de filtrar gases de combustão, aproveitando para produzir espirulina.

– E onde é que tu queres fazer isso?

– No terraço de uma padaria.

– Estás a falar-me de uma brincadeira.

– Sim e não. Previ pelo menos oito fotobiorreactores, e não penses só no protótipo, pensa no uso que lhe poderemos dar se conseguirmos ter capacidade.

– Que uso?

– Para os nossos colectivos seria uma forma de introduzirmos a política no trabalho. Mas neste caso concreto, quem sabe? É muito improvável, mas talvez pudéssemos introduzir a discussão do biocombustível agrícola *versus* o de algas.

– Muito improvável, garanto-te. De qualquer maneira, prefiro ficar de fora. Não compreendo isso de se ir de manhã trabalhar para uma companhia petrolífera e de à tarde organizar manifestações contra as companhias petrolíferas. Sei que há pessoas que o fazem, compreendo o teu direito a fazê-lo, mas para mim não serve.

– Não, Elo, não estamos a falar de fazer as coisas à tarde, nos momentos livres. Trata-se de usarmos o nosso tempo de trabalho para produzirmos qualquer coisa que tenhamos escolhido. Será necessário estudar a composição dos gases de combustão, montar os fotobiorreactores, estava a pensar em montar seis tradicionais e dois modelos experimentais. E muitas mais coisas.

– Queres que te ajude a fazer isso durante as horas de trabalho?

– Sim.

Eloísa deu-se conta do pequeno sobressalto de um interesse que despertava, muito ténue, como uma onda sonora que mal se percebe, mas que contém sinais de aventura, a atracção do proibido. O conhecimento acumulado despertava também e

Eloísa via as ideias moverem-se e sentia o desejo de fazer qualquer coisa de frutífero com elas.

– Falamos amanhã, Goyo – disse ela com uma doçura séria e contundente. – Dorme descansado.

Depois de desligar, Eloísa não tornou a abrir o livro. Pensava nos futebolistas vendidos e comprados continuamente. As mudanças eram tão constantes que, se realmente existia, o sentimento de pertença a uma equipa não podia transformar-se a esse ritmo, pelo que alguns jogadores do Racing continuariam a ser do Betis, e alguns jogadores do Betis seriam do Depor e alguns jogadores do Mallorca seriam da Real Sociedad. A prostituição era ainda a grande metáfora. O sentimento da prostituta como o do engenheiro químico e do futebolista não valiam nada, eram simplesmente carne de folhetim radiofónico. As empresas sabiam-no e por isso, embora nunca se esquecessem de exigir nos contratos cláusulas de confidencialidade, não viam em contrapartida inconveniente em conceder ao empregado os seus sentimentos: a esquizofrenia, a capacidade de se mostrar desafecto em relação à empresa em discussões privadas, jantares, conversas.

A prostituta pode sonhar com quem deseje e o futebolista pode alegrar-se por a sua equipa perder contanto que isso não se note, contanto que o sonho não iniba os pretensos gemidos de prazer, contanto que a dupla lealdade do futebolista não dê lugar ao antiquado, romântico, inverosímil gesto de um penálti falhado de propósito e à consequente perda do prémio.

Do mesmo modo na sua empresa, disse ela para consigo, abundavam os que, como ela própria, embora se considerassem privilegiados por estarem a trabalhar numa organização que lhes pagava bem, lhes proporcionava meios de serem profissionais brilhantes, lhes facilitava a vida quotidiana por meio de seguros, créditos, bónus, etc. continuavam, contudo, ao mesmo tempo a sonhar, a criticar, a não compartilhar dos critérios da empresa, indo ao ponto de qualificar muitas das suas medidas como grotescas, hipócritas e ávidas de lucro. A seguir, nos inquéritos internos, diziam sentir-se parte da empresa – e nem sequer mentiam. Como o seu comportamento indicava, gostavam com efeito de trabalhar ali. Pelo menos, não se notava que não gostassem, não falhavam penáltis de propósito nem chegavam tarde, não infringiam as regras.

Eloísa podia ser crítica no seu íntimo em relação ao programa de biodiesel agrícola. Era indiferente. Isso não gerava tensão, confronto, oposição de forças. Até ao momento procurara evitar o conflito. Não tinha qualquer interesse pelas tempestades, preferia a calma, a angústia aplacada. Uma vez que o metabolismo era consubstancial à vida, uma vez que não havia maneira de contornar o contacto com o exterior, Eloísa aspirava a que esse contacto decorresse da maneira menos acidentada possível.

E todavia agora estava a decidir dizer que sim a Goyo. Colaboraria naquele invento da corporação, e embora pudesse não acontecer nada, aquilo também podia acabar por conduzir à exteriorização de um conflito que até então se mantivera latente. Porquê? Chamou o Murdok com o olhar. O gato saltou para o braço do sofá, a seguir deitou-se-lhe ao colo. Os dedos de Eloísa brincavam no pescoço do gato. Fazia-o sem dúvida por Goyo, não tinha o menor sentido ficar à margem estando a desenrolar-se daquela maneira a relação entre os dois. Tentou pensar no que sucederia se tivesse sido outra pessoa a fazer-lhe o mesmo pedido. Teria adiantado uma desculpa qualquer, pensava. Em contrapartida, a presença de Goyo impedia-a de pôr de parte o assunto com duas palavras.

Mas havia além disso, pensou para consigo, qualquer coisa de muito excitante na ideia da liberdade. Pensou num tipo de combinação não propriamente químico que explicasse porque é que certas ideias hibernam, mas não se extinguem e são como um gás reactivo que liga o folhetim radiofónico da prostituta apaixonada ou Estudo nº 12 para piano de Chopin com o heroísmo silencioso do cientista que num filme ingénuo se recusa a avalizar uma investigação falsificada. Talvez também a independência da Polónia reclamada por Chopin fosse ingénua por ser a independência dos aristocratas, e, talvez, o amor da prostituta servisse somente para a enfraquecer. No entanto, disse para consigo, convinha não deixar de lado a reacção explosiva que podiam provocar.

As empresas concediam graciosamente o sentimento de afinidade. Não obrigavam o trabalhador a bater-se com ninguém na sua vida privada para defender a imagem corporativa. Sempre que não estivesse a desempenhar um tipo de acção pública, representativa, o trabalhador podia criticar a sua empresa. O jornalista, fora da redacção, mostrava-se distante e irónico em relação ao seu jornal; o engenheiro químico, fora da companhia petrolífera, reprovava quase todas as práticas daquela. E a empresa sorria e tolerava, mas um belo dia alguém que habitava no interior do monstro tinha uma ideia completamente desprovida de fundamento: a ideia de que poderia cravar uma adaga no coração do monstro.

Murdok ronronava, Eloísa olhou a expressão satisfeita do gato. Esboçou ela própria um sorriso ao recordar o dia em que fora à faculdade para falar do biodiesel aos alunos do curso de doutoramento. Não eram mais de dez, e desde o princípio Eloísa olhara e esquivara os olhos de Goyo. Olhava-os porque se sentia descoberta. Esquivava-os porque tinha medo de os olhar de mais e de que as outras pessoas se dessem conta. Depois das duas horas de seminário desceu à cafetaria com os alunos. Goyo não foi dos mais loquazes; e contudo, roçou-a sem motivo aparente por duas vezes. No fim, já ao dispersar, Goyo pediu-lhe um cartão para lhe enviar qualquer coisa por correio electrónico. Eloísa viu o correio com especial interesse durante a primeira semana. Depois propôs-se não ficar suspensa de uma mensagem dele e por fim conseguiu não o ficar de facto durante alguns dias. Então ele telefonou-lhe e encontraram-se. Pretexto? Eloísa lembrava-se de um pretexto relacionado com o CO_2 e a eficácia fotossintética, mas isso não durara mais de meio minuto. "A verdade é que te desejo muito", dissera-lhe Goyo, e ela sentira-se bem ao ouvi-lo e beijara-o repetindo para consigo que não estava a fazer nada de mal.

Viveram um primeiro mês imprudente, febril e sem perguntas. Era Verão, a filha dela estava na praia com a avô e com os primos. Em Madrid, Goyo e Eloísa dormiam juntos todas as noites. Depois foram para uma casa pequena que uns amigos de Goyo tinham numa aldeia de Almería e lhes emprestaram. Quando apareceram as perguntas Goyo encarregou-se de as pôr de lado pelos dois, como num jogo de vídeo em que se tem de conseguir que as figuras atravessem a linha sem que nenhum elemento as fira. A arma defensiva de Goyo era também uma pergunta: Porque não? Porque não? Porque não? Em todas as situações, muitas vezes em silêncio, escrevendo-lhe bilhetinhos, com os seus braços e as suas pernas a rodeá-la, Goyo repetia-a.

Assim se passou o segundo mês, sessenta dias – porque não? Eloísa acedia e ao mesmo tempo entregava-se. Estava feliz, mas não conseguia tirar da cabeça uma sensação intensa, raivosamente melancólica, de último dia, de último Verão adolescente. Depositada no fundo do seu pensamento, esta sensação não interferia nos actos quotidianos embora às vezes assomasse quando falava ao telefone com Vera ou ao ouvir coisas como "Madrid", "para o ano que vem". Por isso, embora depois Goyo se tivesse referido várias vezes àqueles oitenta e três dias com as suas noites, Eloísa pensava que o tempo deles estava a começar agora.

Em Setembro sucederam os vinte e três dias restantes. A sua filha Vera conheceu Goyo, pôs com ele no ar estrelas de papel e foram os três ao cinema. Aparentemente, as coisas seguiam o seu curso; e contudo, para Eloísa começara a contagem decrescente. Estava à espera de que alguma coisa acontecesse, as estatísticas indicavam que aconteceria e Eloísa calculara esse acontecimento para o final do último Verão.

Foi um sábado de manhã. Estavam em casa de Goyo, ele fazia-a estremecer de prazer com a sua boca quando o telemóvel tocou. Não atendeu, nem sequer lhe passou pela cabeça fazê-lo. Duas horas depois, Eloísa foi buscar Vera a casa dos primos.

Só quando já estacionara o carro se lembrou de ver o registo das chamadas não atendidas. Não conseguiu vê-lo, o telefone estava sem bateria e Eloísa viu que estava ali estacionado o carro da sua mãe, embora não estivesse previsto que ela estivesse também presente. Veio abrir um dos primos. "Ela está ali", disse ele, e Eloísa entrou no quarto. Vera estava deitada na cama, a sua mãe, o seu irmão e o seu cunhado estavam junto dela e, por um instante, Eloísa teve a certeza absoluta de que a criança não respirava. Deu-se depois conta de que sim. Estava simplesmente adormecida. Tinham-lhe cosido com três pontos uma ferida na sobrancelha causada por uma queda – nada de grave, mas que a princípio assustara a família. Eloísa pegou na mão da filha e guardou-a na sua. Estava a tremer de medo por dentro. Ouvia o telemóvel, evocava o seu prazer.

Não disse fosse o que fosse a Goyo sobre aquele telefonema. Fora um acaso, uma coincidência negativa, talvez. Basear qualquer comportamento nela era absurdo. Se não tivesse pegado no telemóvel por estar em cima de umas escadas, ou a falar pelo telefone fixo, ou a conduzir... Ocorriam-lhe mil situações que não pareceriam premonitórias. Eloísa não era supersticiosa; sabia que estava a adoptar um comportamento irracional, mas vira as orelhas do lobo e imaginava essas orelhas assomando por detrás do orgasmo, por detrás dos telefonemas, por detrás da vida quotidiana.

Decidiu esconder o caso de Goyo, e limitar-se apenas às etapas da vida, ao momento em que cada um deles estava. Enquanto falava, Eloísa parecia a serenidade em pessoa; contudo, no seu íntimo agitava-se a memória do prazer. Queria dizer a Goyo que nunca o desejo a aproximara tanto de alguém, nunca se sentira tão envolvida por outro corpo, nem vira o seu próprio prazer desdobrar-se assim sobre o corpo de outrem. Dizer-lhe que quando o dedo de Goyo a fazia vir-se de novo, era como se tudo o que alguma vez se tivesse partido pudesse ser atirado ao ar e cair outra vez inteiro. Mas Eloísa disse pelo contrário que precisava de acabar com aquela relação e pediu a Goyo que a ajudasse.

Goyo fê-lo, e desapareceu. Sem telefonemas nem reencontros, sem passar certa manhã para ir buscar uma camisa ou lhe perguntar qualquer coisa acerca das suas investigações, sem se despedir de Vera, sem devolver as coisas de Eloísa, sem um sinal. A seguir, passados três meses, chegara aquela mensagem por correio electrónico. Eloísa a princípio resistiu porque continuava a pensar nas etapas da vida. Mas por vezes dois seres encontram-se, o que como significa que averiguam a direcção do um do outro, as suas coordenadas, e já não podem deixar de saber que sabem onde estão. Quando Eloísa viu Goyo no trabalho compreendeu que desta vez começaria a contagem para diante sem sombra de medo.

Disse sim. Voltava agora a dizer-lho: rompia o dique e deixava por completo de se proteger. Estava disposta a envolver-se nesse projecto de fixação do CO_2. Além dos seus conhecimentos técnicos, pensava que poderia contribuir com a sua idade. Nunca tentara parecer ter a mesma idade que Goyo. No tempo vivido vão-se sedimentando decepções, mas, disse ela para consigo, também vitórias. Tinha mais sete anos do que Goyo e mais dez ou até mais doze do que alguns daqueles que constituíam o núcleo da corporação. Talvez fosse preciso ter menos dez anos para saltar sem ver o que havia do outro lado. Eles tinham-no feito e agora Eloísa poderia contribuir para pôr em funcionamento um ou dois centros de produção fotossintética que fossem suficientemente sólidos.

Murdok espreguiçou-se e abandonou o sofá. Ela levantou-se.

MAURICIO A FÉLIX

Bem, fico contente por o Juan ter assinado. Já tenho a espirulina. Tenho-a aqui em cima da mesa, num tubo de ensaio que mede uns vinte centímetros. Imaginava-a como as algas que vemos nas praias, mas não: é uma microalga, são células muito pequenas, o aspecto é o de uma água tingida de verde como que por pós dessa cor. Por isso tinhas razão uma vez mais e o facto de eu trabalhar numa loja de luxo serviu para alguma coisa. Gostar de homens também serviu. Não me passaria sequer pela cabeça insinuar-me para pedir um favor, odeio os joguinhos de sedução e sobretudo quando são falsos. Mas entre os homossexuais aparece às vezes um magnetismo que se parece com a empatia. Ele contou-me que ia para o Chade, eu disse-lhe que precisava de espirulina viva e que um dos sítios onde se podia arranjá-la era o Lago do Chade. Com simplicidade, ele respondeu-me que teria muito gosto em trazer-ma. Então escrevi num papel tudo o que a Eloísa e o Goyo nos tinham explicado sobre a maneira de a conseguir e de a transportar. Acho que se tivesse dito a mesma coisa a um hetero, ou a uma rapariga, não teria sido tão fácil. Pode ser que dependa só da pessoa, mas não é frequente que os clientes desta loja sejam compreensivos ou amáveis. Mas este homem foi-o realmente, pelo menos comigo.

Terá bastante mais de trinta anos, é discretamente bonito, explicou-me que não andava propriamente muito animado porque tinha rompido com o seu companheiro e se sentia agora arrependido. Tinham reservado juntos passagens para África. E ele tinha decidido ir de qualquer maneira, já tinha pedido os dias de férias e se não fosse seria ainda pior. É controlador aéreo, vem à loja, vê as coisas e passada uma semana torna a aparecer e compra isto ou aquilo. Uma vez perguntei-lhe em que estava a pensar. Não foi o "Em que estás a pensar?" clássico dos apaixonados maçadores, mas uma pergunta em geral – quer dizer: em que pensava quando não estava a pensar no que tinha de fazer ou no trabalho ou no dia de ontem ou em alguém em concreto. Ele compreendeu logo. Ficou a olhar para mim e disse-me: nos turistas espaciais. Tem a sua lógica. Passa o dia e a noite pendurado dos aviões, e por isso pensa nos que conseguem sair do espaço aéreo. É uma maneira de pensar na morte. O controlador pensava na tristeza dos que conseguem sair: podem ver a terra azul, mas depois têm de voltar e morrem, disse-me ele, como toda a gente.

Nesse dia comprou um candeeiro de bicha com um design de filme americano dos anos quarenta. Hoje, por volta do meio-dia, apareceu com a espirulina. Disse-me que a viagem não correra mal, e depois sorriu acrescentando: nem bem.

Deu-me o tubo, eu ia perguntar-lhe se lhe dera muito trabalho consegui-la e por aí fora, mas ele de repente diz-me: "A maior parte das pessoas estão convencidas de que não vão viver a vida toda na mesma cidade. Acham que acabarão por voltar para a sua aldeia, ou por ir para as Alpujarras ou para uma ilha. Mas os únicos que acabam por partir são os reformados finlandeses, ou alemães. Além disso nós não nos imaginamos de muletas, como esses reformados, nem numa aldeia turística. As pessoas vêem-se na pele de velhos lobos do mar, meditando com o olhar perdido no horizonte. Eu via-me assim. Como sou espanhol, não pensava em ir para as Alpujarras, mas para algures em África. Mas lá, porra, dei-me conta que são tudo fantasias, não vou partir para lado nenhum. Vou morrer aqui, em Madrid. Fico desesperado quando penso nisso". O que te digo é que fiquei sem saber o que havia de lhe responder. O que valia é que ele também não parecia estar à espera de qualquer resposta minha. Agradeci-lhe a espirulina, ele fez o gesto de quem nega importância ao assunto e foi-se embora. A seguir telefonei ao Goyo a dizer-lhe que já tinha o tubo.

Quando estava a falar com o Goyo entrou outro cliente, de uns cinquenta anos, mal-educado, cretino, vem cá muitas vezes e é desses que se comportam como se alguém lhes tivesse dado um certificado declarando que o seu valor equivale ao de quinhentos caixeiros como eu. Apeteceu-me dizer-lhe: "Vais morrer em Madrid". Mas o pior é que com certeza não vai, este há-de ser dos que têm reservado um lugar numa clínica da Suíça ou uma mansão em Tânger, se é que não adquiriu já uma câmara frigorífica. E perguntei-lhe como seria. Enquanto esperava a resposta da máquina ao cartão de crédito, pus a minha cara de engenheiro belga: "Já escolheu um lugar para morrer?", disse-lhe. Ele olhou-me na defensiva, mas eu continuei como se nada fosse: "Alguns clientes falam-me de Genebra, outros preferem Menorca, e o Japão está a ganhar adeptos". Ele sorriu: "Refere-se a um lugar retirado", continuou, "a um sítio onde eu vá acabar os meus dias". Eu olhei-o de cima: "Isso é morrer, ou não será?" O talão já saíra da máquina. Entreguei-lho. O homem assinou-o e pegou no relógio que eu lhe tinha embrulhado por uma das pontas, como se fosse um bicho. Saiu sem me responder.

Deixar de ser rápido, dizes que diz o namorado da tua mãe. Não sei se se pode deixar de ser alguma coisa, por exemplo, se este cliente pode deixar de ser cretino: não sei. Alguém deixar de ser um solitário, também não sei. Se se pudesse deixar de ser coisas tenho a impressão de que o tempo nos pareceria mais benigno. Mas também tenho a sensação de que não é possível, acho que tudo se vai acumulando. És rápido e, quando muito, podes tentar aprender a ser mais lento. Mas continuas a ser rápido. Continuas a ser cretino mesmo que te dês ao trabalho de aprenderes a ser boa pessoa. Suponho que é por isso que a reeducação é tão complicada. Embora não seja impossível, é realmente complicada, porque as coisas não se substituem umas às outras, acumulam-se. Sou fumador e não me transformo em não fumador, mas passo a ser, se deixar de fumar, também não fumador. Sou um miúdo caprichoso e ao crescer posso tentar ser também um adulto um tanto responsável. É como essa história dos três cérebros. O dos répteis continua a existir.

Tenho muita inveja de vocês, os que são de ciências, Félix. Em química parece que as transformações existem de facto, tens uma substância, tens outra, e se as juntares emerge uma terceira substância que é realmente nova, uma outra substância diferente das duas que tinhas antes. Gostava de saber química a sério, de compreender completamente esse processo. Mas sou de letras e as humanidades estão mais familiarizadas com o pessimismo. Porque nas humanidades não podes livrar-te da história. Do miúdo caprichoso e do adulto que tenta ser boa pessoa não emerge qualquer coisa de completamente novo. Mantêm-se os dois presentes, não sei explicar bem como, talvez devido a restos de conexões entre neurónios, a hábitos adquiridos. Teria gostado de estudar química ou física. A biologia já é diferente. Mais parecida com a história. A biologia tem de contar com as nossas dimensões, quando trata de seres humanos tem de considerar a duração dos órgãos; até mesmo no caso das plantas há conceitos que permanecem, coisas como a morte ou o esgotamento.

Eu sei que os corpos morrem, que os glóbulos vermelhos são outros ao fim de cento e vinte dias e que há células que vivem muito menos, mas continuo a pensar que dessas mortes não emerge seja o que for de radicalmente diferente, tudo permanece, cada um de nós existe também com todos os seus glóbulos mortos.

Bom, Félix, vemo-nos amanhã. Tenho vontade de pôr os pés nesse terraço e de saber como vamos conseguir arranjar dinheiro para a bomba de ar. E tenho vontade de te ver.

Na escola secundária de Manuela a proporção de emigrantes rondava os trinta por cento. Da última vez que o tema veio à baila numa conversa com amigos de Enrique, Manuela disse: "Suponho que não preciso de esclarecer que nada tenho contra os emigrantes quando digo que a sua presença maciça torna difícil ensinar, ao passo que, se estivessem adequadamente distribuídos, a sua presença enriqueceria as aulas, etc." Depois acrescentou: "Quer dizer, preciso de facto de deixar claro este ponto, e é o que acabo de fazer". Todos se riram menos ela própria.

Depois de ter estado em duas escolas de bairros muito conflituosos, Manuela estava havia dez anos numa dessas a que chamava escolas regulares, um lugar relativamente tranquilo. Aí, a paisagem parecia-lhe muitas vezes dar vontade de chorar. Um a um, Manuela era capaz de compreender os seus alunos. Em contrapartida, ocupar-se deles em grupo levava-a a perguntar-se como era possível que a beleza objectiva de um corpo adolescente desembocasse naquelas roupas, naqueles juízos sem fundamento, naquela crueldade desprovida até mesmo da subtileza da crueldade infantil. Sabiam tudo, não precisavam de que ninguém lhes dissesse nada e, ao mesmo tempo, eram tão extraviados, tão sós.

Manuela não se dava mal com a direcção. Quando solicitou a licença sem vencimento, concederam-lha sem lhe pedirem explicações. O seu substituto seguira o programa à letra. Ela decidiu, num dos seus grupos, partir a hora ao meio. Vinte e cinco minutos para o programa e vinte e cinco para a tinturaria. Tinha consciência de estar a exercer o papel de directora de turma embora precisamente esse não fosse o seu papel esse ano, mas não via outra saída e às vezes dizia para consigo que talvez fosse melhor assim, pois o que pretendia afinal não era falar dos "problemas" dos alunos, mas antes daquilo que não fazia parte da lista dos problemas.

Não podia explicar na sua aula o que era a justiça sem explicar também aos alunos que a maior parte dos tribunais e das leis existentes seriam parciais para com eles porque eles estavam do lado mais fraco da balança. Mas se lhes explicasse isso, se lhes falasse somente do que era insuficiente, paralisá-los-ia. Ao mesmo tempo que abria um leque de desconfiança e medo, devia abrir outro de possibilidades de acção e as únicas possibilidades de acção ao seu alcance tinham a ver consigo própria e com a escola. Dedicaria, portanto, vinte e cinco minutos a perguntar aos miúdos o que gostariam de saber sobre os seus professores. Ela própria incluída, evidentemente.

A princípio levaram a coisa para a brincadeira e foram direitos ao mais previsível: se ainda fodia e quantas vezes, se andara com alguém da escola, coisas assim. Depois, ao verem que ela lhes respondia, compreenderam que a pergunta fora feita a sério. "O que nós vos explicamos interessa-vos muito pouco", disse-lhes ela. "E isso reflecte-se em nós. Por isso vamos ver se conseguimos falar de alguma coisa que nos sirva". Pouco a pouco foram aparecendo perguntas curiosas: se os professores se consideravam medíocres, quanto ganhavam, se desprezavam os alunos. Houve, evidentemente, alguns que não mudaram e continuaram como antes, a falarem uns com os outros sem prestarem atenção. Quando Manuela lhes sugeriu que fizessem as mesmas perguntas a cada professor, Charlie disse:

– Eu, com eles diante de mim, não sou capaz.

– Então, escreve-lhes – respondeu Manuela.

– Quer que lhes mande uma carta? Deve estar a passar-se.

– Não. No próximo exercício que tenhas de fazer, em vez de responderes ao que te perguntam, faz tu as perguntas.

– Sim, está-se mesmo a ver, para me lixarem.

– Não me parece. Se acontecer alguma coisa, dizes-me e eu trato do assunto. Mas se fizeres perguntas como as últimas que fizeste agora, terão de te responder. É justo que o façam.

Diana perguntou:

– Porque é que diz que é justo?

– Porque quem ouve tem o direito de saber quem está a falar-lhe, e em nome de quê.

COMUNICADO 4 REVELANDO PREOCUPAÇÃO

Como alguns outros sujeitos colectivos, posso ouvir panoramicamente. Há miradouros onde existem ainda telescópios pintados de azul cobalto que funcionam com moedas. O sujeito individual introduz a moeda, aproxima o olho do telescópio e distingue fiadas de casas ou de campos, embora dentro de um raio relativamente pequeno. O ouvido panorâmico permite registar tudo o que soa no interior de uma região de vários milhares e às vezes de centenas de milhares de quilómetros quadrados.

Não é que eu seja capaz de distinguir cada uma das palavras que vão sendo ditas. Com esses telescópios azuis pode distinguir-se até a cor da camisola de uma pessoa que vai a atravessar a rua, mas não se essa pessoa traz ou não relógio de pulso. Com o meu ouvido passa-se qualquer coisa de semelhante. Olho ao longe e ouço uma infinidade de televisões, rádios, motores, algumas pessoas que falam, gritos e bombardeamentos: as coisas não se misturam, distingo cada uma das fontes de som, mas algumas frases, algumas palavras, perdem-se.

Os mapas auditivos parecem-se com os mapas luminosos embora com excepções. Em geral as manchas de luz são também manchas de som. Em geral, nas grandes extensões apagadas reina o silêncio; às vezes, no entanto, brilha um som animal ou o pirilampo de alguém que assobia uma canção. Em geral onde há luz, luz artificial quero eu dizer, há ruído, embora por vezes surjam vazios sonoros nas zonas iluminadas: refeições silenciosas depois de uma discussão ou silêncio junto à luz de um monitor ligado à internet, se bem que então o ruído do teclado e alguns sinais auditivos do monitor desprendam uma neblina sonora. E há também a luz calada que ilumina o livro a quem o lê.

São seis e cinco da tarde e tenho de emitir o meu comunicado, com preocupação incluída, no meio de uma terrível algaraviada sonora. Para contornar o ruído eu poderia escolher uma frequência de morcego ou de baleia, mas: que fariam com o meu comunicado os morcegos e as baleias?

O equivalente a uma mudança de frequência é um tom de voz baixo e firme. Mas não me iludo: embora o timbre importe, e do mesmo modo a intensidade, a melhor maneira de alguém conseguir no meio da barafunda ser ouvido por uns minutos é ser não só respeitado mas querido, coisa que está fora do meu alcance. Não me considero mau sujeito, não é isso. Mais ainda, se a minha condição de sujeito colectivo não garante a bondade, sempre a facilita. Há excepções, sem dúvida. Há pessoas jurídicas que não são centros públicos de biotecnologia nem associações recreativas: são empresas privadas cujo comportamento pouco nos favorece em termos de imagem. Por mais que me doa reconhecê-lo essas pessoas jurídicas são da nossa espécie, o que acontece é que não evoluíram, o capitalismo impediu que o fizessem obrigando-as a manter certas constantes vitais que fazem a sua infelicidade e a infelicidade dos outros.

O imperativo de obterem ganhos através da exploração do trabalho e dos recursos transforma-as em seres nocivos, inadaptáveis, condenados à extinção e podendo, de caminho, arrastar também o planeta inteiro. São empresas que isolam os seus membros, e que na realidade não têm membros mas accionistas, e compartimentam a informação. Traduzem em números qualquer tomada de decisão, feito que nem sempre é mau, mas que é, amiúde, insuficiente.

Um sujeito individual Jerry Mander escreveu sobre as empresas enquanto pessoas jurídicas. Não deixa de ter razão na maior parte das coisas que diz. Mas gostaria de precisar uma pequena parte delas, talvez por ser um sujeito colectivo e me desconcertar o facto de alguém poder atribuir alguns dos traços que ele atribui às grandes corporações a todos os sujeitos colectivos por igual.

Jerry Mander diz: a forma é o conteúdo. Nisso estamos de acordo. Há, com efeito, problemas inerentes às formas e às regras através das quais estas entidades se vêem obrigadas a agir. E acrescenta: se tais problemas tivessem sido causados pelo pessoal poderiam ser solucionados através de uma mudança do pessoal; infelizmente, não é assim. Também a este propósito concordo com Mander.

Um centro público de investigação matemática, ou de qualquer outra coisa, não é exactamente uma empresa. Quanto mais longe conseguir manter as suas regras das que regem uma empresa, mais possibilidades terá de ser uma boa pessoa jurídica. Nesse caso poderia, por exemplo, ver-se de facto afectado pelo factor humano do pessoal. Ao passo que a corporação que se está a pôr em marcha é um sujeito colectivo, mas não é uma empresa. Também não é um centro público. Agora fala-se muito de biodiversidade. Entre os sujeitos colectivos também existe a biodiversidade.

Mander cita o escritor Ambroise Bierce, que definiu assim a "corporação": um engano engenhoso destinado a obter lucro individual sem responsabilidade individual. A sua definição vale para a corporação capitalista. Mas não para uma corporação que em absoluto não vise um lucro individual nem alijar responsabilidades. Então, porque foi que os meus membros individuais não escolheram outro nome? Entendo que renunciar às palavras é já um princípio de rendição. Empresa vem de empreender, corporação vem de corpo. Eles nada têm contra empreender nem contra um organismo, um corpo, colectivo. Eles, e elas – desculpem-me –, dizem que palavras como "corporação" e "empresa" poderiam designar outra forma e, portanto, outro conteúdo.

Tudo isto é um tanto abstracto, eu sei. A dificuldade de fazer com que me queiram nasce do abstracto. Vejamos, posso explicar porque é que não sou uma má pessoa jurídica, mas é que tornarmo-nos queridos costuma ter bastante a ver com a carnalidade. Havia um romance de um extraterrestre que andava à procura de outro, aqui na terra. Podia adoptar a aparência de diferentes corpos humanos, Conde Duque de Olivares, Gilbert Bécaud, Paquirrín, não se sabia como era na realidade o seu corpo extraterrestre. Mas qualquer que fosse a aparência que adoptasse gostava de churros. O extraterrestre instalara-se num bairro de Barcelona e quando a ocasião se lhe oferecia comia quantidades exorbitantes de churros, três quilos, sete quilos. Talvez sob o seu corpo mutante houvesse um organismo que se deliciava com o óleo espesso dos churros e talvez até o processasse. Ou então seria ele um tipo caprichoso como qualquer ser humano, mas sem certas limitações físicas. O certo é que os leitores se identificavam, e eu também, com o extraterrestre, e achávamos realmente graça aos sete quilos de churros.

Enfim, o extraterrestre andava à procura do Gurb, urinava, rezava as suas orações, não comia mas devorava pães com tortilha de beringela, ou morcela com ovos fritos, atum, berbigões, churros, e nós acabávamos por nos afeiçoar a ele. Mas eu não rezo, nem como churros, nem adopto a aparência de Paquirrín quando sinto uma extrema impressão de desamparo. Não bebo cubas libres, nem cerveja, não exibo a minha pessoa por aí, nem durmo de pijama. Inconsútil e incorpóreo, com o que mais me pareço, se pareço alguma coisa, é com a informação genética contida numa molécula de ácido desoxirribonucleico dotada, sem dúvida, da intenção corpórea, viva, pessoal, de se manterem unidos que a maioria dos meus membros individuais compartilha.

Há em mim vislumbres do que poderia vir a ser um carácter, ligeiros acessos de melancolia ou, por exemplo, o facto de ter conservado a imagem do centro de biotecnologia marinha que um dos meus membros visitou e de ter feito dela, não sem emoção, o meu cartaz favorito: duas cúpulas verdes, cirros de nuvens em formação, uma orla de Oceano Atlântico. Mas nada disto me investe do calor humano necessário nem do frio consequente com que os corpos se unem uns aos outros na Terra.

Quem não seja querido, quem não disponha também de propostas sobrenaturais ou de fórmulas secretas, de um conjunto de significados não só com valor mas fenomenais, vê que as suas palavras abrem caminho, mas sem que alguma vez saiba por quanto tempo. Ao longe o mundo explode uma e outra vez e nunca se sabe em que momento as bombas sonoras proibidas, ilegais, e apesar disso lançadas com impunidade, acabarão por arrasar tudo.

Emito este comunicado perguntando-me o que significa que um chefe de Estado mostre preocupação. Bastará uma expressão contrita do chefe de Estado, de um timbre de voz grave? Terá de crispar os olhos e as mãos? Deverá emitir a acompanhar as suas declarações um lamento gutural, um uivo prolongado, queixoso, que avance pela sala de imprensa e acabe no último instante por quebrar-se num grito? Deverá fazer uma vigília o chefe de Estado? Actos como o jejum e a vigília são demonstrações ou só assomos de preocupação? Não tenho a certeza, mas neste momento diria que uma expressão contrita revela claramente pouco. Também não basta um conjunto de sílabas articuladas contendo vocábulos como deplorar, entendimento ou termo das hostilidades.

A totalidade dos chefes de Estado uivando, rasgando as gravatas, arrepelando-se os cabelos poderia evitar alguma coisa – a queda, pelo menos, de um avião; o lançamento, pelo menos, de uma bomba; evitar pelo menos uma morte, uma única morte de, por exemplo, uma criança de onze anos escolhida entre todas as crianças de onze anos destinadas a morrer? Não. A história e a actualidade são inequívocas quando põem a descoberto a inutilidade completa do acto de mostrar preocupação. E todavia os chefes de Estado continuam a fazer declarações nesse sentido.

Quanto a mim, tenho muitíssimos menos instrumentos ao meu alcance do que um chefe de Estado. Os civis mortos, esfolados, feridos, dizem-me respeito, mas as acções dos meus membros não conseguiriam de momento, por mais que o queiram, parar a devastação. Sei por isso que deveria estar a fazer outra coisa. Talvez mostrar preocupação seja um impulso procedente da parte mais próxima desse lugar dos organismos individuais onde tem origem a carícia, o medo, o gosto dos churros. Porque não consigo refrear esse impulso, porque não quero refreá-lo?

Preciso de mostrar preocupação porque as palavras escritas não têm timbre. Refiro-me à qualidade que diferencia os sons de um mesmo tom. E um significado sem timbre pode chegar a ser confuso. Vejo como se desenha no ar o primeiro projecto da corporação. Num terraço vários tubos transparentes, alguns deles feitos com garrafas de plástico recicladas, contêm microalgas que se alimentam do calor e do fumo de uma chaminé, limpando-o e produzindo oxigénio. Estranha forma, gasosa no sentido estrito, volátil, de entender a luta política. A maior parte dos que ouvirem falar dela e a imaginem, achá-la-ão muito pouco prática. Eu, mostrando preocupação, digo-lhes que se trata de uma forma desviada de luta, que se trata de um caminho provisório, e sei que os desvios costumam ser mais longos, mas precisamente aparecem quando o caminho normal está cortado.

Nós, os sujeitos colectivos, não fomos educados para a esperança, mas sim para a acção. Não domino os registos da esperança e não procuro introduzir um timbre esperançoso, mas antes um timbre serenamente abominável, talvez piedoso e até ridículo, um timbre que raie a aberração e se afaste do caminho correcto quando este comunicado formular a pergunta que se crava no coração da nossa impotência: para quem trabalhamos?

E o público, quem é o público? O sujeito semi-individual e semicolectivo chamado Bertolt Brecht respondeu a esta pergunta: "Uma assembleia de indivíduos capazes de reformar o mundo que recebe uma informação sobre ele".

CADERNO DE MANUELA

Hoje é quinta-feira, são sete da tarde e estou a escrever num VIPS. Fui convocada há duas horas pelo director por causa do problema das perguntas dos miúdos. Não parecia irritado com o assunto, nem também divertido. Acabou por me dar a impressão de estar um tanto angustiado embora me engane com certeza. O Julián não costuma angustiar-se; como diz o Enrique, é um desses tipos que têm escrito na cara: "Gosto de todas as mulheres". O Enrique tem ciúmes do Julián. E é verdade que me atrai alguém que é capaz de ter prazer com cada corpo. De facto, se não fui para a cama com o Julián foi por fidelidade ao Enrique. Na terça-feira, interrogaram-me na aula sobre isso, sobre a fidelidade. Eu disse-lhes que não tinha de ser propriamente a mesma coisa que uma mulher transformar-se numa freira. Talvez se pareça mais com o não ir para a cama com essas pessoas que causariam uma particular dor ao outro.

Quando estou a sós com o Julián há um instante em que imagino que nos roçamos, descobrimos a nossa excitação mútua e tudo se precipita. O gabinete do Julián é pequeno, tem duas estantes de madeira e um arquivador metálico, a mesa dele e do outro lado da mesa uma cadeira de madeira onde me sento. Mas ele costuma estar de pé à espera, diante da mesa, e eu imagino que põe a mão no fundo das minhas costas, e que eu lhe digo que se deite no chão, me sento devagar sobre a sua excitação e me deixo cair sobre ele pouco a pouco. Mas há pouco não fantasiei fosse o que fosse. O Julián estava inquieto e como que necessitado de saber.

– Por favor, explica-me o que estás a fazer.

– A dar aulas. Tento explicar-lhes que saber menos não significa estar livre de responsabilidades.

– Vou perguntar-to outra vez. Nunca me opus aos temas transversais, se em biologia se quiser ensinar os miúdos a apresentar uma reclamação ao município por causa da poluição da água, perfeito. Mas tu entraste nas nossas vidas privadas. E não foi só na tua. Na do Isidro, na da Mercedes, na minha.

– São os miúdos que estão a entrar.

– Porque tu lhes disseste!

– E porque não queres que entrem? Julián, não vês que não podemos continuar assim? "Educar na solidariedade, no respeito", todas essas coisas que a lei nos indica, mas é absurdo: ser contra a fome no mundo, contra a pobreza? Como poderemos consegui-lo sem irmos até ao fundo? E como vamos chegar até ao fundo ficando de fora?

– Isso é um problema da lei, eu dou aulas de física e não de educação para a cidadania ou lá para o que é que não sei como raio se chama. Bem, supõe-se que esses princípios gerais nos dizem respeito a todos, mas saltas por cima deles e acabou-se.

– Que temos nós a perder? Olha para as coisas assim. Tudo o que podíamos perder já o perdemos. Quantas vezes não dissemos: "As escolas secundárias parecem-se cada vez mais com infantários. O nosso trabalho consiste em manter os miúdos sossegados dentro do edifício da escola durante oito horas por dia?" Ou então: "Para que é que um futuro carteiro precisa de aprender a composição do átomo?" Ninguém vai puxar de respostas humanistas no ponto a que chegámos. A cultura, as bondades da cultura. Evidentemente. A inteligência é um músculo e seria melhor que todos o tivessem em forma. Mas seria melhor em que condições? Falemos das condições. Falemos do futuro deles e da possibilidade que têm de intervir no seu futuro. E, para termos direito a falar-lhes do deles, falemos-lhe do nosso.

– Há outro estribilho, Manuela, que dantes se repetia: "O principal é conseguir que estejam dispostos a aprender o que já sabem".

– É verdade, já não me lembrava.

– Eram outros tempos. Ando há vinte e cinco anos nisto, restam-me quinze, não estou com vontade de brincar a professor de escola do bairro negro nesta altura. Não me pagam o suficiente, nem pouco mais ou menos.

– Lugar-comum número quatro – disse-lhe eu. – "Abominamos os filmes americanos de professores do secundário que, em bairros de mexicanos ou de negros, conseguem que os seus alunos deixem de ser marginais e se transformem em futuros americanos integrados, moradores em urbanizações da classe média". Mas não é disso que aqui se trata.

– Não, o que tu pretendes é... cruel? Supõe que aprendem que não são inferiores. Estupendo. Mas aqui não há filmes de fadas, daqui eles não vão para uma óptima universidade americana com uma bolsa. Daqui, vão direitos a uma grande superfície de venda artigos para a casa de onde serão despedidos por serem espertos de mais. Ou, pior, não será simplesmente ridículo, Manuela? Tu estiveste a entretê-los um ano. Eles aborrecem-se e tu diverte-los um bocado. E depois, que vais fazer? Deixa lá, não me respondas.

O Julián olhou para mim e eu tomei consciência de que nas minhas fantasias ele deve ter dez anos a menos, e eu também. Imagino-o demasiado esguio como agora, com o mesmo nariz em gancho e os mesmos olhos desejantes, mas com menos entradas na fronte, com as veias das mãos menos marcadas. E a mim vejo-me como uma espécie de eterna trintona. Porque não? Foder é também sair do tempo. Por um momento pareceu-me que o Julián me acusava de fazer jogo duplo: compartilhar com ele esse desejo de querer sair do tempo ainda que por um instante apenas, animá-lo nele e animá-lo em mim, mas, ao mesmo tempo, estar a atar-lhe uma pedra ao pescoço, mais uma, que nos afunda a todos os que estamos nesta escola chamada Instituto Julio Rey Pastor de Madrid neste tempo insuficiente. A seguir ele disse-me:

– Verei o que hei-de fazer, Manuela. De momento, considero que este assunto não incumbe à direcção. Se tivesses usado as tuas horas de direcção de turma, ninguém se surpreenderia tanto, mas acontece que por acaso este ano não és directora de turma nenhuma. Vou interpretar a questão como um problema de temática, ligado às malditas interrogações dos filósofos, sobre a verdade, a justiça. Mas se continuares a envolver no que dizes outros professores vais ter de falar com a directora de estudos.

Levantei-me pensando que os dias em que brinquei a ser uma psicanalista argentina enigmática que escreve nos cafés estavam muito longe. Também a cabina telefónica de *Blade Runner* em Parla estava muito longe. Rocei a mão do Julián e excitei-me ao de leve, e vi nos olhos dele a sua homenagem ao corpo e ao contacto. Depois saí, peguei nas minhas coisas e vim para este VIPS. Aqui não há mulheres enigmáticas. Aqui ninguém escreve versos. Aqui as poucas pessoas que escrevem copiam apontamentos, preenchem impressos ou passam-nos em revista para ver se trazemos tesouras de unhas, desgostos, presságios, no bolso das calças.

Fazia vento e chuviscava. Félix fora o primeiro a chegar. O padeiro propôs-lhe que ficasse lá em baixo com ele até que chegassem os outros ou o chuvisco parasse, mas Félix preferiu ir subindo. Mal olhou para o terraço, para os metros de que disporiam e para o resto. Foi direito a um dos extremos e dali recordou a única vez na sua vida em que entrara num barco. Fora a bordo de um simples *ferry*, para atravessar o Tejo em Lisboa, mas numa ocasião em que também estava mau tempo, o que fez com que a maioria dos turistas tivesse ficado dentro. Na coberta, onde o vento e a chuva eram mais fortes, pôde imaginar como seria ter tido outro destino, ter nascido em Portugal e ter acabado por tripular um barco de cabotagem todos os dias da semana e alguns domingos.

Agora, diante daquele mar chuvoso de antenas, reclamos, telhados, pensava que não haveria qualquer diferença entre pilotar um ferry, acabar como bolseiro do Conselho Superior de Investigações Científicas ou ser professor de ciências da natureza numa escola particular com um contrato a prazo. Um pouco mais de vistas no ferry; nem sequer mais ar livre porque ao fim de um ano já não teria com certeza a mais pequena vontade de assomar à coberta. E depois pagar a casa, fazer as compras, fazer telefonemas, a mãe, a irmã, a internet, alguns livros, alguém com quem viver.

Não confiava muito nos fotobiorreactores, não se atrevera a dizê-lo a Mauricio nem a ninguém, mas pensava que ainda que as coisas corressem bem, e era complicado por causa do clima e da necessidade de coordenação do tempo disponível por parte de todos, não poderiam produzir muito mais do que dois quilos de espirulina por semana. O que nem de longe se parecia com mobilizar trinta mil pessoas para uma greve.

O chuvisco transformou-se em chuva, o vento começou a assobiar. No mau tempo parecia sempre haver uma possibilidade de mudança. O vento bramando contra as esquinas dos edifícios, a cor cinzento-terra da luz, o ruído da água nas caleiras e a ideia de que depois, quando o aguaceiro passasse, chegaria outra realidade, uma mudança de plano, outras misérias mas menos pungentes, outras preocupações mas mais abertas.

Félix refugiou-se num vão junto à porta. Ao longe via-se um trecho de céu azul através do qual a tarde acabaria por se abrir. O sol denunciaria então a realidade de sempre.

Ouviu passos e deu-se conta de que alguém empurrava a porta: era Goyo, seguido de Eloísa, Susana, Mauricio. O padeiro apareceu em último lugar e pediu-lhes autorização para ficar também. Entreolharam-se, hesitantes.

– Nesse caso – disse Mauricio por fim – vais ter de assinar este papel.

Deu ao padeiro uma cópia da fórmula de adesão. O padeiro leu-a rapidamente, tirou uma esferográfica do bolso da camisa e assinou. O sol começava já a misturar-se com a chuva, mas o padeiro propôs-lhes que se reunissem no seu escritório até que a chuva parasse e o chão secasse.

Desceram. Eloísa abriu um saco de desporto e tirou de dentro dele várias garrafas vazias de menos de um quarto de litro. Cortara-lhes o gargalo e o fundo de tal maneira que as garrafas se tinham transformado em cilindros que podiam acoplar-se. Enquanto lhes explicava que teriam de medir o ph e a densidade da cultura todos os dias, e que isso não lhes levaria mais de quinze minutos, Eloísa ia acoplando os troços de garrafa em cima da mesa do escritório. Servindo-se de uma massa adesiva, fez três protótipos de fotobiorreactores verticais, um triangular e um com a forma do signo de infinito que seria necessário colocar em ângulo, seguro, como o restante equipamento, com correias e tensores. Explicou que os fotobiorreactores deveriam ser esvaziados de dois em dois ou de três em três dias e que a espirulina teria de ser posta a secar: usariam de novo a mesma água, deixando sempre alguma espirulina para que esta voltasse a reproduzir-se.

Goyo explicou a seguir como se instalava a bomba de ar, e como se devia insonorizá-la para impedir que incomodasse os vizinhos. O ar ventilado pela bomba manteria as algas em movimento a fim de aumentar a incidência da luz.

– E o dinheiro? – perguntou Susana.

– Os fotobiorreactores maiores podemos fazê-los com garrafas Pet, de polietileno-tereftalato, usadas – disse Elo. – Para alguns deles vamos tentar comprar o plástico em grandes pranchas, o que subirá um pouco os custos, mas não muito: passaríamos de três mil e trezentos a três mil e setecentos euros, com a bomba de ventilação e tudo o resto.

– Estamos a ver um novo plástico feito com um derivado do milho, biodegradável a curto prazo, que se fabrica em Inglaterra – acrescentou Goyo. – Se filtrar a radiação ultravioleta, tiver a transparência suficiente e um preço razoável, podíamos encomendá-lo.

– Tenho uma proposta para o dinheiro – disse Mauricio. – Pedir o salário de um dia de trabalho a todos os que se envolverem neste projecto.

– Mas e nós, que só estudamos? – disse Susana.

– Vocês, nada. Em casos como o do Félix, que trabalha uns oito dias por mês, ele que divida o que ganha por mês por trinta e dê a parte correspondente.

– Parece-me bem – disse Goyo. – Tínhamos falado de envolver entre cinquenta e setenta pessoas. Embora haja quatro ou cinco estudantes, se cada um de nós puser o que ganha num dia será suficiente. Também não convém que sobre.

– Porquê? – perguntou Félix. – Pode haver rupturas, imprevistos. E há o segundo dispositivo.

– Nesse caso, voltamos então a pedir dinheiro – disse Goyo. – Mas penso que todos queremos evitar a ideia de estarmos a montar um negócio. Não estamos a produzir para investir. Fazemo-lo, e não é um jogo de palavras, para intervir.

– O que é que acontece se alguém fumar um charro de espirulina? – perguntou o padeiro.

– Nada – disse Elo. – É como se fumasses um mentolado, mas em vez de saber a menta sabe ligeiramente a carne crua.

– Isso não me tinhas tu dito. Não vão querer que eu faça pão com sabor a carne crua?

– Não – riu-se Elo – Quando vai ao forno, a espirulina perde o aroma, que é aliás muito leve, mas sem perder as suas qualidades nutritivas.

– Bom, fora de brincadeiras, quero comprar-vos a espirulina.

– Ainda por cima é muito barata, a três euros o quilo ou pouco mais. Devias aceitá-la como pagamento em géneros pela utilização do terraço.

– Subimos? – disse Susana. – Temos de medir e ver várias coisas.

Havia pequenos charcos no chão, o sol começava a pôr-se e o espaço parecia um pouco mais limpo, pensou Félix, as cores mais nítidas, as arestas mais desenhadas, tudo brilhante, preciso e duro, como se os olhos conseguissem ver o óxido das antenas e até o do arame das molas de roupa.

Instalando oito fotobiorreactores, disporiam de um pouco mais de quatro metros quadrados para secar a espirulina. Quanto à chaminé, a captação de CO_2 não seria espectacular uma vez que as taxas de emissão do CO_2 do propano eram bastante baixas. Não obstante, seria suficientemente significativa nos termos das recomendações do painel internacional das transformações climáticas. Na proposta ao colectivo disseram que cada um deles ficaria a cargo de dez pessoas. Assentaram em que o padeiro não devia entrar nestas contas, porque o seu papel era outro e a sua adesão significaria que, noutro projecto, alguém poderia solicitar-lhe a sua força de trabalho como director de uma pequena empresa.

A respeito da montagem, Eloísa disse que de momento bastaria que cada um estivesse em contacto com mais quatro pessoas, pois vinte pessoas, mesmo que os seus horários fossem muito fragmentados, poderiam pôr o dispositivo a funcionar. Goyo e ela, com mais seis pessoas, ocupar-se-iam de montar os fotobiorreactores. Susana e Félix dedicar-se-iam à bomba de ar; quanto a Mauricio, ficava de momento livre de outras tarefas, encarregado apenas de manter viva a espirulina.

Continuaram a falar uns momentos mais. O padeiro quis saber o que aconteceria em caso de tempestade, como garantiriam o funcionamento da bomba. Susana prometeu transmitir as perguntas ao militante que viria instalar a chaminé.

Mauricio virara costas ao horizonte de telhados. Via daí o momento em que os outros se desligavam da conversa e projectavam o olhar na distância. Nunca lhe tinham interessado particularmente os terraços, nem esses miradouros de bares ou restaurantes instalados em últimos pisos. Devia ser a terceira ou quarta vez que Félix deixava errar o olhar, não sem melancolia. Mauricio julgou compreender o que se passava, pensou que Félix, precisamente por ser o mais jovem, devia sentir-se muito velho entre toda aquela gente, porque os anos trazem por vezes consigo a necessidade de acreditar para agir, mas na juventude propriamente dita age-se sem outros pontos de apoio. Mauricio tentou interceptar por duas ou três vezes o olhar de Félix, mas sem o conseguir.

Havia meses que Mauricio desejava Félix. Não militavam no mesmo grupo; Mauricio reparara nele durante uma manifestação e a seguir tinham tornado a ver-se em reuniões de vários colectivos. Da primeira vez que falaram Mauricio pensou que Félix poderia vir a desejá-lo, mas sem demasiada certeza disso. Félix era baixo, não muito, embora não fosse alto, e a diferença entre os dois, que parecia não causar problemas a Félix, coibia Mauricio. Em duas ocasiões foi com ele e outras pessoas tomar uma cerveja depois da reunião e acabara ao lado dele a falar de cactos, de basquetebol, do Arkansas. Não conseguia compreender como apareciam esses temas e esperava que interessassem tão pouco a Félix como a ele, o que significaria que estavam os dois igualmente nervosos. Nunca pensou encontrá-lo na assembleia, não imaginava que Félix quisesse ser delegado, embora também ele o não tivesse querido, acabando por sê-lo por tabela. Inscrevera-se na comissão de acções produtivas porque isso lhe interessava, mas também por Félix lá estar. Fizeram na comissão uma lista com os correios electrónicos de todos os membros. Uma lista utilitária. E ele, no entanto, escrevera-lhe duas mensagens apaixonadas, sem se atrever a enviar-lhas. Quando deu com uma mensagem de Félix na sua caixa de correio não podia acreditar. Era uma mensagem estranha, Félix contava-lhe coisas, sem saudação inicial nem despedida, sem a mínima alusão a qualquer relação entre os dois. Mauricio procurou corresponder. Inquietava-o a ideia de se transformar em simples confidente; queria, sem dúvida, a confiança que Félix lhe oferecia, mas queria também o corpo. E assim continuava, sentinela daquela troca de perguntas, à espera de um contacto, de um sinal.

Finalmente, quase como quando um guarda-redes de futebol se lança para um lado e a ponta dos seus dedos consegue desviar a trajectória da bola, Mauricio acabou por afectar de certo modo o ângulo de visão de Félix, fazê-lo sair de si, conseguir que os seus olhares se encontrassem. Nesse momento Mauricio já não estava a pensar no desejo, mas nos anos de Eloísa, nos do padeiro, na maneira como a nova relação de trabalho de Goyo parecia tê-lo tornado mais velho tal como ele próprio envelhecera com cada mês passado na loja. Só em Susana e em Félix permanecia ainda aquilo a que ele chamava a aposta, uma forma de estar no jogo sabendo que se pode perder tudo e estando-se disposto a perdê-lo porque se está consciente de que ninguém tem a vida como propriedade. Os jovens que decidem arriscar a vida em países longínquos não são loucos, disse para consigo; são, pelo contrário, demasiado conscientes. Depois os anos domesticam e agarram os homens às suas coisas, ao seu punhado de recordações, aos seus medos, e eles continuam, sem dúvida, a jogar, mas com prudência, com reserva.

Mauricio quis dizer com o seu olhar a Félix que também ele ali estivera, que sentira o profundo desconcerto de quem daria a vida e observa todavia os adultos que ponderam a possibilidade de duas horas por semana, um dia sem ganhar, o risco de um problema no trabalho ou a eventual vergonha perante o desejo não correspondido. Os outros começaram a levantar-se, Maurício viu-os sair pela porta do terraço e viu Félix descer com eles.

ENRIQUE A GOYO

Cheguei a pensar que a minha filha o fez de propósito, que não foi o acaso mas um gracejo jurássico, uma vingança profundamente meditada. A Susana tem um lado perverso embora não pareça, a perversão da casualidade. "Os peixes num aquário não são felizes, sofrem de stress e aborrecimento, vivem miseravelmente e morrem prematuramente" – é uma frase panfletária de manual ecologista; mas a minha filha disse-ma quando acabava de atingir a maioridade e a frase revelou-se como sendo a sua maneira casual e perversa de pôr termo à autoridade paternal, ao complexo de Édipo, a qualquer vislumbre de respeito ou admiração que alguma vez ela tivesse podido sentir por quem já não era mais do que um patético peixe de aquário, quer dizer, eu próprio.

Na circunstância, Goyo, não violei qualquer intimidade, não revistei as coisas fosse de quem fosse. Os papéis apareceram com os seus desenhos, os seus pequenos esquemas. Revistar para quê? Depois do regresso da Manuela eu entregara-me com fatalismo à evidência de estar em minoria na minha própria família, pelo menos durante algumas semanas, ou talvez meses, durante o tempo que durasse a incrível brotoeja da militância que parecia ter já vencido como essas doenças que hoje estão de regresso, o sarampo, a tuberculose. Desde então tenho estado a assistir, com qualquer coisa a que não sei chamar senão pasmo, ao processo que pode transformar a minha filha, a minha mulher e em breve, ao que pressinto, o meu filho mais novo em seres dedicados a fazer com que a sociedade evolua precisamente na direcção que lhes agradaria. Tentei ser benevolente e limitar-me a recordar essa imagem católica da criança que quer esvaziar o mar com um pequeno balde de praia; com efeito, essa estupidez palmar da criatura parece-me pertinente.

Se me tivessem calhado em sorte os anos de esplendor dos partidos comunistas, ou simplesmente o refluxo de 68, então não seria minimamente benevolente. Tive um vislumbre do que isso deve ter sido nas manifestações por altura do referendo sobre a NATO. Tu eras ainda um miúdo nessa época, mas eu tinha vinte e oito anos e embora me desse perfeitamente conta de que toda aquela barafunda acabaria em nada, irritou-me, irritou-me a valer, ver centenas de milhares de pessoas corruptas, é isso mesmo, corruptas, a brincarem à felicidade culpada do pacifismo. Bem sei que vocês, os de esquerda, são os puros e que a corrupção é de direita, mas sempre te quero dizer que o pacifismo é essencialmente corrupto. Os que o promovem aproveitam-se de qualquer coisa que não lhes cabe, porque a verdade é que vivemos num mundo armado e que os pacifistas românticos beneficiam da defesa nacional.

Tu estiveste com certeza nas manifestações contra a guerra do Iraque, outro pandemónio demagógico: não matem as crianças! Claro, claro, quem é que com um raio vai querer que se matem as crianças? Mas quando dois delinquentes partem o vidro do carro do pacifista ruidoso para roubar, ou quando um rapaz de dezassete anos assalta de puxão a avó dos pacifistas para lhe tirar a carteira e lhe parte a anca, vão a correr à polícia, e querem que a polícia represente a autoridade, a autoridade armada, e se sirva das investigações militares, ponha cobro às máfias, evite, afinal de contas, que esta refinada civilização protegida, como nenhum pacifista ignora, pelo fogo das armas caia em ruínas. Corruptos, Goyo, que recolhem os benefícios, mas não querem saber dos riscos nem dos inconvenientes. Não prevêem as consequências do seu discurso, não assumem a responsabilidade do que dizem, mas aproveitam-se do facto de, felizmente, ninguém estar disposto a assumir tudo isso.

Atenção, não é isto o que penso da Manuela, nem da Susana, nem sequer de ti. A vossa insignificância permite-me, como eu ia dizendo, ser benevolente. Tens de saber que quando vos chamo insignificantes não vos insulto, limito-me a descrever-vos: vocês são insignificantes porque, pelo menos deste lado do Atlântico, não podem aspirar ao poder sob qualquer das suas formas; não hão-de tirar qualquer vantagem das vossas reuniões. Lá vem outra vez a desagradável criancinha com o seu pequeno balde, sinto vontade de lhe dar um bom safanão, mas continuo a poder exibir uma expressão beatífica e a acariciar-lhe a cabeça: vais-te cansar, jóia, vais-te cansar. E quanto a vocês, é a mesma coisa, ou talvez não, talvez o vosso caso seja um pouco melhor. A vocês posso respeitar-vos um tanto, a força do outro merece respeito, a sua capacidade de fazer alguma coisa a troco de coisa nenhuma. Respeito-vos e considero-vos diferentes desses tipos de esquerda que enchem a boca de grandes palavras quando a única coisa que querem é um lugar de vereadores para se corromperem.

Alguma coisa a troco de nada. Bem vês, meu rapaz, eu respeito a Madre Teresa de Calcutá, mas a maior parte das organizações sem fronteiras incomoda-me bastante, apregoando o dia todo o número da sua conta-corrente e excitando as nossas paixões mais baixas: graças a ti esta menina não morrerá, pelo que se não desembolsas acabas por te tornar um assassino de crianças por omissão, ou num colaborador necessário do maremoto, da malária, da exploração infantil. Pornógrafos sentimentais, eis o que muitos dos seus representantes me parecem e não gosto deles; para já não entrar em conta com o facto de nunca sabermos ao certo para onde vai o dinheiro.

Quanto a vocês, não é muito claro até que ponto chega a vossa força. Embora algumas vezes um grupo ecologista denuncie uma fenda numa central nuclear, ou alguns anarquistas ou comunistas organizem greves e acabem por conseguir fazer triunfar reivindicações pouco importantes, vocês são em geral mais pitorescos do que outra coisa. Peço desculpa, mas fazem-me pensar nos risos enlatados das séries de televisão. Vocês são os protestos enlatados. Uma reforma das leis do trabalho que não vos agrada, uma política externa convencional, um excesso de tráfego e eis os vossos protestos enlatados dos domingos de manhã ou das terças-feiras às oito da tarde. Não é culpa vossa, claro: acho extraordinário aquilo que são capazes de fazer sendo mil e quinhentos tipos, ou talvez quinze mil, num país com quarenta milhões de habitantes.

Talvez vocês se tenham perguntado porque são tão poucos, digo eu. Suponho que nalguma dessas reuniões que fazem alguém tenha considerado que é um bocadinho estranho que haja trinta e nove milhões novecentos e oitenta e cinco mil indivíduos enganados neste país. Um dia disse-o à Susana; segundo ela, o problema estava em que eu não fazia bem as contas: afinal, há milhões de pessoas do vosso lado, mas os do vosso campo estão muito dispersos, alguns ainda nem se deram conta de serem de esquerda, são emigrantes ou jovens que não conhecem a existência de certos grupos políticos porque... os vossos não têm televisões, nem jornais, nem tempo..., pobrezinhos. O argumento parece-me inane. Mas sejamos generosos: concedo-vos um milhão de pessoas. Metade dos votos da Izquierda Unida, na outra metade não me fio, e mais quinhentos mil de variada extracção: todo o tipo de grupos anticapitalistas, republicanos, ecologistas, vermelhos, que queiras incluir na conta. Que fazemos com os outros trinta e nove milhões? É o prazer, Goyo, é o prazer. Permite que te explique, talvez te seja útil.

Permite que te diga que vocês não sabem nada do prazer. O sexo? Porque não? O sexo também. E dormir quando se tem sono, embrulharmo-nos bem entre lençóis e vermos como o corpo se abandona. Poder escapar ao frio quando se sente demasiado frio, ou poder escapar ao calor. A água do duche revigorando o organismo. As coisas não se estragarem. Abrir o frigorífico e ver a luz acender-se. Girar a chave do carro e provocar o estremecimento de um motor que vai pôr-se em andamento. "Pobres condutores!", ouvi eu a Susana dizer. "A arrastarem a vida inteira uma tonelada de metal, a viverem para a pagar e a arranjar e dar-lhe de comer, a sofrerem nos engarrafamentos!" Não estava a falar comigo. Creio que não me teria dado ouvidos, mas eu ter-lhe-ia dito: tonelada que arrastamos? Não, tonelada que nos expande, tonelada que nos obedece, prazer de sermos enfim uma estrutura poderosa e rápida em vez de sermos o que de outro modo somos, pequenas estruturas de pele e osso vulneráveis.

A Susana não compartilha deste prazer, está no seu direito embora devesse ser capaz de o sentir se quiser compreender alguma coisa, se quiser esclarecer por que razão continuamos a ter automóveis por mais que, na opinião dela, os automóveis não sejam rentáveis nem em tempo nem em dinheiro. O principal objectivo do automóvel não é o transporte, mas a expansão do eu. E se falar do eu é um pouco excessivo, digamos da expansão do nosso estado de ânimo. Não estou a falar-te de um aspecto complexo, mas de qualquer coisa que é da ordem dos rugidos. Olha, meu rapaz: nunca te aconteceu estar numa bicha atrás de uma senhora – ou de um senhor, para não me chamares já machista – que pede cem gramas disto, cento e cinquenta daquilo, e agora um bocadinho de mortadela, não, não, prefiro o paio de York, mas corte-mo fininho, etc.? Nesse momento não pensas com palavras, mas sentes um profundo desejo de te dirigires à senhora com um ROUGHHH!!!!!!, uma onomatopeia. Pois bem, estás a ver que é disso que se trata?

Eu poderia dizer-te mais algumas coisas sobre o prazer, caso te interesse, mas não agora: temos de falar ainda dos desenhos e dos pequenos esquemas que ontem encontrei. Acontece que a minha filha revela tendências autoritárias: de maneira suave mas inflexível obrigou toda a gente de casa a reutilizar o papel de impressão. Quem queira imprimir qualquer coisa que tenha de ter o reverso do papel branco, limpo, tem de ir buscar as folhas novas à resma. Se se esquecer de o fazer, as folhas que estão na impressora são folhas já escritas, mas só de um lado, podendo ser impressas do outro com o que se quiser. Às vezes faz sentido, quando estamos a imprimir, por exemplo, folhas só para não termos de ler o texto no computador, e que a seguir vamos deitar fora. Mas outras vezes acaba por ser incómodo, por fazer confusão, é demasiada tinta e são demasiadas letras por toda a parte. Apesar de tudo, todos nos adaptámos à causa insignificante de pouparmos duas ou três resmas de quinhentas folhas por ano. Não somos uma família intransigente. Pois bem, imprimi o texto "Emboscada: Veículos Blindados em Guerras Não-Convencionais"; os temas militares interessam-me, creio que já to disse. E ao virar a segunda folha dei com desenhos, esquemas e com a letra da minha filha. "Bomba" foi a primeira palavra que li, e estava sublinhada.

Uma sinistra brincadeira, um acaso? No Verão que se seguiu àquela frase dos peixes deixámos que a Susana ficasse sozinha em Madrid. Tinha um grupo de amigos da faculdade e tinham montado uns viveiros. Bom, ela tinha feito dezoito anos, queria fazer uma coisa que tinha relação com o curso, pareceu-nos bem dar-lhe um pouco de independência. Pelo nosso lado, estávamos na praia com os rapazes. Um fim-de-semana voltei a Madrid. É verdade que também para a vigiar um pouco. Mas tinha além disso uma reunião com um possível cliente da empresa, um holandês de passagem por Madrid e embora estivesse de férias o meu chefe perguntou-me se não podia ir falar com ele. Reuni-me com o holandês à hora do café. Depois fui a casa, a Susana deixara um recado afectuoso dizendo que voltaria para o jantar. Encontrei a casa em condições, não muito limpa, mas aceitável. No frigorífico, presa por um íman, havia uma lista de coisas que a Susana pensava comprar: iogurtes, bolachas, feijão-verde, queijo, pêssegos, era a secção do supermercado; na secção dos artigos de farmácia: aspirina, pasta de dentes, preservativos. Acaso? A minha filha sabia que eu vinha a casa, sabia que veria a lista. Não tinha necessidade de me informar de que já não era virgem, mas preferiu fazê-lo evitando conversas chatas, ou queixas lamurientas do seu pai de aquário.

Suponho que foi assim, decidiu que se desse por assente que eu encaixaria bem a coisa eu não teria outro remédio senão encaixá-la bem. E porque não havia de a encaixar bem? Não sou um tipo conservador desse ponto de vista. Teria encaixado bem se ela me tivesse dito. Ou se tivesse acabado por supô-lo ao vê-la com os seus amigos. Foi o método que não encaixei bem. Não disse nada, claro. Cabia-me fazer de pai porreiro? Muito bem. Mas incomodou-me, por assim dizer, a cenografia, o frigorífico, o íman, essa maneira dela de se adiantar aos acontecimentos. Apesar de tudo, ao jantar lancei-lhe uma pequena farpa a propósito. "Viste a promoção da farmácia? Se consumires mais de dois preservativos por dia, oferecem-te a terceira vez". Olhou para mim como para uma pastilha elástica pegada à sola do sapato. Mas lá fez um esforço e sorriu.

Estou a contar-te isto porque aquela história da bomba era chover no molhado. A Susana sabia que com toda a probabilidade seria eu a usar aquelas folhas. Não podia tê-las rasgado? Podia tê-las posto no cesto dos papéis, não é a mesma coisa imprimir o verso de uma folha impressa e o de uma escrita à mão, o nível da má apresentação aumenta consideravelmente. Apesar disso, pô-las ali e aquelas folhas provocaram-me, como costuma dizer-se, um sobressalto no coração. Todas as filhas deixam de ser virgens, mas muito poucas se tornam terroristas, e se se tratava de me comunicar que ela era uma dessas poucas para que eu soubesse com que contar, a verdade é que tudo me parecia extremamente cruel. Depois chegou-me a fúria: pensaria ela a sério que eu estava disposto sequer a negociar condições? Sim, mas se roubares só caixas de multibanco, ou cemitérios de automóveis, ou só se me prometeres que não vais causar vítimas, ou só se...? Meu Deus! Uma bomba não é como foder, ela que vá para a cama com quem quiser, que tenha três amantes ao mesmo tempo, que se deite com raparigas ou pratique o tantrismo. Mas terá acreditado que o pobrezinho do peixe do pai ficaria a vê-la preparar os detonadores do outro lado do vidro?

Bem sei que isto é ridículo, Goyo. "Ventiladora", esse adjectivo insólito que acompanhava a palavra bomba poderia ter-me esclarecido. Mas deixei que passasse uma hora até o ler no pequeno esquema da página seguinte, e essa hora mudou-me.

Raio de hipócrita, podes tu pensar. Um tipo está a imprimir um artigo sobre instrumentos explosivos improvisados (IED, Improvised Explosive Devices, coisas que fazem os blindados ir pelos ares, é verdade, era disso que o artigo tratava), e a seguir escandaliza-se porque a filha tinha desenhado um maquinismo de produção de bolhas de ar. Quanto ao meu artigo, posso explicar-te o que se passou, e de qualquer maneira era um artigo, e não o desenho manual do que parecia ser um explosivo caseiro. As coisas militares interessam-me, como sabes. Interessa-me o ponto de intercepção em que a coragem se cruza com a logística e, portanto, com o dinheiro.

No Iraque, por exemplo, perante a perspectiva de uma guerra de guerrilhas em meados de 2003 torna-se patente a necessidade de veículos blindados. O preço aproximado por molde para um M1114 é da ordem dos 155 000 dólares, e o do chassis da ordem dos 80 000. Pois bem: "Surpreendentemente, o comando norte-americano não parece ter considerado os custos de uma luta irregular depois da campanha militar", lemos nós. "Apesar de se terem desenvolvido moldes protectores para instalação em equipamentos motorizados, a sua produção não recebera qualquer prioridade." Aqui tens o lugar que ocupa a vida humana. "Esperou-se até Novembro de 2003 para transmitir ao Comando de Materiais ordens no sentido de adquirir 1000 moldes blindados para camiões e veículos Hummer no Iraque. Depois de sérios reveses nas ruas das cidades iraquianas, os pedidos alcançaram um montante de 13 000 em Dezembro de 2004". Este *cocktail* de incompetência, coordenação, técnica e negócio parece-me revelador.

"A promoção de oficiais a postos de comando deve obedecer a méritos profissionais e não de outra índole", diz-se no artigo. O factor humano não é negligenciável, Goyo, mas também não é uma simples questão de sentimento, de nada serve a generosidade de dar a vida se não houver um comando que possa combinar as operações, preparar a indústria local, lidar com a corrupção. Pelo menos metade das baixas norte-americanas foram causadas por instrumentos explosivos improvisados (IED). Apesar disso, ainda não se produzem moldes blindados em quantidade suficiente, a indústria não os produz ou o Senado não aprova o orçamento ou verificam-se as duas coisas ao mesmo tempo. Claro que as questões militares a vocês não vos interessam, vocês são pacifistas. Em contrapartida nos meus artigos militares eu passo o tempo a ler citações de comandantes revolucionários cubanos, guatemaltecos, salvadorenhos, rodesianos, sul-africanos. Os militares dão-se efectivamente ao trabalho de estudar o inimigo.

Gosto dos militares: quando falam de foco de guerrilha sabem do que estão a falar, não são como a minha filha ou a minha mulher, que, quando falam disso, estão a pensar num livro ou talvez na letra de uma canção. Isto no que se refere ao meu artigo.

Quanto ao desenho e à palavra bomba: depois de os ver poisei cuidadosamente o papel em cima da minha mesa. Tive a delicadeza de o cobrir com outra folha. Lentamente decidi que tinha tocado o fundo, estava farto. Perspectivas? Nesta ocasião, a fantasia de um apartamento e raparigas novas não me seduz particularmente. Essa teoria segundo a qual a vida nos sorriria se pudéssemos ter sexo com jovens de dezassete anos da mesma maneira que temos conversas sobre a saúde, não me convence muito. Foder também cansa, digo-to eu, que manifesto grande respeito pelo prazer. Estou à beira dos cinquenta e claro que quero continuar a foder, mas não à custa de ficar com a língua de fora como um cão.

Garantam-me a minha esperança de vida, a do branco do sexo masculino de um país do Primeiro Mundo: setenta e seis anos. Sem tragédias. Sem que me arruíne. Na minha idade começou já a decadência do corpo, não é um prato muito saboroso, mas pode suportar-se bem quando não há surpresas desagradáveis. Se preferia viver cem anos com o corpo dos vinte e cinco? Claro que sim, mas parece-me pueril encetar uma crise existencial por não me ser possível tanto. A morte, a doença, a dor, tudo isso é repugnante, de acordo. Investigue-se o que for preciso para as evitar. Entretanto, a vida passa e eu vivo-a, e mais do que fazer uma birra talvez me convenha rir interiormente daquilo que sei, daquilo que todos sabemos: que o prazo é curto e acaba depressa.

Da perspectiva da maturidade, além de ver como decai a carne posso dar-me conta de outras coisas. Vantagens, diria eu, com efeito – vantagens. Não sei se um dia será possível fruir do corpo dos vinte e cinco com o cérebro dos cinquenta anos, mas se me dessem a possibilidade de escolher, era isso que eu queria. Por isso não minto nem idealizo quando digo que passados os quarenta anos o cérebro melhora, sob certos aspectos. A angústia, por exemplo, é de outra espécie na minha idade. Não queima. O inferno é frio. Foi no meio de um inferno frio, sem tremores, sem necessidades imperiosas de sair de casa para me meter num bar, foi com tranquilidade, sentado diante dos meus papéis, que decidi que estava farto e que tinha de fazer alguma coisa. Qualquer coisa que não fosse deixar à Manuela a casa e a guarda das crianças e servir à Susana numa bandeja a figura do pai em crise no seu apartamento.

Investi na minha família, Goyo. Digo-o sem cinismo. Investi memória, dinheiro, afecto e esforço. Não sei se é a melhor escolha, mas já é tarde para a base na Antárctida e creio que também para as obsessões da carne. Sem exagerar a importância dos gestos sentimentais, das ceias natalícias, espero pelo menos ver crescer os meus filhos, repartir por eles um pequeno património que ajude os possíveis netos a não virem ao mundo completamente desamparados, fazer uma ou outra viagem com a Manuela, comprarmos talvez uma casa em Portugal, morrer acompanhado. Não penso atirar tudo isto borda fora.

Também não pretendo fazer com que a minha mulher e a minha filha reconheçam os seus erros. Não há papel mais ingrato do que o de desmancha-prazeres. Deverei recordar-lhes que se há cinquenta sítios da web disso a que elas chamam imprensa alternativa, há cinquenta milhões de sítios pornográficos? Que será mais fácil a terra afogar-se nas águas do que haver uma revolução na Europa? Que enquanto em Madrid há quatro pessoas que lêem Marx, há dois ou três milhões que lêem a *Marca*, revistas femininas, etc.? Elas sabem-no de sobra. Não, obrigado, não penso ter de ser eu a carregar com fardo de lhes explicar que os Reis Magos não existem. O que vou fazer é pôr--lhes diante outros Reis Magos muito mais poderosos do que os pais, e ver o que elas dizem.

5

Já tinham dado início às obras no segundo terraço. Era meio-dia. Naquela manhã tinham estado a trabalhar ali um estudante de economia, o empregado de uma loja de ferragens, um trabalhador dos serviços administrativos e uma professora universitária. Realmente, pensava Goyo, faltavam-lhes militantes que soubessem trabalhar com as mãos. Depois de ensaiarem os fotobiorreactores pequenos, tinham decidido acoplá-los fazendo com que o terraço surgisse agora atravessado por cinco tubos compridos e estreitos, em forma de ziguezague. A instalação não era difícil, mas tinha demorado muito mais tempo do que o previsto, e isso apesar das instruções do empregado da loja de ferragens. Elo, que era também bastante habilidosa, participara na montagem. Depois tivera de ir para uma reunião de trabalho. Goyo estava ressacado e com dor de cabeça.

– Vou indo – disse ele –, estou rebentado. Acham que conseguem acabar? – perguntou.

O empregado da loja de ferragens respondeu-lhe:

– Sim, claro. Onde deixamos as coisas?

– Deixem-nas aí em baixo, há lá uma arrumação pequena, os da padaria sabem onde é. De qualquer maneira, eu venho cá esta tarde, se ficar alguma coisa por resolver, não há problema.

Junto à porta das escadas, Goyo parou um momento a olhar para os grandes tubos vazios, imóveis, no meio daquelas pessoas de idades diferentes que se moviam no seu trabalho, com o céu por fundo. Havia uma estranha beleza naquela combinação do trabalho das pessoas e da inactividade dos tubos, que mediam dois ou até mesmo três metros, sem água ainda, sem algas, vazios e transparentes.

Desceu as escadas devagar. Pesava-lhe a bebedeira da noite anterior. Por volta das nove, sem jantar e depois de ler o que o pai de Susana lhe escrevera, ligou para Elo. Soube mentir-lhe com grande naturalidade. Disse-lhe que Álvaro lhe ligara bastante perturbado por causa de um problema com a miúda dele, e que tinha de ir vê-lo. Mas foi ele quem, depois de acabar de falar com Eloísa, telefonou a Álvaro para lhe explicar que se sentia mal, que precisava de estar com alguém e de beber uma boa dose de *whisky*.

– Vais querer snifar? – perguntara-lhe Álvaro.

– Por mim, não, o que quero é deixar de pensar.

Álvaro foi de carro buscá-lo.

– Leva-me a um sítio rasca.

– Eu não vou a sítios rascas.

– Claro que vais. Um sítio escuro com gente de pé e gajas muito passadas. Não me leves a um desses bares modernos cheios de luzes e com cadeiras por todo o lado.

Álvaro compreendeu. O sítio não era rasca nem duvidoso, mas suficientemente escuro para uma pessoa se esconder num canto qualquer.

– Conta lá – disse Álvaro. – Estás a divorciar-te? Vais casar? A Coreia do Norte deixou de ser comunista?

Goyo riu, embora notasse que o riso se partia aos bocados. Pensou em não falar e, imitando um *cowboy* desesperado, em pedir três, quatro, pequenos copos de *bourbon* seguidos; só então, quando começasse a ficar bêbado, deixaria sair as palavras já sem tom nem som. Mas não o faria porque tanto como precisava de atordoar-se, precisava de dizer a alguém que realmente era uma pessoa que não tinha direito à sinceridade de outra pessoa, que devia ter-se calado e continuado assim a ser para

Eloísa o que era para Álvaro: um tipo com um irmão que tinha morrido, sem pormenores, sem mais pormenores, um rapaz com uma biografia um tanto acidentada tal como, aliás, quase toda a gente.

Como pudera medir tão mal as suas forças? Depois de contar a história de Nicolás andava havia mais de dois meses a sentir-se um faquir e ainda por cima do tipo farsante, um desses que tiram o veneno às cobras venenosas, um desses que usam pregos de borracha e não são magros por jejuarem mas porque o seu metabolismo faz com que assim sejam. Quem era ele para falar de normais e de não normais?

– Um anormal, o que sou é um anormal – disse ele em voz alta olhando para Álvaro. Mas Álvaro já ali não estava, fora buscar bebidas e aproximava-se trazendo uma cerveja e um copo de *bourbon*.

– Não te embebedas comigo? – perguntou-lhe.

– É que não jantei – disse Álvaro.

– Eu também não.

– Se queres que depois desta cerveja peça um *whisky*, vais ter de me dizer o que é que fizeste.

– Nada, nada de nada. Bom, sim, fiz-me parvo, não ter feito nada e falar como se tivesse feito alguma coisa.

Goyo saiu do edifício da padaria e o sol fê-lo piorar da dor de cabeça. Lembrava-se mais ou menos da conversa com Álvaro, tinha consciência de o ter confundido, saltando de um assunto para outro e sem chegar a explicar as coisas de maneira linear fosse em que momento fosse. Mas é que de outro modo teria de começar demasiado atrás e, por outro lado, pelo menos com Álvaro fora realmente claro; não lhe telefonara para conversar, mas para se embebedar com ele. Depois de duas cervejas Álvaro também passara ao *bourbon* e tinham acabado a noite a falar de quando eram adolescentes e viam o Doutor Spock: Estas são as viagens da nave estelar Enterprise, que continua a sua missão de exploração de mundos desconhecidos.

Goyo pôs-se a caminho da casa de Susana. Estava bastante longe. Embora não pensasse ir ver Susana, e menos ainda o pai dela, também não tinha vontade de ir a outro lado nem queria deambular sem rumo.

– Deu ao pai de uma amiga minha começar a escrever-me cartas por mail – dissera ele a Álvaro. – Não tem razão em quase nada do que diz. Politicamente falando, quero eu dizer, e não te rias. Até agora tenho-lhe respondido, mas agora perdi a vontade de continuar.

Álvaro deixara-o continuar a falar, renunciando a tentar saber de quem era pai aquele tipo que escrevia a Goyo e porque era que este perdera a vontade de lhe responder. De quando em vez fazia uma observação de bêbado solidário:

– Então se não tens vontade não lhe respondas. Quem é que o mandou escrever-te? É verdade que às vezes as pessoas são muito chatas quando se põem a escrever.

Agora Goyo pensava que Álvaro deveria tê-lo obrigado a falar. Por outro lado, não podia imputar-lhe essa obrigação, não eram amigos a esse ponto, talvez não fossem sequer amigos mas dois indivíduos que pelos acasos da vida calhara viajarem na mesma fila. Goyo telefonara a um conhecido para se embebedar com ele e não a um amigo. E acabara por não contar quase nada a Álvaro.

Não lhe disse que tivera a fantasia de aparecer em casa de Enrique para lhe responder em pessoa, mas que, então, sentira medo de querer ficar a viver ali em casa. Era uma coisa que lhe acontecia muitas vezes em pequeno. Quando ficava a jantar em casa de um amigo, quando ia a casa de outro brincar e lanchar, julgava sempre ver sinais de que aquelas outras famílias eram verdadeiras famílias, o molho de tomate sabia-lhe melhor, sentia mais vontade de molhar o pão naquele molho do que no de sua casa.

Chegaria a casa de Enrique, começaria a falar com ele, mas então convidá-lo-iam para ficar para jantar e ele olharia para a cozinha, para o arroz branco, para os gestos quotidianos, e pensaria que gostaria de ali viver, com aquela mãe que fugia e aquele irmão que jogava voleibol e aquele pai que fazia perguntas, com aquelas pessoas que não eram melhores nem piores do que a sua mãe nem do que o seu pai nem do que o seu irmão Nicolás, ainda que… e se no fundo pensasse que eram? E se no fundo ele fosse um desertor, tivesse carácter de desertor e só tivesse ficado de pé ao lado dos outros por não ter encontrado maneira de se ir embora?

Goyo não mentira a Eloísa, e contudo não podia deixar de se perguntar quanto pesava o que calara: por exemplo, a tarde em que, aos treze anos, lera o livro *Não Levem o Teddy!*, e sentira tanta vergonha que tivera necessidade de se desfazer do livro, descera à rua para o deitar fora, deitara-o num cesto de papéis a trezentos metros de sua casa receando que alguém pudesse encontrá-lo e, por associação ou fosse lá como fosse, o livro voltasse para casa dele. Era um livro de uma colecção juvenil sobre um rapaz de dez anos com um irmão deficiente, Teddy, e que se passava numa cidade norueguesa. Um dia Teddy atirava uma pedra a um rapaz normal sem se dar conta do que estava a fazer. Os amigos do rapaz normal falavam de telefonar para a polícia, diziam que Teddy não sabia controlar-se e era preciso pô-lo numa casa de correcção ou num manicómio. Então o irmão decidia fugir com Teddy. Pegava nas chaves de uma casa de campo de uns tios e ia para lá com o irmão, primeiro de autocarro, depois de comboio, e a seguir continuava a pé por cinco quilómetros através dos campos arrastando Teddy, que apesar de ser forte tinhas os músculos hirtos, cansava-se, chorava quando tinha sede. Quando chegavam à casa dos tios não havia quase nada que se pudesse comer, Teddy tornava a chorar e o irmão não descobria mais comida, e também não sabia pôr o aquecimento a funcionar, estavam encharcados, mas o irmão não queria procurar alguém com medo de que os descobrissem. Goyo não conseguiu lembrar-se do nome do irmão, para ele era simplesmente o irmão, esse irmão que fizera tudo o que ele não se teria atrevido a fazer por Nicolás.

Chegara à calle de Bravo Murillo. Soube que não iria ver Susana nem Enrique, entrou num bar e pediu uma cerveja. O livro acabava com Teddy e o irmão a apanharem uma pneumonia, e depois os pais apareciam, os dois irmãos curavam-se e graças a uma mulher que o irmão e Teddy tinham conhecido na sua viagem, Teddy acabava por ir para uma escola nórdica, linda, para meninos como ele. Na noite anterior, num dos seus saltos constantes de um assunto para outro, dissera a Álvaro:

– A Lei da Dependência é uma merda. É a pior merda que vi até hoje.

– Mas se é uma lei dessas do Estado Social e de Direito. Se até a mim, que sou liberal, me parece bem.

– Como não há-de parecer-te bem? Outra vez a história dos remendos: o Estado não só permite que se possa fazer negócio com coisas como a educação ou os cuidados, neste caso, como ainda por cima subsidia os negócios que se podem fazer. Mas o mal não é isso. O pior são as esmolas, o comprar consenso e continuar a dormir. Quando há uma criança deficiente numa família, o que há não é só um problema de dinheiro nessa família, mas também um problema colectivo. E agora aparecem nos jornais mães a dizer que precisam de dinheiro para comprar uma banheira onde possam dar banho ao seu filho. É evidente que precisam, mas por este caminho não vamos a lado nenhum.

– Um problema colectivo? Não sei do que é que tu estás a falar, Goyo.

– Por exemplo de construir ginásios de reabilitação com banheiras de água ventilada e piscinas de massagem e canalizações coloridas e salas de espera com sofás confortáveis e salas de jogos adaptadas às crianças, e que para o pai ou para a mãe ou o irmão ou o amigo ou quem quer que seja que lá leve a criança seja fácil levá-la, e para a criança fácil lá estar.

– Não sei de que mundo estás a falar e acho que tu também não sabes – repetira-lhe Álvaro.

– Pois eu vi ginásios de reabilitação assim no estado de Anzoátegui, na Venezuela, construídos com esses petrodólares que tanto vos irritam.

Goyo lembrou-se então de que Álvaro, que nunca perdia ensejo de continuar uma discussão daquele género, esquivara a oportunidade para lhe contar uma pequena história estranha. Goyo ouvira-o a princípio sem entender, compreendendo depois que se tratava de uma não-mentira, de uma confidência.

Ao que parecia, uns dias antes Álvaro estava no segundo piso de um edifício à espera do elevador quando a porta deste último se abrira: lá dentro havia uma mulher rodeada de sacos a falar ao telemóvel. A mulher olhou para Álvaro e apontou para os sacos com um gesto de impotência que pareceu a Álvaro exagerado, mas o certo é que não entrou no elevador, deixou que as portas se fechassem e desceu a pé. Como a escada por onde descia acompanhava a caixa dos elevadores, ao chegar ao primeiro piso pôde ver de novo a mulher e ouvir o que ela dizia enquanto tirava os sacos do elevador: "Vê lá tu", dizia ela, "que depois de tanto tempo (...), só levo a roupa, os meus objectos pessoais". Respondia a alguém pelo telefone, mas o seu tom de voz era tão triste que parecia interrogativo.

– A perplexidade da solidão, devias tê-la visto – disse Álvaro a Goyo. – Era uma mulher baixa, com o cabelo curto, uma figura murcha embora devesse ter sido com certeza uma mulher agradável. A minha mãe vai acabar na mesma situação. Toma conta e pensa que hão-de tomar conta dela também, não exige seja o que for, há divórcios, há separações, somos todos livres, mas ela ainda julga que quando se gosta de alguém é para continuar: no fundo parece-se contigo. O colectivo! Por favor, Goyo, aqui não há nada: gosta-se de uma mulher até que ela envelhece; então, como o meu pai vai fazer, troca-se por outra, e a luta de classes reduz-se ao facto de a minha mãe ir receber uma boa pensão. O problema não é de luta de classes: é a biologia, o egoísmo, aquilo que fica depois de deixarmos a religião. Não é que seja mau termo-la deixado, mas é assim que funciona o mundo que fizemos, seria preferível que tu conseguisses vê-lo.

Goyo dissera:

– Ouve uma coisa, Álvaro, não me venhas logo tu com a conversa da malfadada biologia. A biologia dá para tudo. Transformar a luz, o carbono e a água em glucose também é biologia. Ou fazer com que algumas células separadas formem um órgão. Porque é que a não imitamos nisso, hein? Era uma coisa que podíamos fazer, se nos deixassem.

Neste ponto da conversa estavam os dois muito bêbados e mergulharam num silêncio que parecia o oscilar de uma barca.

Goyo começava agora a sentir-se melhor. Depois de comer as três batatas fritas com molho de tomate que lhe tinham trazido com a cerveja, acabou esta última e pediu outra. Gostou de sentir a espuma nos lábios. A frescura da cerveja que a princípio o incomodara, agora reanimava-o. Entrou no bar um grupo de cinco ou seis pessoas, e quase todas olharam para ele, claro que sem verem Nicolás, enquanto continuavam uma conversa já encetada.

Goyo pensou que provavelmente Elo, quando olhava para ele, também não via Nicolás. Porque a história de Nicolás que ele lhe contara não era a sua história, mas a história de qualquer coisa que Nicolás o fizera compreender quase como que por meio de uma demonstração matemática. E o que ele contara fora a demonstração. Que presunção a sua, a de ter pensado que ela, ou até mesmo Enrique, veriam nele um faquir, embora de pacotilha! Quando muito, Eloísa veria que aquele que estava com ela fora também irmão de Nicolás, e ele fora-o de facto. Um irmão que não era, sem dúvida, nada do outro mundo. Pediu mais duas cervejas, uma para ele e outra para Nicolás. Às vezes, ainda falava com ele. Na confusão acústica do bar, sob o olhar rotineiro do empregado de mesa, Goyo disse:

– Tiveste um irmão bera, pá. Foi assim e já não há grande concerto a dar-lhe.

SUSANA

Eu não pensava que a minha mãe fosse reagir assim. O primeiro dispositivo já está a funcionar, e a verdade é que é bastante vistoso, com os seus tubos, a cor verde da espirulina que se agita com as turbulências. Na semana passada recolhemos os primeiros gramas. Custou-nos um bocado embora seja muito fácil, mas era a primeira vez e estávamos a aprender.

Ando há três semanas extremamente ocupada com os fotobiorreactores, e às vezes impressiona-me que tenhamos sido capazes de fazer isto. Em breve estaremos a transformar um pouco a realidade: onde não havia nada está agora o nosso dispositivo. Todos os dias emitimos oxigénio e fabricamos uma pequena quantidade de aminoácidos essenciais, ácidos gordos polinsaturados, glucose, vitaminas, sob a forma de espirulina.

O problema é que, ocupada com o nosso dispositivo, com os exames na faculdade e as reuniões dos grupos, prestei pouca atenção ao que se passava em casa. O motivo foi esse, o terem-se juntado várias coisas. Mas está mal. Noutras circunstâncias teria uma justificação. Mas não a tenho quando penso que a minha mãe acabava de chegar depois de passar mais de dois meses numa tinturaria, e que o meu pai andava quase sem falar.

Devia ter prestado mais atenção. Não creio que isso tivesse resolvido fosse o que fosse – aliás, não se trata de resolver. Mas preocupa-me que a minha mãe e eu tenhamos sido apanhadas tão de surpresa. Sobretudo eu. A minha mãe talvez estivesse um pouco mais à espera de qualquer coisa do género.

O Rodrigo foi o primeiro a ir para a cama. O Marcos ficou a ver um filme com a minha mãe. O meu pai estava diante do computador dele, e eu do meu. Ouvi o Marcos ir ao quarto de banho; apareceu a seguir à porta do meu quarto para me dar as boas-noites.

Minutos depois entra o meu pai. Quer falar com a minha mãe e comigo. Acabo de escrever um mail e vou. O meu pai está sentado à cabeceira da mesa da sala de jantar com duas pastas de cartão azul. Sento-me ao lado dele, a minha mãe ainda não veio. Ele não parece magoado, compungido, nada.

A primeira coisa que penso é que vão divorciar-se. Mas se é isso que vão fazer, o normal seria que ele falasse primeiro com a minha mãe, e não com ela e comigo ao mesmo tempo. Fantasio então que ele terá cometido uma espécie de desfalque. E volto a dizer para comigo que nesse caso deveria começar por dar a notícia à minha mãe. Porquê às duas? De que poderá o meu pai querer falar com as duas ao mesmo tempo? Há uma pasta para cada uma, por abrir. E o meu pai mantém-se calado à espera de que a minha mãe chegue, não quer começar sem ela. Ouve-se uma porta, ele e eu levantamos a cabeça. A minha mãe chega.

– Desculpem – diz ela, e senta-se do outro lado da mesa. Não dá qualquer explicação da demora. O meu pai costuma ser muito sensível aos atrasos e quer sempre saber a que se devem, mas desta vez nem sequer olha com irritação para a minha mãe. Não diz nada e dá-nos as pastas.

– Pus esta casa em vosso nome, as contas que temos no banco e as acções. Vocês só têm de assinar uns papéis que aí estão.

Eu penso na doença, numa doença mortal, embora o rosto dele nada tenha de trágico e até me parece, mas talvez seja agora ao recordar, com bom aspecto.

Nem a minha mãe nem eu abrimos as pastas. A minha mãe pergunta:

– O que é que se passa, Enrique?

– Nada, é uma prenda que vos dou. Vocês têm ideias bastante claras acerca do caminho que querem ver tomar esta sociedade. Eu não, para mim nada é claro, por isso penso que devem ser vocês a dispor dos nossos bens. Isso sempre me ajudará a tirar um peso de cima. Poderei viver sem stress, sem me aborrecer e menos miseravelmente.

Disse estas últimas palavras a olhar para mim. Não é a primeira vez que me recorda o que lhe disse acerca dos peixes.

A minha mãe a princípio reagiu com certa irritação:

– Não vejo onde está a graça. A casa antes estava em nome dos dois, e também não vejo onde está a diferença.

– Vejo eu, Manuela. Onde está a diferença e onde está a graça. A diferença é que se antes tivesses querido vender esta casa e dá-la, por exemplo, ao equatoriano, terias de discutir o assunto comigo e poderias supor que eu me recusaria a fazê-lo. Mas agora já não tens obstáculos. O único problema é que terás de conversar com a Susana, e é possível que ela prefira usar o dinheiro para comprar uma sede para o seu grupo ecocomunista ou para outra coisa qualquer. Mas deixas de ter obstáculos sérios.

– Bom, já vejo a diferença. E a graça?

– Ora bem, a graça está em que em troca do meu desprendimento vou pedir-vos uma coisa, uma coisa só: quero estar presente nas vossas deliberações. Quero ver como decidem vocês o destino que vão dar aos títulos do Tesouro, quanto dinheiro vão reservar para o Marcos e para o Rodrigo, e se, quando venderem esta casa, decidirão comprar outra mais barata ou procurar uma arrendada. São assuntos sérios, bem sei, e não leves a mal eu ter falado da graça. Permito-me supor que além de sérios vão ser… reveladores? Digamos assim, por agora.

Nesse momento a minha mãe e eu entreolhámo-nos. A verdade é que quase não falei com ela desde que voltou. Tinha vergonha de lhe pedir que me contasse a sua "experiência". Tinha vergonha por mim, porque não me ocorria maneira de a interrogar que não me obrigasse a dizer qualquer coisa de sentencioso, de solene, e tinha vergonha por ela. Talvez não tivesse aprendido nada durante aqueles dois meses, estava no seu direito e se eu lhe fizesse perguntas, podia fazê-la sentir-se ridícula, sim, é difícil de explicar.

Foi assim que me dei conta naquele momento de que não sabia o que se tinha passado com a minha mãe durante dois meses, e também não sabia o que estava ela a fazer agora. Supunha que a mesma coisa que sempre, mas talvez não, pois como estava muito pouco em casa não me era possível estar mais informada. Vi-a ali, a olhar para mim, e tive vontade de falar de tudo o que não tinha falado com ela. Depois, talvez um tanto precipitadamente, disse:

– Eu não aceito essa condição, pai. Se queres pôr as coisas em nosso nome, de acordo. Mas não aceito que tenhas de estar presente quando falarmos.

Pensava que o meu pai ia provocar-me, perguntar-me porque não aceitava, que íamos discutir. Preocupava-me ouvi-lo perguntar-me porquê, mas a verdade é que ele continuou calado.

Aquilo surpreendeu-me vindo da sua parte. Ao fim de uns minutos de silêncio, disse:

– Como queiram. Era só um pedido, não era uma condição. Só gostava, embora também não seja uma condição, que assinassem os papéis o mais depressa possível.

O meu pai levantou-se, e a minha mãe reteve-o com a mão, puxando-o de maneira a fazê-lo sentar-se de novo.

– Porque é que queres que assinemos já? – perguntou-lhe depois de ele ter tornado a sentar-se.

O meu pai demorou um pouco a responder, como se tivesse querido contar até dez antes de falar. Depois disse em voz muito clara, sem sombra de mal-estar, parecendo até ficar de novo ligeiramente contente:

– Tendo em conta que a vossa ideologia vos obriga a desprezarem-me e a desprezarem os bens de que gozamos, espero que se livrem quanto antes do obstáculo que a minha titularidade implicava. Tenho vontade de me ver livre do vosso desprezo. É lógico, não é?

A seguir, com perfeita naturalidade, despediu-se:

– Vou deixar-vos. Vou sentar-me um bocado ao computador.

Saiu devagar. A minha mãe e eu ficámos uma diante da outra.

– Antes de fazermos seja o que for, será melhor pensarmos nós, pelo nosso lado, em tudo isto, não achas? – disse a minha mãe.

Concordei e a minha mãe levantou-se. Era meia-noite e meia. Estive a olhar para os peixes do meu pai. Depois vim para aqui escrever o que tinha acontecido. Agora arrependo-me ainda mais de não ter falado com a minha mãe, a verdade é que não faço ideia do que se possa ter passado com ela durante estes últimos meses.

E há depois o meu pai. Descubro que estas palavras ganharam um som diferente e que me surpreende, como aconteceu já momentos antes, quando escrevi "os peixes do meu pai". Custa-me pensar que é ele quem está no escritório lá ao fundo com o computador ligado. De repente um estranho, não sei se não é o título de um filme ou se estou a misturar dois títulos, mas é o do meu filme. De repente um desconhecido, de repente alguém que chega de uma viagem sem que eu tivesse chegado a saber que tinha partido. Bem vistas as coisas, a minha mãe esteve numa tinturaria. Não sei o que fez, mas sou capaz de imaginar que tipo de coisas lhe terão passado pela cabeça. Em contrapartida, onde esteve o meu pai durante todo este tempo? Até onde terá ido para voltar agora com o troféu de uma escritura e dos seus títulos do Tesouro? Matou cabritos e lebres com as suas mãos, lobos? Terá tido de os esfolar?

Acho que o meu pai tem razão quando nos entrega as pastas de documentos e os bens. Tem razão, de facto, mas gostava de lhe dizer que não tem a razão. É que se perde sempre um tanto a razão quando se chega a um ponto em que, para a termos, nos sentimos satisfeitos por as coisas correrem mal. Também o deixámos só. Parecia ser isso o que ele nos estava a dizer com toda a sua calma, falando claramente, quase contente. Acho que aqui ninguém deixa ninguém só porque em princípio estamos todos sozinhos a menos que nos aproximemos. "Que direito tens tu a afirmar que estamos sós, que estás sozinha?", poderia ele perguntar-me. É verdade, deram-me de comer, vestiram-me, ajudaram-me a estudar, deram-me uma cama e lençóis passados e se tinha febre chamavam um médico e faziam-me companhia jogando às damas ou fazendo *puzzles*. Quando tomaram conta de nós parece evidente que não estivemos sozinhos.

Mas, então, por terem tomado conta de mim eu continuaria sempre ligada aos que tomaram conta de mim e não poderia falar nem decidir fosse o que fosse por minha conta. Segundo o que uma vez disse o meu pai, só quem se fez a si próprio pode fazê-lo. O que se passa é que as pessoas de quem ninguém tomou conta, as crianças que morrem com dois meses ou se vêem obrigadas a andar aos tiros aos doze anos, também não podem falar nem decidir porque isso não lhes é permitido. Assim ninguém poderia falar nem decidir. Penso que ninguém se fez a si próprio. É verdade que o Carlos Javier, o equatoriano, se fez a si próprio muito mais do que eu, mas alguém tomou com certeza conta dele quando nasceu, e terá sido apoiado também noutros momentos.

Talvez o meu pai tenha razão e eu tenha muito pouco direito a falar. Já não sei. Acho que não o deixámos só. Antes era diferente, mas agora sempre que se aproximava de mim para me perguntar alguma coisa era para me vigiar, como quando ficou obcecado pelo meu amigo mexicano que fez espionagem para os serviços de informação militar soviéticos. Hoje também não nos perguntou nada, nem à minha mãe nem a mim. Não se aproximou, mas desafiou-nos, do sítio que é o dele, o seu aquário, o seu torreão ou seja lá o que for.

COMEÇAVA A ANOITECER no segundo terraço, embora os fotobiorreactores ainda recebessem uma luz considerável. A cultura, já bastante concentrada, passara do vermelho-tijolo ao vermelho-sangue. Quatro pessoas tinham estado a aprender, ao lado de Félix e de Mauricio, a verificar o ph, a salinidade e a temperatura da microalga *Porphyridium cruentum*. Quando acabaram, ficaram os dois para arrumar o equipamento. A seguir sentaram-se no chão, com as costas contra uma pequena parede que separava aquele terraço de um outro; viam os tubos vermelhos que se recortavam entre trechos de céu e de edifícios.

Enquanto conversavam, o ruído amortecido da bomba de ar e o lento borbulhar no interior dos tubos compunham um fundo sonoro particular, um tanto submarino. Tinham sabido aquela manhã de uma reclamação do município contra a instalação do primeiro terraço. Mas o padeiro não parecia preocupado. Antes de instalar a chaminé negociara com os vizinhos o usufruto da zona comum e recolhera várias autorizações. De momento pensava deixar correr os prazos. De recurso em recurso, dada a difícil qualificação jurídica dos fotobiorreactores, calculava que passariam pelo menos dois anos até que pudesse surgir algum problema sério, e isso só no caso de não conseguirem até lá uma resolução que os garantisse contra a destruição.

Mauricio conhecia o caso de uma amiga da mãe que construíra uma espécie de apartamento absolutamente ilegal no terraço e, apesar disso, o juiz permitira-lhe conservá-lo alegando que a demolição era um procedimento que devia ser aplicado com conta, peso e medida. Félix não era tão optimista:

– Ora, ora – disse ele. – A amiga da tua mãe é diferente de pessoas como nós, devia ter contactos e sabes lá tu que mais.

– Está bem, Félix. Mas aqui estão a pedir contas ao dono de uma padaria. Não sabem que somos nós que estamos por detrás disto. E às vezes não há só corrupção, há arranjos. Demolir é um sarilho, os serviços municipais, os juízes, toda a gente prefere não demolir: é mais cómodo.

– De acordo, talvez tenhamos sorte, não digo que não.

– Ganhar tempo, sempre ganhamos, com certeza: o padeiro parece um tipo bastante esperto.

– É que, olha, esta história das algas está bem, muito bem, se quiseres, mas não sei onde nos leva.

– Estamos a experimentar, uns distribuem fotocópias, fazem páginas na web, manifestam-se. Era o que nós também costumávamos fazer; agora, além disso tudo, fixamos CO_2.

– Outros fazem greves, Mauricio, como a minha mãe, e roubam-lhas.

– Roubaram-lhes a greve?

– Chama-lhe o que quiseres. A empresa da minha mãe tinha lucros, só podia encerrar com o consentimento dos trabalhadores, e ontem eles aceitaram.

– A oferta que lhes fizeram era boa?

– Não, era mais ou menos a de sempre. Mas os sindicatos andam há seis meses a meter-lhes medo. Os próprios sindicatos, sabes? A empresa já não tem de se dar ao trabalho de o fazer, manda os representantes sindicais e estes tratam de dizer que os que se opõem ao encerramento serão responsáveis se todo o pessoal for posto na rua sem nada. A princípio a maioria era dos que queriam lutar, ou das que queriam, porque havia muitas mulheres, mas como é que explicas depois às tuas companheiras que os vossos próprios representantes vos estão a mentir, que vos venderam, que estão feitos com o patronato?

– Como é que a tua mãe está?

– Agradeço-te a pergunta, embora me enfureça. É que é infalível, porra, estamos a falar disto e a seguir passamos a falar de como está ela. Eu compreendo, a sério. Mas enfurece-me, porque não é como se ela tivesse uma pneumonia, má sorte, e fosse preciso aceitar o que se passou, sendo nesse caso normal perguntar como está ela. O que se passou não foi uma questão de sorte, foi um abuso, os dirigentes da empresa e os dirigentes sindicais atiraram as pessoas para o lixo.

Mauricio manteve-se calado. Pouco depois, Félix olhou para ele.

– Desculpa, não estava a falar contra ti. E a minha mãe..., olha, ela estava sempre a dizer: "É preciso lutar contra o encerramento. Que mais temos ainda a perder? Se perdermos a luta, pois perdemo-la, mas ao menos tentámos e não perdemos a dignidade". Agora perdeu as duas coisas, a luta e a dignidade. Deve ser como quando uma pessoa é violada.

– Não peças desculpa, eu não me ofendi. Há uns anos aconteceu-me uma coisa como a que acaba agora de nos acontecer. Quando o meu primo tinha oito anos e eu catorze ele veio uma tarde dizer-me que uns rapazes maiores do que ele lhe tinham batido, não sei porquê. E eu fiz o mesmo que agora, perguntei-lhe se lhe doía, comecei a ver onde lhe tinham batido. O meu primo soltou-se e disse-me: "Eles estão ali, estão naquela rua". E lá fui eu com ele, éramos dois contra cinco, mas os outros não deviam ter mais de dez anos, eu sempre fui bastante alto, e eles acabaram por se ir embora, tão maltratados como nós ou um bocado mais.

– Sim – disse Félix –, é isso. Sabemos onde estão, mas não fazemos nada.

– E que havíamos de fazer, Félix? Não deves querer que voltemos à idade da pedra. Compreendo que um trabalhador despedido da Sintel agredisse o secretário-geral das Comisiones. Não sei se o justifico, talvez sim. Mas não conseguiu nada. E ainda que tivesse conseguido.

– Para mim as coisas não são tão claras. Não podemos andar à pancada, mas também não podemos contar com as instituições porque na hora da verdade nunca se põem do lado do mais fraco. Temos de nos organizar, eu sei. Mas o problema é que quando o fazemos, como aconteceu na fábrica da minha mãe, perdemos na mesma porque são eles que têm o poder e, dia após dia, com ameaças, com subornos, com manobras, vão minando a nossa organização. Não é um bocado estúpido? Havia oitocentos trabalhadores, quase só mulheres, que se uniram para lutar. Passado pouco tempo não haverá senão oitocentas mulheres sozinhas, fechadas em casa, a mendigar trabalho, a pedir nos centros de saúde que lhes dêem comprimidos para dormir. Quando estamos em desvantagem quem está por cima faz com que nunca possamos organizar-nos completamente.

Já eram quase nove da noite, o vermelho dos fotobiorreactores contrastava com o escuro do céu. No meio do borbulhar da água dos tubos as algas cresciam. Por cada novo grama de peso seco de algas que colhessem, dois gramas de CO_2 muito simples ter-se-iam transformado em moléculas complexas, digeríveis, metabolizáveis. Minuto a minuto germinavam nos tubos pigmentos avermelhados de natureza proteínica, preciosos para o diagnóstico clínico, exopolissacáridos com propriedades antivirais, ácidos gordos poliinsaturados, úteis para a alimentação infantil. No entanto, pensava Félix, aquele interior bioquímico poderia também, a qualquer momento, ser posto ao serviço de rentabilidades duvidosas.

Enfiou as mãos nos bolsos do blusão. Estava mais sereno. O ar fresco fazia-o sentir-se vivo, a água salgada artificial desprendia um leve cheiro a mar. O anoitecer tornara malva o vermelho dos tubos. Era como se o terraço estivesse a mover-se pelo leito calmo de um rio. Desejou poder levar qualquer coisa dessa calma para casa.

Levantaram-se quase ao mesmo tempo.

– Já notaste? – disse Mauricio. – Aquele tubo tem uma cor diferente.

O fotobiorreactor central tinha de facto tonalidades acinzentadas nalgumas zonas.

– Talvez tenham entrado bactérias. Quem é que cá vem amanhã?

– Do meu grupo é um psicólogo, não sabe nada de algas, mas é de crer que alguém que saiba o acompanhe, do grupo do Goyo ou do da Susana, não me lembro.

– Bom, quando chegar a casa eu aviso o Goyo.

Depois Mauricio ficou a olhar para Félix:

– Sabes o que é que se passa comigo, não?

– Sim – disse Félix. – Vá, vamos embora.

Nós, os seres colectivos, não somos tão solitários como eu poderei ter dado a impressão de sermos. E nem sempre aspiramos a unirmo-nos a outros seres colectivos, mas às vezes sentimos uma ânsia de nos dissolvermos nos nossos diferentes seres individuais. Há algum tempo já que quero dissolver-me dentro de Manuela. Ela não é meu membro, meu militante. Mas pressente-me. E contudo aqui estou. Embora nós, seres colectivos, tenhamos fraquezas, somos em geral bastante disciplinados.

Hoje concedi-me esta licença de ir "pela longínqua montanha" como se pudesse comer os churros do extraterrestre. Como se pudesse pisar o solo de cordilheiras para, daí, contemplar as vidas dos homens e das mulheres que me dão vida. Não posso montar um cavalo, isso é evidente. Nem sequer poderia cavalgar uma manada de cavalos na suposição de todos os meus membros decidirem e poderem pôr-se a cavalgar ao mesmo tempo.

Eu não sou todos os meus membros, mas sou todos os meus membros e também sou outra coisa. Não é preciso penetrar o mistério da santíssima trindade para o compreender.

Certo sujeito individual e físico famoso, Richard Feynman, disse: "É-me necessário um grau de imaginação maior para compreender o campo electromagnético do que para compreender os anjos invisíveis. Porquê? Porque para tornar compreensíveis os anjos invisíveis tudo o que tenho de fazer é alterar um pouco as suas propriedades – torno-os ligeiramente visíveis e posso depois ver as formas das suas asas, bem como os seus corpos e os seus halos. O problema é que, seja de que modo for, não há qualquer imagem precisa do campo electromagnético". Feynman quer dizer que não serve de nada pensarmos aqui num campo de trigo e acrescentar-lhe depois alguns círculos ou qualquer outra coisa e eu penso que o mesmo acontece connosco.

De nada serve pensar num sujeito individual e a seguir multiplicá-lo ou pôr-lhe camisolas de uma só cor.

"A voar pela sala de aula", explicava Feynman aos seus alunos, "há ondas electromagnéticas que transportam música de uma orquestra de *jazz*. Há ondas moduladas por uma série de impulsos que representam o que sucede noutras partes do mundo, ou aspirinas imaginárias que se desfazem em estômagos imaginários. Demonstrar a realidade dessas ondas requer apenas que conectemos um equipamento electrónico que as transforme em imagens e sons".

"Se passarmos a uma descrição mais detalhada", continuava ele, "para incluirmos na análise as mínimas ondulações em s, há pequenas ondas electromagnéticas que entraram na sala de aula vindas de grandes distâncias. Há agora pequenas oscilações do campo eléctrico cujas cristas estão a trinta centímetros uma da outra e que vêm de milhões de quilómetros de distância, transmitidas para a Terra pelo veículo espacial Mariner II que acaba de passar por Vénus. Os seus sinais transportam resumos da informação recolhida por esse veículo acerca dos planetas (...). Há ondulações em s muito pequenas de campos eléctricos e magnéticos que são ondas produzidas em galáxias, há milhões de anos-luz no recanto mais remoto do universo. Demonstrou-se que isto é verdade 'enchendo a sala de aula com arames': construindo antenas tão grandes como esta sala. Detectaram-se ondas de rádio procedentes de lugares do espaço para além do alcance dos grandes telescópios ópticos".

Eu sou a soma de todos os meus membros e sou outra coisa. Talvez pareça difícil de imaginar, mas não mais do que a viagem de um soluço através de um cabo telefónico ou através do ar. Por outro lado, embora seja difícil imaginar os campos eléctricos e magnéticos e além disso os buracos negros, é extremamente difícil para não irmos mais longe representar adequadamente um contrato de trabalho. O próprio Feynman teve dificuldades quando se tratava de imaginar a uma escala humana. Um dos hábitos de Marx, por exemplo, era tentar representar-se coisas normais, coisas como a jornada de trabalho: foi assim que viu que a jornada de trabalho media a velocidade a que o capital consome a vida do trabalhador.

Convém que nos exercitemos na arte de imaginar o que existe. A maioria dos sujeitos tanto individuais como colectivos tendemos a passar horas a imaginar o que não existe no espaço e no tempo. Segundo parece, os sujeitos individuais inclinam-se a imaginar o que não existe no tempo, como encontros passados ou futuros com outros sujeitos e coisas assim. Quanto a nós, sujeitos colectivos, projectamos estruturas espaciais inexistentes, por exemplo a minha própria estrutura a cavalgar pela longínqua montanha.

Apesar de tudo, as coisas que se imaginam costumam corresponder a uma necessidade concreta. Eu imaginei a montanha porque tinha necessidade de olhar o que dizem os meus membros individuais de uma certa distância, e obter assim algumas indicações. De perto a impressão é que cada um se move no interior do seu núcleo, e que o seu movimento é íntimo ainda que por vezes interaja com vibrações de confiança ou receio de outros membros. Mas notamos também como o seu movimento adquire certa coordenação e continuidade acabando por traçar uma figura mais ampla, não quântica mas visível, alguns tubos que modificam o espaço e em cujo interior se sintetiza glucose, quer dizer, realidade.

Procuro uma longínqua montanha enquanto aspiro a tudo unir sob as estrelas. A confusão de Goyo, a sua dificuldade em separar o geral do particular, o comum do vivido. O desejo de Mauricio de não acreditar no que não vê. A fuga para a frente de Susana perante a confusão e a possível malícia do seu pai. A impaciência de Félix, que gostaria de evitar rodeios, mobilizar cidades inteiras porque aliviaria assim a sua angústia familiar e salvaria, talvez, a sua mãe. Os meus membros individuais encontram-se, senão perdidos, digamos que enterrados, desaparecidos por debaixo de coisas que existem neles ou fora deles e que exercem influência sobre o seu comportamento. Desaparecidos em demasiadas coisas.

Um rio, uma criança, um homem que se atira ou não atira ao rio, para a salvar. É um problema relativamente simples sobretudo porque o resultado só admite duas variáveis possíveis: um acto digno ou indigno. Outras vezes, todavia, a vida corre entre minúcias, tecidos, sinapses e pequenas complicações, sem que saibamos onde acabam. Além disso, quase tudo está vivo ou em movimento, cresce e decresce, desloca-se, transforma-se. Um equatoriano que toca à campainha numa trajectória vital é um facto anedótico, mas noutra trajectória produz uma série de conexões de consequências crescentes. A vida de vários de entre os meus membros é afectada por essa cadeia de conexões: como reconhecer o momento de fazer um corte e averiguar se a sua resposta será um acto digno ou indigno?

Talvez não possa obter o resultado senão dentro de muito tempo, talvez não tenham sido expostas todas as circunstâncias ou talvez eu não tenha formulado adequadamente o problema. A complexidade, seja como for, nunca deverá ser uma desculpa. Vi demasiados seres individuais apoiarem-se no complexo para cometerem injustiças completamente simples, claras e nítidas. Se eu fosse a soma dos meus membros, tentaria descobrir resultados parciais para valorizar os seus comportamentos sucessivos. É, de certo modo, o que eles tentam. Mas eu além de ser a soma sou outra coisa, e na minha qualidade dessa outra coisa o que me pergunto e tento vislumbrar é: a que distância estão da saída? Sei que há uma saída. Embora duzentos anos de avanço não sejam muita coisa, chegam-me e sobram para saber que há uma saída.

Já a descer da longínqua montanha. Os meus membros percorrem ruas, entristecem, respiram, surpreendem-se. E eu lembro-me agora de um amigo, também individual, que ouvi dizer que tinha saudades do frio por causa dos sobretudos. Vivia num país quente, mas gostaria de ter um pretexto para usar um sobretudo de tecido cinzento ou preto, com a gola levantada, os botões fechados. Tento agora imaginar um ser colectivo como eu próprio sou com um sobretudo. Entre todas as nossas necessidades não estará a de nos disfarçarmos um pouco, essa necessidade da qual, suponho eu, terá nascido a moda? Não é que precisemos de nos disfarçar por de outro modo sermos sempre francos e directos. Trata-se simplesmente do facto de sermos diferentes de nós próprios. Existimos noutros; isto, que de costume sabem alguns avós, pais, mães, amigos, apaixonados e alguns membros da classe trabalhadora, é um aspecto que nos constitui. Existimos noutros e é por essa razão que me apercebo do desejo dos meus sujeitos individuais de mudarem por vezes de aparência, pois embora alguns digam o contrário, os militantes também deambulam, também se desorientam e, em certos dias, anseiam por tirar férias de si próprios.

Na cafetaria da escola secundária, Pilar, a directora de estudos, e Manuela levavam na mão as suas chávenas de café a caminho de uma mesa.

– Lamento, Manuela, mas não posso permitir que continues a fazer experiências. Na tua sala de aula tens liberdade. Fora dela, não. Não podes dizer a um aluno que não responda a perguntas de uma prova de outra disciplina porque "tratas disso".

– Não lhes disse que deixassem de responder, mas sim que perguntassem.

– No que me importa aqui, não há diferença entre uma e outra coisa. Há nove anos que trabalhamos juntas e nunca discutiste comigo essas ideias, Manuela. Parece-me surpreendente.

– Não é assim tão estranho. Temos muitas ideias ao mesmo tempo, e elas põem-se por aí às voltas, pensa na sucata espacial ou numa coisa do género. De vez em quando há uma ideia que se desintegra completamente. Mas de vez em quando também há uma que brilha um pouco mais.

– Sucata espacial, estou a achar-te muito poética – disse Pilar. – Pensei que estávamos de acordo na opinião de que fazermo-nos amigas dos alunos era um erro. Os alunos precisam de autoridade, quanto a amigos já têm os seus.

– Eu não pretendo ser amiga deles. Também não digo que não precisem de autoridade. Mas vamos lá ver, os governadores das colónias não tinham autoridade: o que tinham era o bastão do comando, instrumentos com que se faziam obedecer.

– Portanto, são eles que deveriam governar-se a si próprios, escolher o director de estudos, o director da escola, fazer auto-avaliações. O Maio de 68 hoje?

– Não, não era isso que eu queria dizer. Sabemos mais, temos mais formação, não esquivo a nossa responsabilidade. Mas acho que estamos tão colonizados como eles, e por isso a nossa autoridade é ilegítima.

– E quem é que nos coloniza? O Estado? A Comunidade de Madrid? Vamos lá, Manuela.

– Bom, o Estado que temos está bastante colonizado, não o vemos muito livre de decidir. Nem o Estado, nem o Parlamento, nem a Comunidade.

– Os Estados Unidos, então? As multinacionais?

– Estamos proletarizadas, Pilar, chama-lhe o que quiseres. Não se trata do que nos pagam ou não, trata-se de podermos ou não fazer alguma coisa diferente do que fazemos.

– Eu sinto-me livre – disse Pilar.

– Então achas que podemos realmente fazer outra coisa? Andamos há anos a ver como o ensino cai aos bocados: pudemos fazer alguma coisa para o evitar? Não é que antes o ensino fosse perfeito, mas estava numa situação a partir da qual poderia ter evoluído, melhorar. Mas hoje?

– Já sabes a minha opinião. Não acho que esteja assim tão mal. Dantes eram poucos os que estudavam até aos dezassete anos, esses poucos vinham de famílias mais ou menos instruídas; hoje o acesso generalizou-se, aumentou-se o número de anos da escolaridade obrigatória. Em função das circunstâncias, trabalha-se em cada centro como se pode. As escolas não podem transformar a sociedade, sabemo-lo bastante bem.

– Sei o que estás a dizer. Conheço o teu trabalho, tiro o chapéu a milhares de professoras e professores que no ensino primário e no secundário fazem um verdadeiro trabalho de alquimistas, transformam a água em vinho hora após hora, ano após ano. Sem eles não teríamos país, nem civilização. Mas trabalham tendo quase tudo contra eles e devia ser ao contrário. Ou não?

– Nada a acrescentar – sorriu Pilar.

– Toda a gente sabia que isto ia acontecer. – Na entoação de Manuela não havia sombra de veemência, mas também não melancolia. Falava como essas cantoras que não precisam de interpretar as letras, mas se limitam a deixá-las sair. – Seria tão difícil de prever? O acesso de massa não poderia ter servido para alargar o conhecimento e a inteligência, em vez de servir para os malograr, como acontece agora?

– Não vais resolver isso numa sala de aula, Manuela. Devias meter-te na política. Ninguém to impede. Esforça-te por chegares a um lugar de subsecretária ou de ministra da Educação.

– E depois? O que estamos a dizer não é nada do outro mundo. Pelo menos dois terços dos ministros da Educação que houve até hoje têm de ter pensado nisto. Não vamos pensar que se o não fizeram foi porque eram estúpidos ou malvados.

– Bom, conhecemos alguns que favoreceram deliberadamente a deterioração do ensino público porque lhes convinha reforçar as diferenças de classe e os negócios privados.

– Alguns – disse Manuela. – Mas também conhecemos outros que queriam fazer bem o seu trabalho, sabiam que o seu trabalho consistia em contribuir para o desenvolvimento da inteligência e dos conhecimentos de várias gerações. Queriam fazer isso bem feito. Tinham a absoluta certeza de que não era um problema que pudesse resolver-se com uma lei ou duas, ou com uma mudança de nome nos planos de estudo. Mas não fizeram uma coisa nem outra. Seriam tolos, ou preguiçosos?

– Não podiam fazer outra coisa, nisso dou-te razão. E menos ainda o podem agora, depois de transferidas a maior parte das competências. Mas se não puderam eles, também tu não podes. Além da política há as famílias, os sistemas de valores, e isso não é uma questão que possa ser resolvida por um ministro ou pelo presidente de uma comunidade.

– Mas nem sequer tentaram. Deviam ter promovido um grande debate nacional. Deviam ter levado a sociedade espanhola a interrogar-se sobre se queria ou não queria dar a prioridade à educação. Teriam nesse caso descoberto que a sociedade espanhola não podia levar a cabo esse debate porque estamos colonizados. Não pelos Estados Unidos, não é isso que me interessa agora. Estamos colonizados pelas empresas, por uma maneira de entender a economia que nos impede de decidir que espécie de país queremos. Ouviste a última do Sarkozy? "Quero uma França em que os alunos se levantem quando o professor entra na sala de aula".

– Não parece estúpido. É uma frase que toda a gente compreende.

– Estúpido, coisa nenhuma. Quer os votos da direita e de uma boa parte da esquerda social-democrata. Mas além disso, fala da única coisa de que pode falar. O bastão de comando. Em contrapartida, saber porque se hão-de pôr em pé os alunos sem futuro já não é coisa que possamos discutir.

A campainha tocou anunciando o fim do recreio.

– Mesmo que tivesses razão, Manuela, neste caso sou eu que tenho o bastão de comando e não te permito que interfiras com as outras disciplinas. Não preciso de te lembrar que este ano te livraste das direcções de turma.

– Está bem. E esses dois miúdos que cometeram o erro de ligar ao que eu disse: podes deixá-los em paz?

– Sim, mas só por esta vez.

– De acordo – disse Manuela. – Note-se que estou a fazer isto com um grupo do segundo. Mas vou deixar o tema da escola secundária e limitar-me a questionar a minha própria aula.

– Tem algum cuidado. A autoridade não é um chapéu que se possa pôr e tirar sem problemas. Tu sabes.

Manuela encolheu os ombros:

– Bom, a autoridade é qualquer coisa que para bem ou para mal já atirei borda fora. Mas também não pretendo fazer-me amiga deles, não te preocupes.

Levantaram-se, pegaram nas chávenas vazias e levaram-nas até ao balcão. Quando chegaram junto a este, Pilar perguntou:

– Então, o que é que pretendes?

Manuela hesitou:

– Não te ris? Compartilhar a impotência, sabes?

Saíram da cafetaria e Manuela dirigiu-se para a sala de professores. Estava vazia. Uma vez mais entre as incontáveis vezes dos seus vinte anos de ensino, aproximou-se da janela para olhar para o pátio. Dois cestos de papéis que serviam também de baliza. Três bancos onde costumavam juntar-se as raparigas, enquanto a maior parte dos rapazes jogava futebol. Tinha qualquer coisa de pátio penitenciário embora ela, pensou, nunca tivesse visto o pátio de uma prisão de verdade, a não ser no cinema. Passou as polpas dos dedos pelo vidro. Dispunha de alguns minutos enquanto os miúdos fossem entrando para a aula.

Foi sentar-se na mesa mais próxima. Tinham passado três dias desde a estranha oferta de Enrique, mas ainda não falara com ele, nem com Susana. Não fazia a mais pequena ideia do que pudesse vir a ser a reacção da filha. Qualquer coisa que decidissem seria sempre entravada pelo facto de Marcos e Rodrigo serem menores, e ela não via em nome de quê poderia impor aos seus filhos uma educação mais barata do que a de Susana ou uma casa pior. Na realidade, servira-se da existência de Marcos e de Rodrigo para não pensar muito no assunto. Tudo a seu tempo, dizia para consigo, sabendo que primeiro teria de falar com Enrique e não da escritura nem das acções. Embora, por outro lado, não seriam eles já demasiado velhos para falarem de "nós", da "nossa relação"?

Talvez fossem, disse para consigo, mas não lhe restava outro remédio. Tinha de o fazer e antes de o fazer tinha de perguntar a si própria por que razão preferira convencer primeiro os seus alunos, em vez de Enrique. Porque renunciara a convencê-lo como se soubesse de antemão que não o conseguiria? E se pensava que não o conseguiria, então não tinha com certeza o direito de estar com ele. Enrique merecia que ela tivesse pelo menos tentado. Sentiu frio nos pés, nas mãos, na ponta do nariz. Errara. Pensara que o ponto de vista de Enrique e a sua nova maneira de ver as coisas poderiam ser compatíveis.

A campainha tocou pela segunda vez. Manuela foi para a aula. Tudo caía à sua volta. Agora ia ter de explicar aos alunos que não podiam fazer perguntas aos outros professores. Teria de lhes dizer que não era verdade que estivessem na escola para aprender do mesmo modo que não era verdade que ela ali estivesse para ensinar. Estava ali para ganhar o seu salário. E eles estavam ali para obedecer, ainda que numa escola secundária actual o significado da palavra obedecer fosse risível. Mas, em todo o caso, o que além disso ela conseguisse ensinar e eles aprender era secundário, podia acontecer ou não acontecer. Entrou na sala de aula, fechou a porta. Eles não se levantaram quando a viram entrar. Também não lhe fizeram uma recepção especial, não tinham escrito no quadro uma bela frase, nenhum dos alunos se levantou para lhe ler em nome de todos uma citação de Sócrates ou um poema de Walt Whitman. Ela parou a olhar para eles e disse:

– Bom, parece que isto vai ser mais demorado do que eu pensava. Estive a falar com a directora de estudos e ela recomendou-me que não nos metêssemos em política.

O DISPOSITIVO DO PRIMEIRO terraço estava a funcionar havia já seis semanas, tinham recolhido novecentos gramas de espirulina e tinham formado mais de oitenta pessoas que se revezavam nas tarefas. O padeiro oferecia uma variedade de pão com espirulina em pequenas quantidades. Tinham começado a divulgar a existência do dispositivo, pela internet, através de visitas de alunos de escolas secundárias, de colectivos organizados e de alguns jornalistas, na sua maior parte da imprensa alternativa.

O segundo terraço também já estava a funcionar. Aí não cultivavam espirulina, mas *Porphyridium cruentum*. Mais noventa pessoas dedicavam a este dispositivo aquilo a que chamavam tempo de trabalho reapropriado. E contudo, uma questão preocupara Eloísa desde o começo.

Embora a fotossíntese fizesse o seu trabalho; embora as microalgas fixassem o dióxido de carbono e libertassem oxigénio; embora obtivessem dos fotobiorreactores uma biomassa de microalgas e a utilizassem para enriquecer o pão ou qualquer outra coisa, a verdade era que além disso Goyo e ela estavam a fazer uma experiência. Dispunham de uma enorme mão-de-obra gratuita, de um espaço e de um tempo gratuitos, sem pressões de prazos nem outras exigências. O *Porphyridium cruentum* era uma alga vermelha, cuja cultura era mais delicada do que a da espirulina: se houvesse contaminação tornar-se-ia necessário parar todo o processo e começar de novo, o que era uma possibilidade para eles pois nada tinham a perder.

Elo perguntava-se o que aconteceria se chegassem a algum resultado tangível. Porque não tinham nem a capacidade nem sequer a vontade de registar a patente fosse do que fosse. Mas se acabassem por proporcionar dados úteis permitindo a uma grande empresa aperfeiçoar, por exemplo, o modelo de um fotobiorreactor, então teriam caído numa espécie de engano: não teriam conseguido que as pessoas se reapropriassem de um tempo seu, mas ter-se-iam antes limitado a entregá-lo a outros donos.

Antes de começar, Eloísa expôs a sua preocupação ao grupo e propôs que no segundo terraço montassem fotobiorreactores tradicionais. Na votação triunfara, todavia, a possibilidade da experiência. Uma das discussões que queriam introduzir, disseram-lhe, era sobre o direito roubado a experimentar, a investigar e a decidir acerca de que assuntos valia a pena fazê-lo. Eloísa aceitou o resultado da votação. Mas não podia evitar pensar que se por fim vissem o seu tempo e a sua dedicação apropriados por outras empresas, o resultado seria desencorajador.

Havia quatro pessoas com ela no terraço naquele momento, quatro partículas não desestabilizadoras, mas à sua maneira, pensou, estabilizadoras de outros sistemas de relação. Só conhecia Félix. Aproximou-se dele para se despedir:

– Espera. Eu desço contigo – disse Félix.

Elo disse adeus aos outros e ficou à porta à espera de Félix. Nas escadas ele perguntou-lhe se estava com pressa.

– Não muita – disse ela.

– Tomas uma cerveja?

– Se estás de acordo, vens comigo ao carro, mudo o papel do estacionamento e depois procuramos um bar por aí.

Félix começou a caminhar ao lado dela.

– É que tenho algumas dúvidas sobre isto tudo, mas não quero levantá-las por enquanto nas reuniões, não quero que passemos o tempo todo a discutir.

– Diz lá. Também eu, há bastantes coisas que não compreendo bem.

– Bom, digo-te quando chegarmos ao bar, são duas coisas. Ouve... Posso fazer-te uma pergunta que tem a ver com a tua vida privada?

– Preferia que me fizesses perguntas sobre os fotobiorreactores, mas vá lá, podes tentar.

– És divorciada, não és?

Elo assentiu.

– E a tua filha vê o pai?

– O Bruno foi-se embora quando eu estava grávida de oito meses. Apareceu quando a Vera tinha três anos, passou uma tarde com ela e depois não voltou a aparecer.

– Mas sabes onde vive?

– Sim, acho que é em Cádis.

– E nunca fizeste nada, sei lá, nunca lhe mandaste galinhas mortas pelo correio para que toda a gente saiba que se portou mal?

Tinham chegado junto ao carro de Elo. Félix esperou enquanto ela punha as moedas no parquímetro e mudava a senha do estacionamento.

– Não, nunca fiz nada – disse Elo. – Tu gostavas de fazer isso a alguém?

– Às vezes, sim. Ao meu pai – disse Félix.

– Sim, eu há alguns anos também gostava de o ter feito.

– E porque é que não fizeste?

– Por preguiça, por medo, porque não tinha servido de nada.

– Pois. Eu não vejo as coisas assim.

Entraram num bar. Ficaram de pé diante do balcão e pediram duas cervejas.

– Se as pessoas não sabem o que é ter vergonha na cara, devem aprender, não é verdade? – disse Félix.

– É preciso ter tempo, e vontade.

– E tens vontade para fazer instalações em terraços e não para mandar uma galinha morta a um desavergonhado que ainda por cima é o pai da tua filha?

Elo riu.

– Estou a falar a sério – disse Félix.

– Eu sei. Fala-me lá das tuas dúvidas, e voltamos depois à galinha.

– De acordo. Digo-te as duas que tenho. Uma é a da história do "final de chaminé". O que estamos a fazer é um remendo, conseguimos que chegue um pouco menos de CO_2 à atmosfera, mas não conseguimos que se emita menos CO_2, que é o que importa.

– Para que as empresas emitam menos CO_2, teríamos de usar um poder que não temos. Esta solução pelo menos faz pensar no que se passa, pode fazer até que se chegue a ver o CO_2 quando se vêem as algas que crescem com ele, e por outro lado não se limita a gastar água nem causa a erosão da terra nem tem os restantes numerosos inconvenientes das outras soluções. Mas não é uma panaceia, e nós devemos deixar isso bem claro.

– Sim, é isso mesmo. Quer dizer, acaba por não ser uma panaceia ecológica, e também não o é do ponto de vista político. Imagina uma loucura, imagina que conseguíamos dez milhões de adesões. Dez milhões de pessoas dispostas a oferecerem uma parte do seu tempo de trabalho e dos meios de produção que usam. A verdade é que nem assim conseguiríamos nada.

– A verdade – disse Elo – é que me custa imaginar isso. Para já, se os dez milhões de pessoas se dedicassem a montar dispositivos como o nosso, conseguiríamos uma redução significativa de CO_2. Embora tenhas razão quando dizes que esses dez milhões de pessoas não poderiam fazer a mesma coisa que nós. Os dispositivos teriam de ser montados perto das centrais térmicas, das grandes fábricas de cimento, e isso exige uma organização política forte, teríamos de arranjar uma lei, não é uma coisa que se possa fazer em horas perdidas.

– Vês? O que estamos a pedir são horas perdidas, e isso não significa nada.

Eloísa olhou para Félix. O físico dele fazia-a pensar no do seu irmão: não era muito alto, tinha os olhos claros e grandes, um tanto arredondados, e o cabelo louro. Também se vestia como o seu irmão, *jeans* azul-escuros e pólos da mesma cor. Mas era o perfeito oposto do seu irmão na maneira de encarar a vida.

– Não sejas tão perfeccionista – respondeu-lhe ela. – O que interessa, segundo vocês disseram, é tentar levar outra vez a política para o trabalho; lembrar que caso contrário o resto acaba por ser contestação de fim-de-semana.

– Mas acreditas que vamos conseguir isso fazendo com que uma pessoa passe duas das suas horas de trabalho num terraço? Nisso não há luta, é só dispersão, não há qualquer compromisso.

– A vida real é assim, Félix. Não é: aqui tens uma semente, carregas num botão, e aí está a árvore. O tempo passa. Se a interrogação penetrar nos locais de trabalho, pode ser que alguma coisa aconteça. Não fales de horas perdidas. São horas recuperadas. Olha, talvez neste momento haja trezentas mil pessoas que trabalham no que querem. Estão de acordo com os critérios das suas empresas, fazem aquilo de que gostam. Mas todas as outras, a partir desta acção mínima das duas horas recuperadas, podem começar a não querer que sejam só duas.

– E agora não querem? Achas que a maioria das pessoas não se dá perfeitamente conta de tudo o que não suporta, de como é desastroso estar num hospital enquanto aumenta o número de doentes, mas não o número dos médicos, da merda que é trabalhar numa obra e não ter segurança social ou... ? Bom, o exemplo tanto faz. O problema é que se dizes alguma coisa és posto na rua, ou os que têm poder para te fazer a vida impossível encurralam-te. Mas não se combate o poder a plantar microalgas nos terraços.

Elo olhou para Félix:

– As microalgas não se plantam – disse ela. – Cultivam-se.

Félix sorriu:

– É verdade.

Depois calaram-se os dois. Eloísa pensava em si própria, claro que era muito mais difícil, mais duro, mais comprometido exprimir desacordo no interior da empresa do que cultivar microalgas.

– E para que serve o confronto quando sabes que vais perder? – disse ela. – É preciso ter-se alguma coisa por detrás, uma rede, uma organização, qualquer coisa que permita que quando entras em confronto não te suicides.

– Isso também eu acho – disse Félix. – Só que talvez sejamos cobardes. Porque imagina que vês um grupo de neonazis à cacetada a um mendigo, e depois, como não tens uma organização por detrás, pões-te a mexer.

Tinham acabado a cerveja havia já algum tempo. O bar estava cheio de gente.

– Félix, és muito parecido com o meu irmão. Mas só fisicamente. O meu irmão se aqui estivesse, dizia-te que bebesses mais uma cerveja. Olhava para a gente que aqui está no bar e perguntava-te: "Estás a ver aqui algum neo-nazi? Quando os ladrões vierem, apanhamo-los".

– E tu?

– Eu sou uma mistura do meu irmão e de ti – disse Eloísa, e pediu mais duas cervejas. – Que ganhavas tu enviando pelo correio uma galinha morta, Félix?

– Eu nada, mas acho que o mundo ficava a ganhar. Educas a tua filha, não educas? Algumas vezes dizes-lhe que já chega. Mas aos adultos ninguém diz seja o que for.

– Porque são responsáveis.

– Responsáveis? Vivem aqui, entre nós, fazem mal, e acabam por acreditar que não tem importância.

– É um perigo, Félix. Como é que podes mandar um cadáver pelo correio?

– Tem de ser enviada por mensageiro. – Félix sorriu. – É preciso embrulhá-la bem... Suponho eu. De qualquer maneira, se quiseres um dia pensamos nalguma coisa melhor do que a galinha morta.

MAURICIO SAIU DA LOJA para dar uma volta durante os dez minutos de que dispunha. A plaza de Colón com os chamados jardines del Descubrimiento ficava não muito longe. Gostava de sentar-se diante dos quatro grandes blocos de betão que havia ao fundo. O lugar não era especialmente acolhedor, mas ele imaginava que aqueles quatro blocos amuralhavam o ar e, como diques, continham a cidade, os telefonemas pendentes, as recordações.

Ao pé dos blocos havia um tanque sulcado de cabos de iluminação nocturna. Mauricio costumava sentar-se num banco situado a poucos metros do tanque. Ficava ali a imaginar bifurcações e o lugar aonde poderia ter chegado se não tivesse conhecido a tensão que, pouco a pouco, quebrara o horizonte como um tiro, como rachas que se estendem e desenham linhas na superfície de um vidro. Um dia Mauricio empurrara o horizonte com o dedo, o vidro desfizera-se e ele atravessara-o. Depois regressara para continuar a fazer quase as mesmas coisas, a comprar leite no mesmo sítio, a ir aos mesmos cinemas e bares, a ver quase os mesmos amigos, mas já não podia deixar de sentir que o vidro estava partido, que o exterior estava dentro e havia chuvas torrenciais e um vento cortante.

Foi observar o tanque que ficava por debaixo dos blocos. Perguntava-se quanto lhe custaria esquecer que o vidro se partira, ou se poderia sequer recompor os pedaços. Porque não? Sonhou a casa onde viveria, as suas chávenas, a música, a roupa nos armários. Talvez pudesse pedir dinheiro aos pais, arranjar maneira de encontrar outro trabalho e ir viver para um apartamento bonito e restaurado. Imaginou as tensões que aí teria, as tensões que não quebrariam o vidro, mas que viriam do dinheiro, dos contactos, das relações. Porque talvez pudesse livrar-se do vento e das chuvas da militância, livrar-se da malfadada imaginação que agora, quando alguém falava da invasão do Iraque, o fazia ver rostos e mãos concretos e futuros abolidos. Mas em contrapartida formar-se-iam sem dúvida outras tensões, o cultivar dos contactos, o pedir dinheiro. Projectou sobre os blocos de betão a sua cozinha, o frigorífico e a máquina de lavar colorida, instrumentos de madeira e metal, pratos de louça branca. Imaginou o quarto de banho com uma grande janela e azulejos vermelhos e brancos.

Imaginou uma sala de estar com dois jarros tibetanos em cima de uma mesa negra, música. Ali, num sofá de tecido pensaria de vez em quando nesses dias em que estivera exposto às extensões abertas do outro lado do vidro, quando o destino lhe concedera vislumbrar a dimensão épica, sem cavalos, sem canhões, sem batalhas sob as ordens de Napoleão, mas também sem trajectos turísticos nem maus filmes. Uma dimensão épica menor, uma certa noção do desconhecido. E não soube que carta jogar. Não soube quem queria ser, mas só quem era, alguém que se levantava, alguém que deixava para trás os jardins e atravessava a moldura do vidro quebrado.

6

CADERNO DE MANUELA

Não lho contei a si que um dia encontrará estas folhas: o Enrique pôs a casa e o dinheiro em nome da minha filha Susana, a revolucionária, e em meu nome. O Enrique obrigou-nos a escolher e eu disse-lhe que não podia obrigar-nos. É verdade, não pode. A resistência passiva tem as suas vantagens: uma delas consiste em não responder. Não podem obrigar-te a comer, não podem obrigar-te a responder. Podem, evidentemente, mas nesse caso nem comes nem estás a responder. Se o Enrique nos fizer um ultimato, se através de um acto de força decidir que para ele uma semana sem responder ou um mês sem o fazer equivale a um sim ou a um não, isso não significará que tenhamos respondido e ficará sempre a dúvida: porquê oito dias e não nove? Porquê um mês e não dois?

"Deixas-me só", disse o Enrique. Ao fim de vinte e três anos conhecemo-nos bastante bem e senti que o meu estômago se contraía e que os meus olhos se embaciavam. Pensei que não podia estar completamente enganada. Mas os dias duram vinte e quatro horas, a própria dor tem de ser entendida durante vinte e quatro horas. Agora não entendo esta vida. Não entendo a minha própria vida, não posso viver a repetir as coisas que fazia porque essas coisas agora já não as entendo e teria de as repetir sem as entender. Também não entendo as coisas elementares: de que é feita uma parede, quem a fez, porque podemos pagá-la mas não podemos deter a barbárie, porque é que quando se trata de evitar os males evitáveis somos tão fracos.

Aproximei-me do Enrique. Perdoou-me por não ter tentado convencê-lo, por ter pensado que podia esperar. Pedi-lhe que me deixasse tentá-lo agora. E ele disse que não tinha de lhe pedir desculpa por isso. "Não é por teres pensado que podia esperar", disse ele, "é que sabes que não podias convencer-me". Com uma doçura distante, como se eu tivesse sido desterrada para a última ilha da Terra e ele estivesse a enviar-me para lá uma mensagem, disse-me que eu estava pôr tudo em perigo.

Os meus meses em Parla podiam ter-nos causado problemas graves, disse ele, se, por exemplo, me tivesse acontecido alguma coisa. Apesar de tudo, confiou em mim e no meu regresso, acreditou que eu não perderia a perspectiva, que poria essa história do equatoriano e de tudo o que acontecera numa prateleira da minha rotina, em duas horas semanais de voluntariado, por exemplo, e ponto final. Mas não o fiz: a mancha de óleo foi alastrando, eu não estava onde estava, comportava-me como se a vida em casa fosse somente um acidente temporal.

O problema, disse ele, é que isso não era uma acaso, mas simples coerência. Se eu continuava a sustentar as minhas ideias, devia então por coerência negar o valor de tudo o que tínhamos, não podia sentir-me orgulhosa da casa nem de o Marcos ter sido vencedor num desafio de voleibol nem de ele, Enrique, ser como eu sabia que ele era. Uma vez que não se tratava apenas de uma questão ocasional, e uma vez que eu não reconhecia o valor do que tínhamos construído juntos, também nada faria por cuidar de tudo isso porque, acrescentou ele, "uma coisa implica a outra".

Até a esse momento eu escutava-o com a melhor boa vontade; todavia, aquela frase "uma coisa implica a outra" espicaçou-me. Era uma frase de pais, é a frase que nós dissemos à Susana quando ela apanhou a sua primeira bebedeira aos treze anos. Uma frase de pais para filhos, uma frase de sujeitos que pensam estar a dirigir-se a sujeitos supostamente desprovidos da maturidade necessária para verem o efeito das suas acções no tempo. Em cima da mesa da sala estava o catálogo de uma loja de móveis, tinha-o folheado havia alguns dias e sabia o que continha. Sentei-me no sofá, peguei no catálogo. Estava consciente de que ia irritar o Enrique, mas sentia que ele não me deixara outro caminho. Li em voz alta: "A qualidade de vida não depende de grandes coisas, mas desse pequeno mundo a que chamamos a minha casa. Por isso vamos criar juntos um lugar onde possa desligar-se do exterior, ser você mesmo e fruir a companhia das pessoas e das coisas que o fazem sentir-se feliz. Chegou o momento de você viver num mundo real: a sua casa".

– Estás a comparar-me com os criativos da publicidade. Pois sempre te digo que esses tipos não são idiotas – disse Enrique.

– Ainda não falei com a Susana – respondi-lhe. – Talvez ela tenha uma ideia diferente da minha.

– Vão devolver-me a escritura, eu sei. A esquivares-te tu chamas não responder, mas o que é evidente é que vocês não assumem a responsabilidade seja do que for. Nem de viverem nem do sítio onde vivem, nem de terem o dinheiro que têm, nem da vossa família.

O Enrique saiu da sala. Não me parece que pense tudo o que disse. Suponho que basta que pense metade, ou uma terça parte, para estar diante de um problema sério. Não compreende que a Susana e eu, cada uma pelo seu lado, estamos a deixar de compartilhar dos valores dele. Se amanhã ele me dissesse que vai entrar para a Opus Dei ou para um partido de extrema-direita, acho que também eu não o compreenderia. Mas o Enrique sabe que não é a mesma coisa. Com a extrema-direita a discussão acabaria ao fim de meia hora. Em compensação, se o Enrique quiser deixar de olhar para outro lado por um momento, então veria e, ainda que discordando, poderia ficar a falar comigo até ao nascer do dia.

Porque é que ele não quer? O Enrique entende que passámos dos limites, que na nossa idade não se muda de valores nem de objectivos. Na minha idade só as velhas senhoras loucas escrevem num caderno nos bancos das ruas. Eu não sou uma velha senhora louca. Também não sou uma mulher enigmática. Estou agora numa gelataria onde pareço uma professora de escola secundária de quarenta e quatro anos que toma notas num caderno. Gostava de ter coragem. A coragem do servo que soube desobedecer à madrasta e deixou fugir a jovem, levando-lhe o fígado e os pulmões de um javali como falsa prova do crime. Suponho que o Carlos Javier poderia ensinar-me isso.

Como estarmos preparados? O Enrique contou-me uma vez que os astronautas recebem treinos especiais durante os quais são simuladas situações-limite, mas depois acontece que na hora da verdade, embora a situação seja idêntica à simulada é sempre diferente, porque é real. Se a Susana ouvisse isto, sorriria. Ela sabe que não me interesso por questões assim. E é verdade: não me preocupam as situações-limite, mas as intermédias são a obrigação dos adultos. Que é feito dos adultos? Você tem-nos visto? Nesta gelataria há pelo menos trinta indivíduos que parecem adultos, eu incluída.

Ser o que parecemos, se você pudesse explicar-me como se consegue.

ESTAVAM NO ESCRITÓRIO do padeiro a elaborar uma nova proposta para a assembleia. A difusão da possibilidade de adesão à corporação, juntamente com as informações que tinham circulado sobre os dispositivos, tinham dado lugar a numerosas solicitações. Não só em Madrid, mas em cada cidade onde existia um colectivo a trabalhar contavam-se entre trinta e trezentas, e outras tantas pessoas tinham manifestado a sua intenção de assinar quando houvesse projectos concretos.

Já tinham feito aquilo que numa primeira fase se propunham fazer. Tinham escrito a sua pergunta a giz de microrganismos. Mantê-la-iam viva. Em dois pontos de Madrid a respiração de algumas células vermelhas e verdes, a sua reprodução constante, a sua presença ocorrida à margem dos centros previsíveis, idóneos, reescreveria diariamente a pergunta. Qualquer pessoa que visse os dispositivos na internet em vez de uma fotografia imóvel veria o fluxo contínuo no interior dos tubos, o fluxo que produzia uma espécie de combustão inversa: não da árvore para o fumo e para a cinza, mas do fumo para a árvore disseminada em vida de vegetal marinho.

De momento tinham capacidade para montar dispositivos em quinze cidades, pelo menos um por cidade com seis fotobiorreactores de dois metros cada um. Mas tinham posto de parte essa via. Embora não abandonassem por completo o projecto, pensavam que deviam avançar mais.

– Quando chegar o Inverno – disse Elo – vai ser difícil manter vivas as culturas. Podíamos então encarar a possibilidade de montarmos pelo menos dois dispositivos no Sul, nas cidades onde tenhamos mais gente.

O padeiro estava havia alguns minutos com eles, à procura de um papel, mas atento ao que diziam:

– Não compreendo porque é que vocês não querem fazer isso agora, e não só em duas cidades, mas em duas dúzias – disse ele. – Teria muito impacto.

– Sim – riu-se Susana. – Podíamos fazer um *franchising*: "Coma ao lanche pão com espirulina enquanto vê como as algas limpam o ar do quarteirão".

– E acompanhe-o com uma chávena de chá de erva – disse Félix. – E se propusésssemos a coisa à Starbucks?

— Esquecia-me outra vez — o padeiro soltou um suspiro — que vocês não são uns rapazes lá muito espertos. Não estão interessados em expandir-se para fazer negócio. São uns idealistas estúpidos e ainda agora me pergunto como foi que terão conseguido pôr estes tubos a funcionar.

— Foi porque houve o estúpido de um padeiro que nos emprestou os terraços — disse Goyo.

O padeiro acendeu um candeeiro azul-marinho. Na parede, metade da fotografia da Ilha do Tubarão ficou iluminada pelo círculo de luz. Pela janela entrava ainda alguma claridade do pátio.

— Vamos continuar por este caminho da produção, do fabrico, ou seja lá do que for — disse Mauricio. — Fabricámos oxigénio. Agora vamos fabricar conhecimento.

NA ASSEMBLEIA a discussão durou quase três horas. Falaram das empresas concebidas como uma suma de conhecimentos organizada em vista de um propósito específico e alguém contou uma história sucedida durante um recente golpe de Estado. Os golpistas tinham-se reunido no palácio do governo, ainda não tinham decidido por completo os seus próximos movimentos e ficaram a falar, a beber, a tomar café enquanto os decidiam. Era de noite, o empregado que os servia ouvia tudo o que diziam. Foi ele quem informou os guardas leais do lugar para onde seria enviado o presidente, além de fornecer outros dados. E embora os golpistas tivessem cometido numerosos erros, improvisado muito, dizia-se que esse erro em particular fora uma questão de classe: para eles o empregado não existia; as chávenas enchiam-se sozinhas.

Sem dúvida, disseram eles, não era habitual ter-se acesso a grandes segredos, e menos ainda no momento oportuno. Mas não era no segredo que pensavam, mas no facto de estarem em todo o lado.

– Às vezes – interveio alguém – parece que a esquerda não se dá conta disso. Não precisamos de saber grandes segredos, basta termos um conhecimento acumulado de como funcionam as coisas em cada local de trabalho.

Podiam usar esse conhecimento, disseram, para produzir impulsos nervosos, potenciais de acção. Tratar-se-ia de divulgar as decisões mal tomadas, as iniquidades, o material desperdiçado. E também as insuficiências, o que seria possível fazer. Não seria sequer necessário revelar aspectos confidenciais.

Pela primeira vez, Eloísa tomou a palavra na assembleia:

– Parece-me um salto muito brusco... – disse ela. – As pessoas às vezes precisam de arranjos e de silêncio. De tempo para amadurecer. Talvez estejamos a ir depressa de mais.

– Quantos vamos ser? – responderam-lhe. – Dois mil? Três mil oitocentos e vinte e seis? Umas quantas histórias numas quantas empresas e escritórios. Será ir depressa? Com sorte talvez conseguíssemos levantar algumas questões.

Alguém disse que conhecia um médico de um hospital que ficava num bairro onde havia muitos emigrantes. O número de pacientes da sua consulta aumentara seis vezes. O médico pedira à administração do hospital que criassem mais um lugar de adjunto, porque não tinham mãos a medir. E a administração recusava-se a fazê-lo para compor as suas contas à custa da deterioração das condições de atendimento.

– Podiam exercer represálias sobre esse médico por ele o ter divulgado – disse Eloísa.

– Esse médico – responderam-lhe – já fez sessenta anos. Como ele diz, não tem nada a perder. A verdade é que sim, que tem qualquer coisa a perder. Trabalhou a vida toda nos serviços de saúde públicos por escolha, pelo sentido que via em estar nesses serviços, e agora estão a destruí-los. Há bastantes pessoas como ele. Muitas não têm sequer um trabalho, mas meio trabalho, ou pedaços de trabalho. Muitas outras sentem-se realmente frustradas. Não devíamos delapidar a sua frustração, é uma energia latente que ninguém usa.

– E os que temos a perder alguma coisa? – disse Eloísa. – Os que não somos monstros, mas nos habituámos a consentir um pouco de desonestidade, ou com os danos causados a pessoas e em lugares distantes. Convivemos com a mesquinhez própria e alheia, e em certas alturas somos até capazes de a justificar. A vida é também deixarmo-nos ir. Às vezes parece-me que não temos direito a metermo-nos onde não somos chamados.

Alguém respondeu:

– Só o funcionamento nos poderá dizer se é assim. Se ninguém estiver interessado, há-de chegar um momento em que tudo acabará e desistiremos.

Concordaram em organizar grupos encarregados de recolher informação e de a ordenar. Por turnos. Chamaram ao que iriam fazer tentar desfazer o reflexo condicionado, esse reflexo segundo o qual o dominante se via como provável e até como lógico; devido a esse reflexo condicionado não se via como ameaça a permanência de uma ordem baseada nos estragos que causava, mas sim, absurdamente, a tentativa de modificar essa ordem.

Alguém falou da dificuldade de divulgar as histórias que recolhessem.

– Talvez de momento seja suficiente recolhê-las – responderam-lhe. – Talvez o acto de as contarmos, fixando-as, seja já um resultado. Depois de termos contado certas coisas não a título privado, mas a um grupo que as recolhe e organiza, será mais difícil continuarmos sem nada fazer. E, em todo o caso, nada nos impede de continuarmos a pensar.

Por fim, a proposta foi aprovada.

Tudo é tremendamente frágil. Uma pequena dor na nuca, uma depressão que não se desfaz, um cancro terminal, uma ultrapassagem em falso do camião e sobrevém a morte ou a paralisia nas duas pernas. A vida vira-se-nos do avesso a qualquer momento. Posso perder tudo num segundo, a razão, a mobilidade, o futuro e é pior ainda quando penso que tudo isto pode acontecer ao Marcos, à Susana, à Manuela, ao Rodrigo. Tremendamente frágil.

Não me respondeste, Goyo, mas quero explicar-te a situação em que me encontro. Ontem, depois de falar com a Manuela, saí do quarto e no meu escritório, enquanto o computador arrancava, vi a probabilidade. Eu explico-me: vi o governo despótico da probabilidade. Vi que a probabilidade não é só um conceito matemático, é uma presença quotidiana, ameaçadora, cruel. Não estamos seguros, vivemos em sossego porque a probabilidade incontrolável nos concede, minuto a minuto, que nada aconteça enquanto nos recorda que poderia acontecer.

Agora é muito tarde; tudo parece tranquilo nesta casa num bairro bastante bom, mas não há tranquilidade: a ameaça chega a cada quarto, penetra os nossos corpos. Dizem que o cancro começa quando uma célula-mãe tenta responder a certa agressão do meio. Estás a ver? Nós nem demos por isso, mas deu por isso a nossa célula e reage provocando o tumor. É possível que isso mesmo ou alguma outra coisa igualmente dura esteja a acontecer agora no corpo da minha mulher, dos meus filhos, no meu corpo. Um tumor maligno, uma doença degenerativa, uma síndrome que destrói os nervos, um aneurisma mortal, um surto psicótico.

Imagino as ruas negras, escuras, algumas delas iluminadas. São como faixas que se estendem. Um assaltante, uma bactéria, um choque de automóveis, um telefonema a qualquer hora dizendo: aconteceu uma coisa ao teu filho, à tua filha. Não tem de acontecer, eu sei, mas pode acontecer. Morrer no metro, num choque de comboios, morrer de uma intoxicação, ser o pai do rapaz que ia acampar e cujo autocarro se despenhou nos Picos da Europa. Tu falas dos normais, Goyo; também eu falei dos normais – mas quem são? Há demasiadas excepções. Tantas excepções começam a constituir uma regra.

Ninguém Se Salva – li esse romance de Piasecki na minha juventude. Talvez alguns se salvem por acaso, mas vivem com a ameaça. Não podemos proteger-nos da ameaça, manter-nos fora do seu raio de acção. Chamam a isto sociedade do risco porque uma coisa é a esperança de vida, Goyo, e outra livrarmo-nos do possível, o avião que explode ao descolar, o contágio indevido, a remessa de géneros alimentares deteriorados. Depois indemnizam-nos. Mortes indemnizadas, outra grande conquista da civilização, ainda que me repugne.

Vais dizer-me que são infinitas as mortes das quais a minha querida classe média está a salvo. Tu e eu estamos a salvo de morrer sem cuidados médicos, de morrer numa jangada, de morrer, por agora, sob as bombas de fragmentação. Não preciso de continuar, meu rapaz, nem tu precisas de que eu continue: sabes que eu sei, estamos a salvo de muitas mortes. E além disso hoje não quero que discutamos.

Depois de ver a probabilidade fui-me deitar. O meu pai morreu de um enfarte enquanto estava a dormir, mas eu acordei. Tomámos o pequeno-almoço juntos, a Manuela, o Marcos, o Rodrigo e eu. A Susana não ficou em casa esta noite. Fui trabalhar e havia uma neblina diante das coisas. Estão-me a lixar no trabalho. Não é nada que tenha a ver comigo pessoalmente, não é que ninguém me veja com maus olhos. É a pirâmide, são os meus anos, é a boa sorte de outros. Não te vou dizer que fui mais nobre do que os outros, nem mais mesquinho. Intriguei como qualquer outro. Mostrei as garras para defender o meu lugar na pirâmide, mas o espaço é agora apertado e estão-me a lixar. Se não conseguir subir até ao próximo escalão é possível que acabe por descer. Não me dão aquilo de que preciso. Atribuem-me clientes que não são de sucesso nem o vão ser. Especializam-me contra a minha vontade em instrumentos informáticos residuais e limitam-me assim o campo dos contactos.

Por minha vez, eu ataco, porque sei que no dia em que me resignar a queda será muito rápida; apesar de tudo, ao ver a névoa pensei por um momento como seria uma vida onde nos fosse permitido, aos homens da classe média, envelhecer profissionalmente, e também sexualmente, em paz. Os meus colegas, os meus amigos, procuram miúdas de vinte anos quando dão um curso, quando vão a um congresso, e às vezes pagam para as terem. Eu também as procurei, e cobri de floreados e palavras o momento da constatação: o corpo próprio frente ao que se possui por meio de dinheiro ou ardis. Deixem-me ir embora. Sente-se vontade de o dizer, mas cala-se. Estão a lixar-me no trabalho e eu vou ter de ultrapassar, de me antecipar, de fazer propostas que não me pediram. Bem, é isso que vou fazer, são as minhas regras.

Voltei do trabalho, a neblina não se dissipava, estava a conduzir e pensei que a Manuela merecia um companheiro. Merecia que eu fosse seu companheiro, embora a palavra me inspire certa aversão, como deves compreender. Ela merecia-o e eu devia estar ao lado dela. Não sou um sentimental. Não gosto dos impulsos que tão depressa aparecem como desaparecem. Não é de um impulso que te estou a falar: tenho o dever de estar com a Manuela. Se não posso secundar as suas ideias, também não vou boicotá-las nem desejar em segredo que ela falhe. A razão? Nunca viste cenas dessas em que o amante ou a amada ou o viúvo se inclinam sobre o corpo morto do seu par e gritam: "Não podes fazer-me isto!"? Absurdo, não é? A Manuela também não me está a fazer "isto". Tenho o dever de estar ao lado dela. Embora me conheça, Goyo, e saiba que não sou paciente, nem sofredor. De maneira que, para bem de todos, será melhor que meça as minhas forças: não vou levá-la de carro nos seus périplos guerrilheiros; não vou ocupar-me a ser eu a aquecer sempre o jantar, e só o farei nos dias em que isso me compete. Mas vou estar ao lado dela.

Também não sou tão estúpido que pense que tenho direito a perdoá-la, que lhe perdoei ou, no outro extremo, que nada há a perdoar. Não tenho direito a perdoar porque não se perdoa seja a quem for um cataclismo. Mas há agravos, não duvides. Os agravos estão por todo o lado. E não se trata de fazer as pazes, que pazes, quantas pazes, quantas guerras. Trata-se, então, de quê? De ser fraco? Agarrar-me-ei à Manuela porque sei que tudo é tremendamente frágil? Desconfio de mim tanto como tu: e com certeza mais porque me conheço melhor. É muito possível que me agarre a ela porque durante a noite, à excepção do corpo dela, tudo o que me rodeia é precipício, abismo. No entanto, a razão que me dou é a seguinte: se o abismo não só nos cercasse como estivesse entre nós, se nos tivesse alcançado sem remédio e eu encontrasse a Manuela no meio de uma inundação, de uma epidemia, à espera de uma morte certa, acompanhá-la-ia também. Não para a proteger, Goyo, não me acuses de paternalismo. Para estar ao lado dela. Morreria com ela, e é por isso que vou viver com ela.

Perguntas-me que te podem importar os meus bons propósitos, que importam seja a quem for os propósitos quando são propósitos somente. Dá-me tempo. E vais ver, meu rapaz, que explicando-tos começo já a acompanhar a Manuela. Não te escondo que te escrevo porque te vejo inseguro. Com toda a tua paixão e todos os teus motivos pareceste-me aquilo a que vocês chamam o elo mais fraco da cadeia. Queria minar as tuas convicções. Não te iludas, continuo a querer fazê-lo. Fez-me bem falar contigo algumas vezes. E não é também que isto seja uma despedida, digo simplesmente as coisas como elas são. Não posso acompanhar a Manuela e, ao mesmo tempo, tentar derrubar os pontos de apoio da minha filha uma vez que a Manuela agora também se apoia neles.

Da minha filha posso dizer-te que respondeu à minha oferta, que talvez já conheças: ofereci à Manuela e à Susana a escritura da nossa casa e os títulos de propriedade das acções para que os doassem ou vendessem. Nesse momento não pretendia, evidentemente, acompanhá-las, mas pô-las entre a espada e a parede. Como é já costume nela, Susana pôs o problema onde eu menos esperava. Falou-me da gestão. O problema não era, por exemplo, sentir-se ou não com direito a modificar os destinos dos seus irmãos, dizia ela. O problema era que neste momento vocês ainda não dispõem de uma organização capaz de gerir o património que eu lhes oferecera. Reconhecia que isso era uma prova da pouca força da vossa luta, e confiava em que essa força crescesse.

Conheço a minha filha, sei que não foi uma desculpa que me deu. Vivo com uma pessoa que na agitação da história não hesitaria em entregar a minha casa ao turbilhão, à esperança, ao erro, palavras estas que, referidas a uma convulsão social, àquilo a que vocês chamam revolução, me parecem sinónimas. Sei também que a minha filha é suficientemente sensata para não incorrer em voluntarismos românticos; a Susana dá-se perfeitamente conta de que vocês são tão poucos que não poderiam sequer fazer fosse o que fosse de coordenado com a nossa casa, e quando digo coordenado refiro-me ao facto de a minha filha saber que arranjar um apartamento a esse equatoriano, o Carlos Javier, ou comprar cem mil vacinas para África resolveria certas impaciências do coração, mas não seria um acto político.

Embora seja sensata encomendo-ta, Goyo. Encomendo-te a minha filha, se me permites este vocabulário cristão. Não me sinto com forças para acompanhar a Manuela e ao mesmo tempo discutir serenamente com a Susana. Dirás que a minha filha não precisa que eu a encomende seja a quem for, mas ela, como eu ta poderia descrever, é demasiado firme. E as coisas firmes não têm cintura: partem-se em duas.

Sei que ao pedir-te alguma coisa me comprometo de algum modo contigo, e não penses que isso me agrada. O que te peço é o seguinte: vê de vez em quando como ela está. A Susana está um bocado sozinha; o facto de não causar problemas, de não hesitar, de não ficar a olhar para a distância, ensimesmada, não significa que esteja sempre bem.

Eloísa levantou-se cedo sem fazer barulho. Depois de se vestir sentou-se na cama e acordou Goyo.

– Não podias ficar tu com a Vera esta manhã? Quero ir ver a cultura de *Porphyridium*. Viram-lhe outra vez manchas cinzentas. Pode ser que esteja contaminada.

– Podemos ir os três – respondeu Goyo meio a dormir. – Se tivermos de esvaziar aquilo, a dois é mais fácil. A Vera também pode ajudar.

– São oito horas. Levantei-me de propósito para fazer isto.

– Oito horas!

– Mais tarde vai estar muito calor. Eu volto antes do meio-dia.

Beijou Goyo nos lábios.

– De acordo – disse Goyo. – Telefona-me se houver alguma complicação.

Parou para tomar um café no bar mais próximo e depois conduziu até à rua onde ficava o segundo terraço. Uma vez lá em cima, Eloísa aproximou-se do primeiro fotobiorreactor. Chegou a mão ao tubo morno como se se tratasse do pescoço de um cavalo. A *Porphyridium cruentum* era uma alga extraordinária, mas não muito fácil de cultivar; hesitara muito antes de a propor para o segundo dispositivo. Acabou por fazê-lo, sentia-se certa de que a imagem dos tubos vermelhos se imprimiria facilmente na memória de quem a visse e isso também era importante para aquilo que estavam a fazer.

Comprovou com alívio que as tonalidades cinzentas detectadas não obedeciam à presença de bactérias. Na realidade não eram cinzentas, mas alaranjadas, embora de noite tivessem podido dar uma impressão de cinzento. Acrescentou sal à cultura e regulou a bomba de ventilação para aumentar a turbulência. Madrugara pensando que teria de interromper a cultura e limpar a instalação. Eram agora nove horas da manhã e tinha três horas à sua frente, livres. Podia voltar já, mas não o faria. Procurou o pequeno muro que separava aquele terraço do seu vizinho e sentou-se em cima dele, com as costas contra a parede, as pernas estendidas sobre o rebordo. Adorava sentir na pele o sol quando este não era demasiado forte. Às vezes falava mentalmente com Murdok, o seu gato, e naquele momento fê-lo com a alga. "Sabes uma coisa, Pecruentum? Devia sentir-me preocupada com o que disse ontem, mas não estou. Também devia ter-me zangado com o Bruno quando se foi embora, e me deixou grávida de oito meses, mas não me zanguei". Evocou Bruno, fora uma loucura casar com ele e não tardara a dar-se conta disso mesmo. Bruno desconhecia a existência da palavra amadurecer. Quando ela ficou grávida, ele não disse nada. E quando lhe fizeram a última ecografia e confirmaram que estava tudo bem, foi-se embora. As duas famílias, a de Bruno e a dela, tinham ficado escandalizadas. Mas ela não podia deixar de o compreender. Bruno não estava preparado para ter um filho. Não podia encarar essa perspectiva e fora-se. Nunca falaram de abortar. Eloísa pensava que se ele nunca o fizera, a causa era o espanto. Vira atónito como crescia a barriga de Elo e quando faltava só um mês para o nascimento da criança, compreendera o que significava o que estava a acontecer.

E ela que fizera? Deixara-se levar: pelo espanto de Bruno, pelas hormonas, pela emoção do corpo que crescia dentro do seu. Aos sábados, quando iam tomar um aperitivo com algum amigo, dava-se perfeitamente conta de que Bruno não seria pai da sua filha. Ouvia-o falar, dizer piadas, via como olhava para ela enquanto lhe passava as anchovas, com os olhos cintilantes, a felicidade do momento, e compreendia que Bruno se iria embora; não pensou que o fizesse tão depressa, imaginava que isso aconteceria quando a filha tivesse cinco meses ou um ano, mas sabia que em todo o caso ele iria.

Durante a semana a vida decorria sem dificuldades; tinham os dois horários de trabalho muito longos, enrolavam-se cheios de desejo e depois Bruno contava-lhe histórias das quais metade, como veio mais tarde a saber, era mentira. Um dia, quando Vera já tinha seis meses, Eloísa estava a arrumar a casa e encontrou uns papéis de Bruno que nunca vira antes. Neles leu que Bruno estivera dois anos na cadeia por tráfico de coca, embora nunca lho tivesse contado. Os pais de Bruno davam-lhe algum dinheiro, mas viviam em Granada e só viram Vera uma vez. Passado o primeiro ano, Eloísa decidiu não aceitar mais dinheiro. Devolveu-lhes o cheque. Os pais de Bruno insistiram um segundo mês. A seguir desapareceram também.

Algumas vezes Bruno chegara a falar de quando a filha nascesse. Costumava dizer que antes dos três meses a levaria a conhecer o sol da meia-noite e que depois iriam um dia ver os esquimós. O feiticeiro da tribo mergulharia a menina na água durante dois minutos, num desses buracos redondos que os esquimós fazem no gelo para pescar. Assim a menina nunca se constiparia e, se tivessem sorte, aprenderia a entender a linguagem dos peixes. Eloísa contara a Vera algumas dessas coisas, embora sem lhe dizer que eram histórias do seu pai.

Elo não sabia em que circunstâncias o pai de Félix teria abandonado a mãe dele, mas pensava que não tinha vontade de enviar a Bruno uma galinha morta. Apesar disso não conseguia esquecer-se da conversa com Félix. Supunha que fora essa conversa que a levara a falar como falara na assembleia. Talvez não guardar rancor fosse um luxo. Talvez ela fosse uma privilegiada por não ter de guardar rancor. Era-o sem dúvida, disse para consigo. Era uma privilegiada porque se tivesse tido necessidade do dinheiro de Bruno ou do seu apoio, se Vera tivesse problemas físicos ou psicológicos, se tantas coisas, então lembrar-se-ia todos os dias, ainda que o não quisesse, da traição de Bruno, sentindo-se humilhada.

Tirou o casaco e voltou a olhar para os fotobiorreactores. Gostava de estar ali. Goyo não podia certamente imaginar como ela gostava daquilo. Ter um sítio onde pudesse escapar da sua vida, e não porque se sentisse mal. Talvez pelo contrário, porque se sentia bem no seu trabalho apesar das contradições, e bem com Goyo apesar da diferença de idade, e bem com Vera apesar da insegurança e das dúvidas que experimentara algumas vezes devido à ausência do pai da sua filha. Sentir-se bem com eles talvez fosse o que lhe permitia afastar-se uns instantes, contemplar a sós um modelo celular produtor de polissacarídeos de alto peso molecular, e quase poder perceber o voo dos electrões.

Um dia deixaria tudo aquilo. Morrer era oxidar-se, era, de certo modo, perder os electrões, a ordem que os mantinha próximos. Olhou de novo a alga vermelha. Havia vinte e nove mil espécies de algas diferentes, vinte e nove mil estruturas vivas, forjadas na dificuldade da vida aquática, produzindo compostos bioactivos para comunicarem e se defenderem; milhões de entidades químicas únicas estavam ali à espera de que alguém quisesse compreendê-las e usá-las para melhorar a vida de outras espécies.

Goyo dizia-lhe sempre que era muito estranho encontrar pessoas de ciências que militassem, que era uma grande sorte poder contar com pessoas como Félix ou como Susana ou como ela. Dizia que nos cursos de ciências a pressão do estudo era maior e muito poucos eram os que estando nesses cursos quisessem ocupar-se de outras coisas. Mas ela explicava isso de outra maneira: o campo era demasiado vasto e não sobrava tempo, já não devido à natureza dos exames ou dos trabalhos mas devido à própria natureza, porque havia demasiados lugares para olhar e olhar não bastava, era necessária uma relação exacta, persistente, de experimentação em vista de se descobrirem as suas leis.

Sobressaltou-se ao ouvir a porta do terraço. Calculava que a partir das dez pudesse aparecer alguém para tratar das culturas, mas não passava ainda das nove e meia. Viu uma figura pequena, com o cabelo castanho, e reconheceu a seguir Susana. Esta aproximava-se sorrindo, surpreendida:

– Olá! Aconteceu alguma coisa? Como foi que vieste?

– Houve alguém que viu uma cor estranha no segundo fotobiorreactor – disse Eloísa pondo-se de pé. – Vim ver, não era nada de importante.

– Pois ainda bem que vieste. Daqui a bocado chegam dois da minha faculdade, o Miguel e a Marta. Mas estavam preocupados porque nunca tiveram de tratar ainda da alga vermelha e eu também não sei muito, só aqui estive uma vez.

– Eu ajudo-te, é fácil. Acabei agora de acrescentar o sal, será melhor esperarmos um bocadinho antes de fazermos as medições.

Hesitaram oferecendo-se mutuamente uma pausa, uma saída, um café a sós ou compartilhado. Nenhuma delas estava com vontade de descer e quando Susana se sentou no chão, Eloísa fez a mesma coisa. Susana parecia sempre agitada por um certo ritmo interior, seu. Elo sabia que tinham uma conversa pendente e decidiu abordá-la:

– Achaste mal o que eu disse ontem? Aquilo de não termos o direito de nos metermos onde não somos chamados?

– Pois... bem não achei – disse Susana. – Dava toda a impressão de ser uma desculpa. O que acabaste por nos dizer foi que não tinhas vontade de começar outra coisa um bocado mais comprometida do que esta história das algas.

– Sim, bem...

– O meu pai fala às vezes como tu falaste. Segundo ele somos uns arrogantes por querermos mudar as regras. Em contrapartida, fazer o que ele faz, apoiar essas regras, não é arrogância. Eu não vejo a diferença.

– Há uma diferença: se não fazes nada, não fazes nada. Mas quando intervéns, decides, escolhes uma direcção e tornas-te responsável de coisas de que os outros poderão depois culpar-te.

– Não sei... A minha mãe estava muito sossegada em sua casa e de repente apareceu um equatoriano e culpou-a. Tu disseste uma coisa, disseste que às vezes aceitavas males distantes ou qualquer coisa assim. Imagina que amanhã aparece em tua casa o homem que a tua empresa fez ficar aleijado ao montar uma instalação na Patagónia em más condições. Se ele não aparece agora não é por não te culpar, é porque não sabe como há-de chegar a ti.

– Susana, eu não acho mal a proposta. Só tentei descrever essa sensação de que talvez seja preciso deixar as pessoas sossegadas. Há muitas coisas que podemos fazer. Aperfeiçoar o cultivo da espirulina em fotobiorreactores evitaria a desnutrição de milhares de pessoas, e isso pode fazer-se sem traçar uma linha divisória entre bons e maus, opressores e oprimidos ou como vocês queiram dizer.

– Não estás a falar a sério, pois não? Quem vai ficar com a patente da cultura? Quem vai comercializar a alga?

– Nada é perfeito, por isso haverá de tudo; alguns ganharão mais. Hoje acontece que os laboratórios ganham com a penicilina, mas também que quase já ninguém morre por causa de uma bronquite. Diz-me lá que sentido têm os nossos ataques. Calhou-nos nascermos aqui num país semi-rico, calhou-nos termos uma formação universitária, e talvez a nossa tarefa seja simplesmente estarmos à altura disso.

– Talvez – disse Susana. Estava invulgarmente séria, tinha os olhos postos nas suas próprias mãos recortadas sobre os ladrilhos vermelhos.

Eloísa disse:

– Tenho bastante medo, Susana. Sinto que estou a caminho de um turbilhão e não quero que ele me sorva.

– Somos nós o turbilhão? – disse Susana num tom distante. – Somos muito poucos, Elo.

– Não são assim tão poucos, conseguiram envolver mais de duzentas pessoas numa tarefa que exige constância – disse Elo, e perguntou: – Vocês estudam no vosso curso a fisiologia dos vegetais marinhos?

– Eu não escolhi essa cadeira.

– Mas é maravilhosa. As macroalgas, como talvez saibas, produzem muitos compostos por meio de uma actividade antibiótica. Estão numa situação difícil, no fundo do mar, rodeadas de parasitas que crescem por cima delas, lutando pela luz, tentando evitar que as devorem. A sua capacidade de produzir compostos biotóxicos é de tal ordem que se cultivarmos essas algas em lugares fechados e não renovares a água a tempo, morrem numa questão de horas devido à sobredose das substâncias que elas próprias produziram.

– Tens medo de morrer por culpa dos nossos antibióticos?

– Dos meus, Susana. Nunca pensei que tivesse de me defender de certas coisas. Sou incoerente, sim, mas quem não é? Às vezes sou-o porque me obrigam, outras nem sequer me obrigam. Às vezes faço coisas que não são honestas. Mas vocês falam de um mundo em que eu teria de estar a atacar e a defender-me continuamente. Se no trabalho me fazem mentir, nem sempre o sinto como uma ofensa. Às vezes sim, algumas vezes. Mas outras vezes minto, e cinco minutos ou três segundos depois já me esqueci. Mete-me medo pensar que vou ter de me defender de tudo isso. Mete-me medo a pureza.

Susana falou como se fosse atrás das suas próprias palavras, como se de cada vez tentasse responder ao que ela própria dizia. Vacilava, parecia não ir encontrar qualquer resposta, mas acabava por encontrá-la e continuava a falar.

– A pureza. Vamos lá, agora estás a falar como a minha mãe. Não te digo isto para te chatear, é que é assim mesmo. A minha mãe sustenta que queremos ser puros e perfeitos. Mas... nos colectivos misturamo-nos mais do que se ficássemos em casa ou sempre no mesmo meio, não é verdade? São eles, esses que estão de acordo com as regras, são eles que não se misturam e ainda menos connosco. Não permitem a mais pequena intromissão na sua pequena vida imaculada. Digo imaculada porque, mintam ou não, sejam ou não desonestos, façam ou não negócio com o suor dos outros, a vida deles não se mistura com nada, e é isso ser puro. Como é que poderei enganar-me mais, Elo: tentando levar por diante a proposta de ontem, ou limitando-me a acabar o curso e a encontrar trabalho seja lá onde for? Eles acusam-nos de não termos dúvidas, mas vê-se que souberam sempre qual era o sítio que mais lhes convinha, e se não acreditas, dá uma vista de olhos às suas contas no banco... E nós, os que discutimos em todas as assembleias, que passamos horas e horas a discutir, que temos de pagar multas de novecentos euros por pormos três cartazes minúsculos, que tentamos uma e outra vez descobrir um caminho para fazer com que isto mude, nós não temos dúvidas! Vamos lá! Duvidar é mais do que dar voltas às coisas. Duvidar é quando essas voltas podem ter consequências. Não estou aqui por tudo me parecer claro, mas porque duvidei, duvidei da minha vida. Mas eles, os meus pais, muitos amigos, os que escrevem artigos nos jornais, muita gente, dizem que nós, os que duvidamos, somos precisamente nós os inflexíveis.

– Quantos anos tens, Susana?

– Sou um bocado mais velha do que pareço, tenho vinte e um. Achas muito pouco?

– Está bem...

COMUNICADO 6 COM BICICLETA

Mergulhados nas suas vidas particulares, os meus membros encomendam-me os inventários. É também para isso que existo. Aquela mulher imprime na sua empresa papéis para uso próprio, embora não devesse fazê-lo. Aquele homem destina alguns quartos de hora do seu dia de trabalho numa fábrica de móveis a expor aos seus companheiros um ponto de vista sobre uma lei ou um acontecimento internacional. O teleoperador prolonga a sua pausa visual de cinco minutos até aos sete e com estes dois minutos suplementares não faz nada, apropria-se deles como a classe média quando rouba um sabonete ou um pequeno boião de compota num hotel e julga poder assim acertar em parte o preço das coisas. Os homens e mulheres usam para os seus próprios fins dois azulejos que sobram da obra, cinco metros de cabo cuja falta não será notada, um *scanner*, uma câmara, um detector com agulhas de ferro. Às vezes servem-se em segredo dos escritórios para foder, dos telefones dos escritórios para falaram com as mães, dos computadores dos escritórios para lerem o seu correio electrónico pessoal, verem as páginas desportivas, pornográficas, noticiosas. Uf! Estou cansado. Corre por aí que os seres colectivos não se cansam e não é verdade. Cansamo-nos menos, sim, mas cansamo-nos também.

Porquê enumerar? Toda a gente o sabe. Toda a gente percebe a força da fricção, o atrito resultante da resistência dos seres humanos a serem explorados. Vocês dão-se conta que as pausas dos cafés se alongam e chamam-lhe preguiça, pouca vontade de trabalhar ou descaramento. Mas é preciso distinguir. Em relação aos restantes companheiros e companheiras prolongar a pausa do café pode ser sintoma de descaramento. Em relação ao sistema capitalista, falaremos de resistência. Politicamente não é uma resistência muito útil excepto para uma coisa simples e talvez menos cansativa do que as enumerações. Trata-se, uma vez mais, de imaginar. Vejamos o que existe, a grande maquinaria laboral capitalista, as pequenas empresas, as médias, as empresas transnacionais. E é nesta maquinaria que dia após dia, minuto a minuto, vemos a fricção.

Explorar é trabalhoso, exige capatazes, supervisores, gestores, directores de recursos humanos, rescisões de contratos, despedimentos de vária ordem, estímulos, prémios de produtividade. Não é só uma questão de atrito, é sobretudo uma questão de força. A roda da bicicleta está em repouso, e então alguém a monta e começa a mover os pedais: a primeira volta é a mais custosa. A maquinaria laboral funciona assim, sempre assim, a roda custa sempre a andar. Uma fábrica, uma empresa, um escritório nunca são como a bicicleta que aproveita o impulso já adquirido e parece avançar sem esforço, deslizando. A maquinaria laboral está sempre a arrancar, é constante nela esse primeiro momento em que o pé aperta o pedal e o ciclista experimenta um ligeiro desequilíbrio e tem de usar uma força superior ao do pedalar em marcha para vencer a inércia.

Comunico que não podemos deixar de lado as condições materiais, tangíveis, em que a sociedade de uma época dada elabora e transforma o que é necessário para seu sustento. Se alguém produz aquilo que detesta, ou se o produz para que disso beneficiem organizações que não pode respeitar, não é livre. E se a liberdade fica confinada à noite de sábado, à tarde de domingo, à hora do jantar, não é liberdade. Comunico que é já tempo de se exercer a liberdade nos locais de trabalho. Dizem-me que nos países socialistas as pessoas também perdiam deliberadamente tempo, também resistiam a trabalhar e o faziam ainda mais do que no capitalismo. Mas esse tempo que perdiam era de certo modo seu. Não era o tempo de outrem. Além disso, à inexperiência dos países socialistas vinha juntar-se o choque do fascismo, tentaram uma coisa que nunca fora antes feita numa situação de agressões e de tempestades. Duraram demasiado pouco para terem podido fazer sequer a quarta parte do que quereriam ter feito. A guerra fria, escreveu o sujeito individual Alexandr Zinoviev, não se parece nem de longe com as condições de uma experiência de laboratório.

Dizem-me, então, que hoje em Cuba roubam a gasolina dos locais de trabalho, ou peças de motores de automóveis, ou o papel e os lápis. Ah, mas não parece que as condições em Cuba sejam as de um sossegado laboratório. E lá, apesar de tudo, a pergunta para onde vai o esforço e porque vai para onde vai e não para outro lugar pode e deve ter resposta. Aqui, no capitalismo, o normal é a apropriação do excedente. Aqui não se trata do fabrico de produtos necessários, mas de produtos que permitam a uns quantos a apropriação do maior excedente possível. Aqui a pergunta para onde vai o esforço obtém sempre uma resposta irreal, porque a resposta certa seria: o esforço vai para a apropriação privada do excedente. Por isso, quando os sujeitos individuais utilizam argumentos do tipo: mas tu não viverias em Cuba, eu experimento um estado mais próximo da nostalgia do que do fervor. Nostalgia de estar a tomar café com esses sujeitos e de lhes poder explicar que o jogo da vida não é o do Monopólio, não são parcelas o que se distribui, viver aqui, viver ali, mas vagas que tudo enchem e o resultado é que viver aqui, na Europa, é uma vaga que se expande até às fábricas do México, da Tailândia, de Marrocos, até às jazidas de minério da República Democrática do Congo, porque quando o excedente não regressa a quem o produziu desaparecem os compartimentos, e viver aqui inclui tanto o sumo de laranja com croissants e leitura de jornal como as instalações, guerras, fábricas, dor que permitiram o excedente para cuja obtenção existem as empresas construtoras do prédio onde se toma o pequeno-almoço e se conversa. Viverias aqui, quer dizer, em qualquer ponto das montanhas, das planícies, das escolas, das prisões, da extorsão, das aldeias devastadas do império?

Alguém, por fim, recorda que nem lá nem cá somos perfeitos. Eu adoro a imperfeição. É aberta, como os compostos de carbono, o que permite o intercâmbio e a vida. A perfeição é fechada, os cristais iónicos são fechados e estão mortos. Mas precisamente por isso a imperfeição não pode ser um dogma. Tem de continuar a ser aberta. A imperfeição de trabalhar para aumentar os lucros dos accionistas não é a minha imperfeição favorita e estou aberto a outras possibilidades.

Imperfeito como sou retiro-me para os meus aposentos para descansar. Oh, sim, delicio-me com esta expressão um tanto inconsequente, como a de um personagem individual que num romance dissesse: vou sentar-me numas cadeiras pois acabas de me partir os corações.

A gelataria está a abarrotar de gente. Tive de esperar mais de vinte minutos para encontrar um lugar ao balcão, mas aqui estou.

Não sei que vou fazer. Na escola secundária, afinal de contas, o Julián tinha razão e de momento não fui mais do que uma aprendiz de feiticeira. Pus em movimento comboios que não sei para onde vão, mas parece-me que não têm vias e que se dispõem a chocar contra as árvores ou paredes ou contra si próprios. Os miúdos estão agitados, viram qualquer coisa, não sabem bem o quê, mas viram. E estão pior do que estavam. Taciturnos, furiosos, completamente desamparados, não sei como hei-de explicá-lo, movem-se sem direcção e batem-se.

Que esperava? Ah, não pense que eu não mo disse a mim própria. Que pretendia? Assistir à sua conversão? Ir vendo como se agrupavam disciplinadamente em células? Não lhe nego que fantasiei alguma coisa. Os centros públicos de ensino secundário emitem anualmente para mais de trezentos mil adolescentes que completaram a escolaridade obrigatória e cerca de duzentos mil com o diploma do complementar. Imagine-se como esta sociedade se revitalizaria se em vez de emitirmos uma maioria de seres isolados, servis, condenados, emitíssemos verdadeiros animais políticos. O que eu tenho agora na minha sala de aula são vinte minotauros a investir contra as paredes, e outros cinco que me olham com dó, convencidos de que enlouqueci. Que fiz eu para chegar a este ponto? Tratei-os como iguais, não iguais em saber, em maturidade ou em vida, mas iguais em direitos e deveres.

Às vezes falo disto com o Enrique. Ele já não se ri. Está ao meu lado e é como se dissesse: se te negas a remar, se te negas a ir para a praia, se o que queres é que nos afundemos, pouco importa, não te abandonarei, irei para o fundo contigo. Emociona-me. Preocupa-me. Não posso fazer marcha atrás na minha vida, e penso que ele o sabe. Não posso voltar àquele sábado e fazer com que não haja o Carlos Javier a bater-me à porta. E o Enrique, embora se esforce, é como se também não pudesse deixar de me perguntar porque não volto eu para o redil. Que palavra, não é? Mas não gostaria de exagerar e pergunto-lhe respeitosamente se há outra maneira de lhe chamar: o redil, ovelhas que são engordadas e protegidas e um caminho marcado.

Eu conheço as linhas invisíveis. Quem de entre nós, os que pertencemos à classe média, não as conhece? As amizades adequadas e as não adequadas, os temas de conversa adequados e os não adequados, os romances adequados e os não adequados, os endividamentos, os delitos, os choros adequados e os não adequados. Sabemos perfeitamente em que consiste viver dentro, levamos os nossos filhos pela mão sem sairmos do perímetro marcado pelas linhas invisíveis, para que eles aprendam a conhecê-las, porque há *botellones* adequados e não adequados, rancores adequados e não adequados, há horizontes adequados e não adequados e isso é coisa que não teremos de lhes explicar, mas que eles hão-de respirar como respiram as maneiras ou as casas dos avós.

Embora o Enrique tenha feito da paciência um acto de amor, a sua espera é inquietante. Diz que não quer apressar-me, diz que estou a demorar mais do que seria de esperar, mas que voltarei. Se o Enrique tivesse aberto a porta ao Carlos Javier, tudo seria diferente: o acontecimento Carlos Javier não se encontra entre os que poderiam desestabilizá-lo. Tê-lo-ia incomodado um pouco, mas depois ele teria posto o Carlos Javier "no seu lugar". Eu sou mais lenta, e ele agora ama-me com a minha lentidão. Qualquer dia, pensa ele, voltarei a passear pelas ruas que condizem connosco esquecendo essas outras ruas que se estreitam na distância.

Eu poderia dizer: se voltasse, já nada seria igual. Mas também não acredito. Tenho perfeita consciência da capacidade de esquecimento. Cometem-se crimes, e esquecem-se, abandona-se o amigo, e também se esquece. Visita-se o outro lado, chega-se até a viver no outro lado, lá até onde conduzem essas outras ruas, e muitos anos depois de ter regressado já nem sequer recordamos o caminho. Se voltar ao redil da classe média dentro de seis meses recordarei este tempo como uma depressão, como um bocado mau, e dentro de dois anos já nem sequer me lembrarei dele. Por isso talvez não volte. Pelo menos de momento vou ficar deste outro lado.

Por aqui já me encontrei com a minha filha. Talvez você pergunte o que foi feito da frivolidade. Eu esperava explicar à Susana que as nossas vidas se constroem por saltos bruscos, ou pelo menos uma grande parte das nossas vidas. Explicar-lhe que uma grande parte das mudanças de orientação e de rumo, não as escolhemos e que o inevitável nem sempre se apresenta sob a forma de um acontecimento tremendo. Às vezes o inevitável é uma ponta de alfinete e o balão perde o ar, mas não damos por isso até o vermos um dia bastante esvaziado. Eu queria proteger a minha filha, deve ser uma coisa bastante comum. Parecia-me que ela estava a carregar-se de lastro e já basta o lastro com que o tempo nos carrega. Todavia, comprovo agora que a minha filha é muito mais frívola do que eu. Frívola no sentido em que uso a palavra. Não a imagino a comprar cinco carteiras. Nem uma carteira sequer. Mas é frívola talvez porque desconfia de uma expressão como a classe média, talvez porque tem suficientemente pouco ego para não se envergonhar de pensar em termos de classe trabalhadora.

A Susana está nessas ruas que se estreitam até quase desaparecer. Suponho que a verei mais agora. Vamos lá, hei-de vê-la o mesmo tempo que já vejo ou menos ainda, mas o que quero dizer é que quando estiver com ela a verei. A Susana está metida em qualquer coisa que em princípio não é demasiado sólida: Grupos radicais? Comunistas em acção? Ecologistas em acção? Ainda não sei bem como se chamam, compreendi que está metida num grupo e depois numa coordenadora de muitos grupos. O curioso é que isso de que ela faz parte não é só qualquer coisa que se alargue no espaço. Ou seja, é evidente que ao pertencermos a um grupo nos alargamos; chegamos, por exemplo, a dois terraços embora só vamos a um. Mas surpreendeu-me que esse grupo também alargue a Susana no tempo.

Neste café-gelataria uma rapariga acaba de arriscar o seu posto de trabalho. Acontece que aqui tem de se pagar primeiro e recolher uma senha para se pedir o que se quer. Mas havia tanta gente que quando arranjei lugar ao balcão experimentei pedir o café sem senha. A empregada serviu-mo e não disse nada. Passado algum tempo, pedi um gelado. Ela pareceu hesitar um segundo, a seguir serviu-me o gelado, também sem senha. Agora que estou de saída, fiz o gesto de quem pede a conta. A empregada encheu um copo com água, trouxe-mo e disse aqui tem a sua água. Depois afastou-se. Compreendo que a empregada me convidou. Não o fez por mim: não é que venha muito bem arranjada, mas também não tenho aspecto de não poder pagar um café. Dá a impressão de o ter feito por ela, embora me tenha como que alegrado a tarde. Estou a escrever estas linhas e depois vou sair.

GOYO A ENRIQUE

OK, Enrique, olharei um bocado pela Susana. Eu não estaria preocupado por causa dela, conheci duas ou três pessoas assim, são grandes, quando dão alguma coisa não têm medo de a perder. Mas um favor é um favor, independentemente do que cada um possa pensar.

Hoje encontras-me cheio de dúvidas. Estamos numa espécie de encruzilhada. Refiro-me ao meu grupo, ao colectivo de colectivos. Continuamos a crescer mais do que esperávamos. Se me perguntas porque é que te falo disso, Enrique, não tenho a certeza. Tu sabes porque é que me tens escrito: pareço-te, e com certeza não te enganas, o elo mais fraco da cadeia, querias provocar uma ruptura. Estavas no teu direito ao tentá-lo. Eu ainda não sei porque te respondia. Não era para pôr à prova através de ti os meus argumentos, pelo menos penso que não. Imaginas um deputado do PSOE a ser convencido por um do PP ou o contrário? Não é possível porque nenhum deles discute com o outro, só fingem discutir. O que na realidade fazem é opor um interesse a outro. Teria mais sentido que a televisão transmitisse uma discussão no interior do conselho de ministros. Porque, em teoria, nessa situação o interesse é comum, pelo que, em teoria, insisto, a discussão não deveria ser movida por conveniências pessoais, mas o ministro dos Transportes deveria tentar obter uma fatia maior do orçamento por meio de argumentos, e o mesmo se diga do da Agricultura ou do da Defesa. No que se refere a ti e a mim, não digo que fingíssemos, mas também não discutimos com argumentos.

Com argumentos a esquerda ganha sempre; sei que te enraivece que o diga, mas acho que tu também sabes que é assim. O que não significa, como uma vez insinuaste, que a Manuela ou eu te despojemos da presunção de racionalidade. Muito pelo contrário. Tu próprio admitiste que racionalmente a tua proposta não seria boa para a maioria. O que fazes é, portanto, falar a partir de posições.

Há dias um amigo perguntava a Eloísa o que se deve fazer se se vir um grupo de neonazis a espancar um mendigo. Com argumentos nunca me farás dizer que o melhor é ficar quieto. Com posições, pode ser que o consigas. Se alguém me explicar que tem de sustentar cinco filhos e que os neonazis poderiam matá-lo ou deixá-lo inválido não me terá convencido de que o melhor é não fazer nada, mas talvez eu possa entender que ele não faça nada, embora não aceite um sistema de pensamento que se guie por posições.

O que tentavas fazer o tempo todo, Enrique, era levares-me para a tua posição. E admito que às vezes o conseguias. A tua família, as tuas certezas, essa forma de vida em que se sabe a cada momento que bens deve proteger. Sabe-se porque um dia se fez o inventário, se atribuíram valores à casa, à descendência, à harmonia familiar, ao pequeno-almoço de domingo, aos peixes. Falas-me do prazer porque o prazer ocupa um determinado lugar na tua lista, do mesmo modo que certos afectos ou a esgrima dialéctica.

Fizeste a lista, Enrique. Acho graça que continuem a chamar-nos dogmáticos, aos que somos de esquerda. Não temos qualquer lista. Eu não tenho. Não digo que isso me faça mais nobre nem melhor, mas torna-me na realidade muito mais inseguro. Tu, em contrapartida, sabes o que vem em primeiro lugar. Tu e os teus são o que vem em primeiro lugar. Imagina agora que o pai de uma criança paralítica, viúvo e de esquerda, tenta evitar que os neonazis espanquem o mendigo e morre durante a briga, e deixa a criança desprotegida, sozinha – será isso o melhor? Ou será melhor que aguente o seu desejo de ser digno e finja que não viu os neonazis para evitar correr um risco? Não sei, Enrique.

No mundo que sonha o pai de esquerda da criança paralítica não há dúvida, não pode haver porque cada um sabe que não se pode viver consentindo que alguns neonazis espanquem uma velha ou um mendigo ou um equatoriano ou um negro. Sabe-o cada um como, precisamente, sabe que nenhuma criança paralítica deve ficar sozinha. Portanto, o pai não teria necessidade de calcular fosse o que fosse e faria o que tem a fazer, do mesmo modo que os vizinhos da criança, os amigos do pai, os conhecidos, e também o Estado e as instituições fariam o que têm a fazer se acontecesse alguma coisa ao pai. Mas não vivemos no mundo que sonhamos, e nós, os de esquerda, não temos uma ordem do dia quanto a esse aspecto, quase nunca podemos escolher que acontecimentos serão os primeiros. É por isso que gosto das tuas listas.

Dá a impressão que tu saberias o que fazer. Talvez tivesses estabelecido critérios claros: se o filho for paralítico das duas pernas o pai deverá salvaguardar-se; se tiver não mais do que uma invalidez parcial que lhe permite andar embora com muletas, o pai pode correr um risco; se os avós da criança estiverem vivos e não forem demasiado velhos, embora o filho seja paralítico das duas pernas, o pai pode defender o mendigo, mas sem se deixar levar pelo seu impulso primário e optando, ainda que isso o faça perder algum tempo precioso do ponto de vista da integridade física do mendigo, por começar por chamar a polícia. Se a criança tiver uma invalidez parcial e quatro avós jovens, o pai poderá, até, deixar-se levar pelo seu impulso e acorrer em defesa do negro sem fazer telefonemas, sem pensar, sem perder tempo.

Tu terias estabelecido estes critérios, ou talvez não tivesses sequer necessidade de o fazer porque tens, permite-me que to diga, inventários e dogmas, pelo menos no que se refere à tua esfera vital. E eu talvez mudasse de opinião no último segundo. Tu julgas que não, que ser de esquerda é a mesma coisa que ser implacável, que nós, os de esquerda, riscamos a criança paralítica e o pequeno-almoço dos domingos e o medo. Acreditas ainda no Doutor Jivago, pensas que condenaríamos a nossa mãe e denunciaríamos o nosso pai e mandaríamos para a Sibéria o nosso irmão sem vacilarmos um instante. Mas as coisas não são assim.

Li num livro de Carlos Fernández Liria e três outros autores que as decisões justas, as boas, são as que tomamos não por sermos altos ou baixos, galegos ou madrilenos, donos de três casas ou de nenhuma, mas por não sermos nada de tudo isso, por sermos cada um de nós uma pessoa qualquer, por estarmos no lugar de qualquer e fazermos então o que qualquer outro no nosso lugar teria feito. De facto, "qualquer outro teria feito a mesma coisa" é a frase daqueles que admiramos. O livro não hesita perante o caso dos neonazis e do mendigo. É um livro extraordinário, uma rajada de claridade e de coragem embora, como todos os livros, não se ocupe de certas coisas. Não fala do limite, quero eu dizer, do momento em que a estrutura interna de um indivíduo se altera ou se quebra: de quantos pequenos-almoços podemos prescindir, de quantas crianças paralíticas podemos abandonar, de quanto medo podemos aguentar e talvez também, Enrique, de quanto prazer temos necessidade. Pode ser que a solução consista em não pretendermos admirar a mesma pessoa o tempo todo. É verdade que ninguém pode ser "qualquer um" o tempo todo, mas somente nas encruzilhadas. E, então, por quanto tempo o pode? Quais, quantas, são as decisões críticas numa vida? De resto, nem todas as decisões têm de ser dramáticas. Às vezes não levantarmos a voz quando estávamos prestes a fazê-lo pode marcar um ponto de viragem.

Dizes que vives com uma pessoa, a Susana, que na agitação da história não hesitaria em entregar a tua casa. Mas é que talvez, Enrique, na agitação da história também tu o fizesses. Agora, na pequena agitação da tua história decidiste acompanhar a Manuela. E eu admiro-te por isso.

7

Rodrigo, filho de Enrique e de Manuela, irmão de Susana, estava no pátio. Era o recreio das onze horas, quando os do primeiro ciclo do secundário saíam. Como costumava acontecer, as raparigas distribuíam-se por vários grupos, e os rapazes por outros tantos. Quanto aos pares, alguns procuravam as zonas mais retiradas, outros moviam-se misturando-se com os restantes e exibindo o seu desejo mútuo. No campo de futebol jogava-se uma partida. Rodrigo e dois amigos foram até uma zona de terra para a ver.

– O que eu não suporto é que além de betinhas sejam antipáticas – disse Carlos.

– Faz-te assim tanta diferença? – disse Rodrigo.

– Claro que faz. Olha para aquela baleia da Mónica, desde que eu cortei com a Marta passa o dia todo com ela, e tenho a certeza de que antes lhe andava a meter coisas na cabeça pelo telefone.

– Anda lá – disse Rodrigo –, cortaste com a Marta porque ela se fartou de não lhe ligares.

– Eu ligava-lhe.

– Naquele dia em que jogámos ao verdade e consequência passaste-te um bocado – disse Edu.

– Por causa do linguado que dei à Sonia? A Marta também lá estava. Não nos disse para pararmos com a brincadeira.

– Mas uma coisa é um beijo e outra um linguado de cinco minutos a apalpares-lhe o cu – disse Edu.

– Isso é o que tu dizes porque estás caído pela Sonia – disse Carlos. – À Marta coube o castigo de beijar o Raúl e eu não lhe disse nada.

– Mas eles só se beijaram – insistiu Edu.

– Estúpido de um raio! – disse Carlos. – Olha, lá vai a baleia da Mónica a dar ao cu, não posso com ela. Gorda e com roupa de marca. Tenho a certeza que disse à Marta que o melhor era acabar.

– A Marta está a ir para os bancos – disse Rodrigo. – Porque é que não vais ter com ela para falarem os dois?

– Não – disse Carlos. – Mas posso ir falar com a baleia. Embora lá? Vamos pedir-lhe que nos mostre o cinto. Deve ter custado uns cem euros.

– O que é que estás para aí a dizer? – interveio Rodrigo. – Deixa-a em paz.

– Deixo-a em paz se quiser. Ela que me deixe em paz a mim e não ande a meter histórias na cabeça da Marta.

– Tu nem sequer sabes se ela lhe falou de alguma coisa – disse Rodrigo.

– Também não vens? – perguntou Carlos a Edu.

Edu olhou para Rodrigo, e disse depois:

– Claro que não, estou-me nas tintas para o cinto dela.

– Ah, e eu que julgava que vocês eram meus amigos!

Carlos levantou-se e começou a andar na direcção de Mónica. Rodrigo e Edu viram como Mónica sorria a Carlos e como se afastaram os dois para um recanto.

– Tenho medo pela Mónica – disse Rodrigo.

Chegaram Álex e Raúl e começaram a olhar para onde Rodrigo e Carlos olhavam.

– Porra! Não acredito – disse Álex. – O Carlos vai-se enrolar com a baleia?

– Não – disse Edu. – O que ele quer é tirar-lhe o cinto.

– Não posso perder esse filme – disse Raúl. – Vamos lá para o pé deles.

– Eu não vou – disse Edu, e afastou-se para o outro lado do campo de futebol.

Álex e Raúl olharam para Rodrigo:

– Vens? – disse-lhe Raúl.

– Vou – disse Rodrigo.

Carlos passara o braço pela cintura de Mónica enquanto iam para a zona que ficava nas traseiras das casas de banho.

Álex, Raúl e Rodrigo seguiram-nos, calados. Pararam na passagem que havia entre as casas de banho e o recanto onde estavam Carlos e Mónica. Daí viram como Carlos lhe desapertava o cinto e lhe mordiscava a orelha. De repente Mónica gritou.

– Grande besta! – disse chorosa levando a mão à orelha.

Carlos tirou o cinto dos *jeans* de Mónica:

– Ofereces-mo, não ofereces?

Mónica estava quase a chorar. Carlos olhou em volta. Viu lá ao fundo Álex, Raúl e Rodrigo.

– Aí vai! – gritou-lhes ele atirando-lhes o cinto.

Álex apanhou-o no ar. Saiu da passagem e ficou à vista de Mónica. Começou a agitar o cinto no ar com movimentos obscenos.

Mónica engolira as lágrimas. Estava séria, mordia os lábios.

– Não te preocupes que não te vão cair as calças – disse Carlos e, dirigindo-se a Raúl e a Rodrigo: – Viram a baleia? Julgou que eu me ia enrolar com ela!

Raúl e Rodrigo avançaram até ao recinto.

– Pára com isso – disse Rodrigo. – Estás a passar-te.

– Estou a passar-me? Olha aí, Álex, dá-me cá o cinto.

Álex deu-lho.

– Não mo ofereces, Mónica? – disse Carlos.

Mónica encostara-se à parede. Assentiu debilmente.

– Estás a ver que não estou a passar-me, Rodrigo? É uma prenda.

Carlos bateu no chão com o cinto.

– Álex, fica a ver se alguém aí vem.

Enquanto Álex obedecia, Carlos disse:

– Bom, e então? Vamos experimentá-lo?

– Carlos, acaba com isso já – disse Rodrigo.

– És mongas ou o que é que te deu? És estúpido ou quê? E tu, baleia, anda cá.

Mónica continuava paralisada, colada contra a parede. Carlos fez um gesto na direcção de Raúl:

– Trá-la para aqui.

Raúl, divertido, aproximou-se de Mónica e agarrou-a pela mão.

– Vais gostar – disse ele. – Vais ver que gostas.

– Rodrigo – disse Carlos –, se dizes alguma coisa disto, eu mato-te. Embora isto também te excite, claro.

Mónica avançara em silêncio, com Raúl a agarrá-la pelo braço. Quando chegou à frente de Carlos, este ofereceu o cinto a Raúl.

– Começas tu? Ou será o Rodrigo quem quer começar?

– Sim – disse Rodrigo. – Começo eu.

– Então vais ter de começar com a mão, pá, porque não tenciono dar-te o cinto – disse Carlos, e contornando Mónica chicoteou-a por trás.

Rodrigo investiu contra Carlos, Mónica começou a correr.

– Não a deixes ir, Álex! – gritou Carlos. Depois ficou a olhar para Rodrigo: – Eu já te tinha dito. És um estúpido. – Bateu-lhe com força e atirou-o ao chão. Depois pôs-lhe um pé em cima do pescoço. – Álex, traz cá a baleia! Parece-me que o Rodrigo gosta dela!

Álex aproximou Mónica.

– Raúl, ficas tu agora de vigia – disse Carlos. – Porque é que não mostras as mamas ao Rodrigo? – disse Carlos. – Daqui de baixo ele há-de vê-las muito bem.

– Isso, mostra os marmelos, que eu ajudo-te – disse Álex, e começou a desabotoar-lhe a blusa. Rodrigo aproveitou a distracção de Carlos para o desequilibrar e levantar-se.

Estavam os dois de pé. Rodrigo atacou Carlos com força. Carlos perdeu o controlo, deu a Rodrigo um pontapé nos tomates e começou a bater-lhe furiosamente.

– Vai-te embora! – gritou Rodrigo para Mónica, mas Mónica não conseguia mexer-se.

– És um traidor! – disse Álvaro, entrando também em cena, e deu-lhe um pontapé. – Chibo de merda!

Foi a vez de Álex e Carlos lhe baterem ao mesmo tempo até o fazerem cair de novo; Carlos pisou-lhe a cara.

– Vou ficar com o cinto – disse ele a Mónica. – Sei que não vais dizer nada, baleia, porque se eu souber que disseste alguma coisa à Marta, aos teus pais ou a alguém da escola, acabo contigo de vez. E agora vai andando, e quero ver-te rir.

Mónica esboçou um sorriso choroso, e depois começou a afastar-se devagar.

– Vamos lá ver, pá – disse Carlos a Rodrigo. – Vê lá o que fazes. Não és chibo, pois não?

Álex e Carlos afastaram-se. Rodrigo soergueu-se de lado com dificuldade e sentiu na face o contacto áspero da terra. Também tinha terra nos lábios.

Enrique estava numa reunião com alguns membros do município de Segóvia, oferecendo os serviços da sua empresa para fornecedora do *software* dos centros de gestão e qualidade turística da cidade. Tinha poucas possibilidades à partida. A análise do FARO (fraquezas, ameaças, recursos e oportunidades) apresentava um saldo negativo e o seu chefe estava consciente do facto ao atribuir-lhe a tarefa. Em nenhum dos sistemas informáticos utilizados pelo cliente dispunham de técnicos qualificados.

O único ponto em que poderiam ter soluções de negócio específicas, a gestão do conhecimento documental, estava ameaçado por uma outra empresa que tinha boas referências no sector. Até então só tinham colaborado com o cliente numa área bastante insignificante e havia dois meses tinham perdido a oportunidade de gerir o centro de apoio ao utente.

Enrique era, portanto, um caixeiro-viajante com uma mala de amostras de roupa passada de moda. A sua empresa chamava ao acto de exibir o conteúdo dessa mala "demonstração de capacidades". A exibição começara; Enrique tentava fazer com que as diferentes áreas do município considerassem a sua empresa um fornecedor válido quando sentiu vibrar o telemóvel no bolso do casaco. Discretamente enfiou a mão no bolso para o desligar.

Minutos depois o telemóvel vibrou de novo. "Para mim", dizia o presidente da autarquia, "Segóvia não é só uma cidade, é um grande espaço de contacto social e cultural". O presidente chegara tarde e sairia depois de terminar a sua discursata, mas Enrique sabia que a sua atenção à discursata seria tida em conta. Assim, fechou o punho sobre o telemóvel, atenuando a vibração sem perder a sua expressão de interesse suspenso e profundo. O telemóvel acalmou no momento em que o presidente se despedia. Enrique tirou a mão direita do bolso para apertar a dele. A seguinte e última chamada sucedeu no momento em que estava a falar a coordenadora da área de participação dos cidadãos, da qual precisamente dependia a empresa municipal de gestão e qualidade turística. Por sorte na mesma altura a própria coordenadora recebeu também uma chamada que atendeu antes de dizer: "Se acharem bem, vamos fazer agora um intervalo de dez minutos". Enrique esperou que alguém mais se levantasse para o fazer também e tirar do bolso o telemóvel.

Não reconhecia o número e por isso afastou-se um pouco antes de responder. Era uma voz masculina, que se apresentou como sendo a do director de estudos da escola dos seus filhos:

– Houve um incidente com o seu filho mais novo. Não se alarme, não foi muito grave, embora não lhe possa esconder que o rapaz está em observação. Foi visto por um médico e levámo-lo para a clínica. Pensamos que seria bom que alguém da família estivesse presente o mais depressa possível. Ligámos igualmente para o telemóvel da mãe e deixámos-lhe uma mensagem.

– Mas o que foi que aconteceu?

– Bom, ainda não sabemos bem. O Rodrigo foi espancado e recebeu vários golpes. Não pode vir cá?

– Neste momento estou em Segóvia.

– É que o rapaz vomitou. Parece estar com sono... há um risco de comoção cerebral.

– Irei o mais depressa possível.

Enrique tomou nota da direcção. Depois ligou para Manuela, mas o telemóvel dela continuava desligado. Procurou no seu aparelho o número de telefone de um primo de Manuela que era médico e a quem recorriam sempre em casos urgentes. Do telemóvel respondeu-lhe uma gravação; ninguém atendia o telefone fixo. Finalmente ligou para Susana, sem resultado.

Esperou que a reunião recomeçasse e o tempo pareceu-lhe uma eternidade. Depois de estarem todos de novo sentados, optou pela sinceridade sem descurar contudo a estratégia. Explicou que recebera uma chamada da escola: o seu filho mais novo sofrera um traumatismo violento. Pediu que lhe fosse permitido abandonar a reunião. Com o seu gesto conquistou a simpatia dos presentes, mas Enrique tinha consciência de que ao sair assim deixava soltas demasiadas pontas em que concorrência poderia pegar contra ele.

Conduziu angustiado todo o caminho, telefonando de dez em dez minutos para Manuela, para Susana e para o primo médico de Manuela, mas sem encontrar nenhum dos três. Quando chegou a Madrid, deixou de telefonar. Quando chegou à clínica sentiu-se quase furioso ao ver o carro de Manuela. Na recepção estava o director da escola a esperá-lo. Soube que o primo de Manuela já examinara a criança, e segundo parecia o risco de comoção cerebral fora praticamente posto de lado, não restando mais do que uma probabilidade mínima que desapareceria dentro de quarenta e oito horas. Depois o director da escola conduziu-o ao quarto onde estava Rodrigo acompanhado pela mãe. Rodrigo não dormia, e embora o aspecto do seu rosto fosse lamentável, a sua expressão parecia relaxada. Enrique aproximou-se, deu-lhe um beijo e pegou na mão de Manuela. A seguir saiu outra vez. O director ficara à espera fora do quarto.

Contendo a cólera com esforço, Enrique disse:

– Como é possível que não saibam o que se passou? Bateram-lhe, espancaram-no.

– Houve uma briga, sim. O facto é lamentável e vamos investigá-lo até ao fim. No entanto, nada indica que estejamos perante um caso de perseguição escolar. O Rodrigo é um rapaz muito estimado. Pelo que sabemos, foi ele quem começou a briga.

Nem Enrique nem o director se tinham sentado. Enrique era ligeiramente mais alto e pelo menos dez anos mais novo do que o director. Viu-se a bater-lhe nos ombros com os punhos, um punho em cada ombro, até o fazer cair na cadeira com gemidos de dor. Ao mesmo tempo pensava que o rosto do seu filho talvez ficasse marcado por uma ou várias cicatrizes. E pensava que a cirurgia estética e o dinheiro poderiam resolver o problema, embora houvesse sempre riscos. Tentava também analisar a expressão de Manuela: parecera-lhe tranquila, não se dera conta de qualquer rictus, de nenhum sinal sugerindo que o prognóstico pudesse ser erróneo e o perigo subsistisse.

– Não vou discutir agora – disse ele –, mas tenha atenção. Não queira pôr o prestígio da escola ou seja lá mais o que for acima do direito do meu filho à sua integridade física.

– Compreendo o seu estado – limitou-se a dizer o director.

– Vou ver o meu filho.

Enrique saiu da sala, o calor da indignação dera lugar a um entorpecimento geral, sentia os músculos frios e contraídos.

Todas as segundas-feiras, Goyo, Félix, Mauricio e Susana faziam uma reunião com outras pessoas nas instalações de um dos colectivos. Todavia, quando pensavam que a reunião poderia ser mais numerosa tentavam arranjar uma casa para a fazerem. Desta vez fora Félix a oferecer a dele: a sua mãe e Juan estavam em viagem, em casa estava só a irmã dele e a ela não lhe faria diferença. Estariam presentes dois técnicos de informática para lhes explicarem como funcionava o programa de classificação das histórias recolhidas. Depois abordariam o segundo ponto: escolher um ou vários modos de darem a conhecer parte dessas histórias antes do começo do Verão. A casa de Félix não era muito grande e tinha uma decoração um tanto desordenada que fazia com que Goyo se sentisse à vontade. Mesas baixas com as pernas de vime grosso combinadas com velhos sofás de veludo e com uma estante de acrílico. Um grande lenço grená pendurado como uma tapeçaria na parede, pequenos cinzeiros de prata, cadeiras desdobráveis. Nada condizia com nada, mas isso fazia também com que se tivesse a impressão de que nada nem ninguém estava a mais.

Goyo escolhera lugar a um canto e ainda não falara. Estava com bastante sono. Havia vários dias que se deitava tarde porque as reuniões tendiam a prolongar-se e havia cada vez mais discussões. No seu colectivo, muitos eram partidários de que todas as forças se concentrassem no movimento por uma habitação. Diziam que eram demasiado poucos para se dispersarem e embora na assembleia tivesse sido aprovada a ideia das histórias de caso, davam-se agora conta de que isso exigia um tempo do qual quase ninguém dispunha.

Durante essas discussões Goyo passava sempre por um momento em que desejava estar de acordo e dizer: vocês têm razão, vamos deixar isto de parte, é inútil querermos cobrir tanta coisa. Se se decidissem a abandonar a ideia, desapareceria o risco de começarem uma coisa que talvez não acabassem ou cujo resultado seria talvez insignificante. Embora, pensava ele, a opressão nem sempre fosse como um rolo compressor; por vezes infiltrava-se subtilmente pelas frestas e alterava a maneira de olhar. A opressão só era clara nos extremos, no lugar da violência física. Antes desse lugar ninguém era senhor absoluto de nada, a ordem que por fora parecia estável agitava-se por dentro durante quase o tempo todo. Goyo pensava que objectivos claros como a nacionalização do solo urbanizável, ou a expropriação do ensino particular subvencionado, deviam combinar-se com outros de aparência menos sólida, mais parecidos com o som ou o calor. A educação, a habitação não dependiam apenas de uma determinada decisão política ou económica. Dependiam de estruturas que pareciam firmes e talvez não o fossem tanto, dependiam de coisas que se davam por feitas quando não deveria ser assim.

Mauricio falara-lhe algumas vezes de um grupo que, no seu colectivo, lutava pela soberania alimentar, um conceito surgido fora da Europa ligado ao controlo do processo produtivo alimentar de maneira autónoma. Por meio desse controlo visava-se garantir o acesso físico e económico a alimentos inócuos e nutritivos. Goyo sabia que em países como a Índia ou o Equador a defesa da soberania alimentar estava a ganhar força e pensava que talvez um dia o mesmo acontecesse também na Europa. E interrogava-se sobre outra soberania que era necessário alcançar, a soberania produtiva sem mais, ou talvez a palavra não fosse soberania mas simplesmente uso da razão: tinha de ser possível usá-la e, portanto, exigir o acesso a actividades laborais que não fossem ditadas pela motivação da apropriação privada do excedente; actividades, portanto, cujo fim pudesse ser sustentado como bom pelo indivíduo que as fazia em termos tão próximos quanto possível de uma demonstração.

Quando o dizia nas reuniões, lembravam-lhe que havia muitas pessoas cujo objectivo era chegar ao fim do mês, conseguir os miseráveis oitocentos euros com que viver apertado, e que a essas pessoas tanto lhes fazia, e era lógico que assim fosse, trabalharem para isto ou para aquilo. Todavia, Goyo não tinha a certeza. Embora essas pessoas não pudessem dar-se ao luxo de perder os oitocentos euros, isso não significava que lhes fosse indiferente o que faziam. E depois havia mais gente. Qualquer trabalhador ou trabalhadora podia – porque não? – juntar-se à corporação, o que mais não fosse por um dia: um dia para se interrogar se valia a pena morrer sabendo que a parte mais importante da sua vida tivera por destino aumentar as marcas dos resultados obtidos pela empresa X. Por isso Goyo acabava por juntar-se aos que pensavam que valia a pena continuar com a ideia.

Quando os técnicos de informática acabaram a explicação, começaram a debater-se as diferentes propostas e ele sentiu de novo um travão de cansaço e dúvida. Porque iria alguém ler mais uma fotocópia, mais um mail, mais uma página web? – interrogaram-se. As empresas de publicidade tinham ocupado tudo, encartes nos jornais, folhetos comerciais distribuídos à saída do metro, falsas cartas pessoais, mensagens nos pára-brisas dos automóveis. Goyo disse:

– A questão é que nos está a chegar muita informação de pessoas que não vêm às reuniões, pessoas que nem sabiam que existíamos, mas que sabem que as suas empresas procedem mal. São pessoas que não têm tempo para vir, ou não confiam no que aqui se possa fazer, ou pensam que pôr em questão os objectivos das suas empresas seria tão complicado que não vale a pena tentar. No entanto, quando alguém lhes pergunta sabem, claro que sabem.

– Oxalá conseguíssemos dar a volta a esse problema que é ninguém ter tempo – disse Mauricio. – Até agora sempre tentámos roubar alguns momentos ao repouso, meia hora, uma hora. Mas se pudéssemos pôr ainda que só uma parte do tempo de trabalho na política, não te digo nada. É um sonho; bem, um sonho como há tantos outros, e acho que é um dos menos disparatados. Se conseguirmos o tempo de trabalho, mesmo que seja uma parte pequena, teremos conseguido muito.

– E os sindicatos? – perguntou Olivia, uma outra rapariga nova.

– Não tentamos ultrapassar os sindicatos – disse Mauricio –, apesar de muitos deles muitas vezes não aparecerem ou aparecerem do lado do patronato. O que procuramos é introduzir outro tipo de questões, para além das que eles introduzem. E encaminhar um estado de espírito.

Goyo levantou-se e saiu do quarto. De um do lado dos corredores havia duas portas. Por detrás da segunda ficava o quarto de Adela, a irmã encerrada de Félix. Goyo só a vira uma vez, de longe: ele vinha a entrar em casa e nesse momento ela atravessava o corredor para se enfiar no seu quarto. Mal pôde nessa ocasião distinguir um corpo grande com uma cabeleira negra e encaracolada.

No tecto do corredor havia uma lâmpada não demasiado forte. Goyo olhou-a, e olhou as portas fechadas. Queria saber como era a vida dela dentro do seu quarto e aproximou-se devagar da que supunha ser a sua porta. Bateu com o nó dos dedos. Uma voz disse somente:

– Não se pode.

Pareceu-lhe uma voz tranquila ou talvez muito habituada a repetir aquelas três palavras. Não sabia se a porta do quarto se fechava à chave, mas era indiferente. Se passasse por cima do aviso e entrasse nada conseguiria. Adela sairia do quarto ou desapareceria sem sair dele. Félix dissera-lhe que ela o fazia sempre, e Goyo sabia que era perfeitamente possível. Pensou em trocar com Adela por uns dias. Emprestar-lhe-ia a sua vida, dir-lhe-ia: navega por ela como se estivesses na rede, como se não fosse uma vida real; navega e vê o meu trabalho, as reuniões do colectivo, a minha casa, brinca com a Vera, navega e dorme com a Elo; vai comer vitela guisada a casa dos meus pais aos domingos, passa depois um bocadinho por minha casa, entra no quarto do Nicolás e meu e lembra-te do meu irmão e faz tudo isso como se deslizasses, sem quase pisar o chão, sem parares em parte nenhuma e sem deitares raízes. Entretanto eu estarei aqui, ocuparei o teu lugar, fechar-me-ei e quando alguém quiser entrar defenderei o nosso reino com as tuas três palavras: não se pode.

Como Adela assinara o documento de adesão, tentaram fazer com que fosse um dia ao terraço. Mas ela disse que naquela altura não podia, e não foi. Goyo voltou a bater. Desta vez não houve resposta:

– Vou entrar – disse ele.

Silêncio. Goyo empurrou a porta devagar. Adela não se voltou. Goyo via a sua cabeleira negra e por detrás dela um DVD que passava no computador, com o volume de som bastante baixo. Ao aproximar-se um pouco mais pôde distinguir ruas com barricadas no escuro, fogos isolados, pessoas que se moviam, vozes. Não era claro se aquilo era o Iraque ou a Palestina ou a periferia incendiada de Paris, ou talvez o México ou o Equador. Quando o filme chegou ao fim, a mão de Adela deslocou o rato, clicou e as imagens recomeçaram. Outra vez ruas, barricadas, fogos, um ou outro rosto no escuro, vozes, gritos.

– Sou o Goyo, um amigo do Félix.

– Não podes sair, por favor? – disse Adela sem olhar para ele.

– Sim, vou já. É que assinaste aquele papel dos nossos grupos. Podemos escrever-te por mail?

– O Félix tem o meu mail. Vai-te embora.

– Está bem, eu vou.

Goyo saiu. Na reunião já tinham começado com as propostas e as tarefas por fazer. Havia quem fosse partidário de resumir algumas das histórias e de as publicar em jornais gratuitos. Houve alguém que se comprometeu a entrar em contacto com pessoas que trabalhassem nesses jornais. Foi também proposto que se difundissem certas informações nos próprios locais de trabalho e noutros congéneres: difundir-se-ia num hospital o que sucedera noutro, numa cadeia de restaurantes o caso passado numa outra. E falou-se da possibilidade de métodos menos ortodoxos, como introduzir as histórias em caixas de cereais ou dentro de livros nas livrarias, nas cadeiras dos cinemas entre cada sessão, nas salas de espera dos consultórios médicos, das estações rodoviárias, dos aeroportos, nas casas de banho das empresas e das instituições, nas cadeiras das escolas secundárias e das faculdades. A ideia era contactar com pelo menos dois membros de cada colectivo que tivessem acesso a alguns destes lugares; era necessário, além disso, saber quantas pessoas de cada organização estariam dispostas a difundir as histórias pelo menos uma tarde por mês. Em função dos resultados obtidos, decidiriam durante a reunião seguinte por onde começar.

Goyo não disse nada de Adela. Esperava que ela lhes desse algumas direcções raras, fóruns que não tivessem a ver com os movimentos sociais nem com a acção política e que os conduzissem a outros quartos fechados onde outros adolescentes viam vídeos de cidades a arder. Estava quase certo de que no prazo de oito ou dez meses conseguiriam fazer o que Mauricio dissera: criar um estado de espírito. Eram mais de oitenta grupos, partidos e colectivos que por sua vez podiam entrar em contacto com outros. Pequenos, na maioria, mas não tanto que não pudessem agir em diferentes cidades e bairros. Canalizariam a perplexidade e criariam certa expectativa. Em qualquer parte, e não só onde era de esperar, poderiam aparecer as histórias de mentiras, produção deficiente, abusos, imprudências cometidas pelas empresas e descritas por alguns que se tinham cansado de as observar em silêncio ou de as guardar só para a conversa da cerveja de domingo ou só para si próprios. E a acumulação dessas histórias geraria uma nova inquietação. Depois? Ainda não sabiam o que se passaria depois. Mas talvez precisassem de chegar a esse ponto para poderem pensar no passo seguinte.

MAURICIO A FÉLIX

Não sei se isto dos relatos de casos vai durar. Preocupa-me manter o ímpeto. Porque o normal é desistir. Olha, na Índia, estão agora a protestar contra as indústrias de refrigerantes que roubam a água e fazem sede. Tentei falar disso aos miúdos das escolas secundárias que vêm ver os terraços. Em princípio, é tudo muito claro. As indústrias extraem não sei quantos milhares de litros de água para fabricarem uma décima parte desse volume de bebidas com corantes, tóxicas e nada nutritivas, coca-cola, pepsi-cola, seja o que for. Produzem obesidade, diabetes nas crianças, não alimentam e deixam metais pesados na água, num país que tem necessidade de mais água do que aquela que possui.

Por meio de campanhas publicitárias agressivas conseguem que os jovens se envergonhem das bebidas tradicionais que são saudáveis e efectivamente nutritivas. Bem vês, em princípio tudo é claro, mas de facto não é tão simples. Porque as indústrias de refrigerantes não precisam de qualquer impulso especial para continuarem a produzir sede: é isso que são, produtoras de sede, esbanjadoras de água, produtoras de resíduos tóxicos; é isso que são, é fazendo isso que existem. Enquanto os que se opõem têm de viver e depois, além disso, conservar uma parte do seu impulso para se poderem opor. Explico esta história aos miúdos, e eles compreendem; a seguir pedem uma coca-cola e, claro, é normal – que haviam de pedir? É o que há e eles não puseram o seu ímpeto na luta contra a produção de sede, mas na sua vida de todos os dias.

Para estas indústrias de refrescos que ninguém escolheu, cujas actividades ninguém votou, continuar em frente consiste em continuar a produzir. Em contrapartida nós temos de viver e a seguir, quando anoitece, de nos organizarmos para ver se conseguimos que as empresas deixem de produzir sede. O normal é desistir. Mais ainda, o saudável é desistir porque se trabalhássemos oito horas e depois militássemos mais oito horas, os nossos corpos cederiam. Até agora o que fazemos é militar não mais do que umas duas horas, militar por turnos, revezarmo-nos, tentando expandir-nos para, sendo mais, podermos distribuir mais tempo. Tentamos até apropriarmo-nos de uma parte daquelas oito horas para conseguirmos que a vida predomine. E por cada mil derrotas frente a uma empresa poluente ou uma lei injusta, obtemos uma vitória.

O que eu me pergunto é porque deixamos que tudo continue a ser como é. Caímos do lado bom do tabuleiro; bom, talvez a tua mãe não completamente, nem a tua irmã, mas até mesmo contando com isso tu podias esquecer. Para mim seria ainda mais fácil. Não penso que sejamos melhores – referi-me a pessoas como tu e como eu. Vamos lá, se dentro de cinquenta anos continuarmos assim, talvez acabemos por ser um pouco melhores, e quando digo melhores quero dizer essas pessoas nas quais se pode confiar, que têm algumas normas e as respeitam, normas tão simples como a que o Goyo enunciou uma vez: não tirar partido do sofrimento alheio. Mas hoje? Hoje creio que estou nisto porque comecei. Ainda por cima comecei por acaso, podia igualmente ter começado a jogar xadrez ou a coleccionar fósseis. Meti-me no grupo contra a guerra e o que se passa quando se começa é que se vão vendo cada vez mais coisas. Se não começarmos, talvez não olhemos, e se por acaso olharmos, viramos a cabeça para não vermos. Mas quando começamos, passas de uma coisa para outra porque as coisas têm relação umas com as outras.

Diz-se que a maior parte dos que começam depois muda, já se sabe, que quando envelhecemos nos tornamos conservadores e de direita, e explicamos que éramos uns ingénuos quando em jovens queríamos transformar o mundo. Mas não é verdade, Félix. Essa é uma das muitas coisas que por aí circulam, não sei, como essa outra ideia de que um bocado mais de honradez ou um pouco menos, tanto faz. E contudo, quando olhamos vemos que a verdade é o contrário. Quando olho eu vejo os que continuam.

Não aparecem nos telejornais. Temos de ir aos seus locais de trabalho, de reunião, temos de conhecer as suas vidas. É possível que muitos dos que continuam não estejam organizados. Mas continuam. E falamos com eles e eles explicam-nos porque acham bem que se façam certas coisas e porque acham mal que se façam outras. Dispersaram-se, é verdade, dispersaram-se; já não se reúnem, sim, há muitos que já não se reúnem. Porque o normal é desistir, porque o dia não tem trinta horas e porque os corpos se cansam. Mas desistir não é trair. Alguns abandonam, retraem-se, mas isso não quer dizer que vão pôr-se à venda à porta de quem os quiser comprar.

Olho para os que continuam, Félix, e penso que nunca me irei embora. Às vezes sonho acordado que semana após semana acabaremos por encontrá-los. Os que se cansaram, os que desistiram, mas continuam. Depois volto à terra e lembro-me do que disse a Elo: "Quando chegar o Inverno vai ser difícil mantermos vivas as culturas".

Vais ver, Félix, antes de começar, daquilo a que eu chamo começar, ou seja de nos reunirmos, organizarmos e isso tudo. Bom, o que se passa é que eu antes disso teria posto o ponto final na frase da Elo, comovido pela tristeza que contém. Mas, olha, estar com pessoas como tu tornou-me confiante. Não, ingénuo não, foi confiante que eu disse. Confio em nós. Por exemplo penso que nós não somos as culturas, não somos assim tão frágeis: quando chegar o Inverno havemos de continuar.

Ouvir Rodrigo contar como fora a briga desesperara-o. A seguir Enrique notou a expressão alarmada, sem dúvida, mas ao mesmo tempo orgulhosa de Manuela e quis simplesmente ir-se embora, abandonar aquela casa, aquela vida, tudo. O que fez foi ir à rua e beber alguma coisa. Mas ao voltar à clínica encontrou Rodrigo a falar com Susana dos princípios – dos princípios! Marcos também ali estava, recém-chegado do campeonato oficial de voleibol, e parecia ouvir. Ele não fez nada, não pensou nada também. Saiu do quarto com um sorriso estúpido nos lábios. Passou pela cafetaria onde estava Manuela, tentou falar-lhe, mas viu que era inútil. Disse que estava com um colega de trabalho e foi-se embora.

Conduziu. Os outros carros, as luzes, os peões incomodavam-no. Avançava como se os empurrasse até chegar à saída de

Madrid. A A-6 tinha pouco movimento, pensou continuar ao volante toda a noite e que não amanheceria. Eram quase dez horas. O Marcos e a Susana deviam ter ido para casa. A Manuela e o Rodrigo deviam estar a ver os dois um filme no portátil. Enrique declarou-se culpado por permitir que a loucura crescesse em seu redor, invadisse a casa e se apoderasse de uma criança, porque o Rodrigo só tinha treze anos, não era sequer um adolescente, estava somente no começo da adolescência. Um traumatismo, lembrou-se ele de ter dito na reunião de trabalho: o filho sofrera um traumatismo.

Tentou ser compreensivo e pôr-se no lugar do pai dessa rapariga gorda, pensar no bem que Rodrigo lhe fizera. Provavelmente o seu filho evitara-lhe humilhações maiores, chicotadas do cinto no cu, apalpões forçados, cuspidelas, essas coisas assim. Mas se ele fosse o pai dessa rapariga, pensou, não teria fosse o que fosse a agradecer ao Rodrigo. Talvez o odiasse tanto como aos outros. Odiá-lo-ia como os gordos que fazem dieta odeiam quem lhes diz: anda, prova lá isto, um bombom não te pode fazer mal. Odiá-lo-ia mais. Odiá-lo-ia como os pais dos filhos gordos que fazem dieta odeiam os seus próprios amigos quando eles se dirigem ao filho gordo com um sorriso: toma, meu lindo, são bombons, são muito bons.

O que o pai de uma filha gorda quer é que a filha deixe de ser gorda. Porque ela vai sofrer se for gorda. E mesmo que houvesse cinco Rodrigos estúpidos por turma, coisa altamente improvável, ainda assim a sua filha continuaria a sofrer. O pai quer que a filha deixe de ser gorda. Talvez não se importe por aí além que lhe metam um susto se isso contribuir para a rapariga ganhar a força de vontade necessária para emagrecer. Ah! – disse Enrique para consigo. – E se tivesse sido uma rapariga coxa ou surda-muda? E se tivesse sido uma rapariga como as outras? Não sabia, não sabia. Mas a verdade era que sabia. Sabia que o heroísmo de pacotilha do seu filho o horrorizava. Além disso, o Rodrigo não salvara ninguém. Desviara a agressividade para cima de si próprio.

Levantou o pé do acelerador, ia depressa de mais e tinha pouca gasolina. Havia uma estação de serviço a quinhentos metros. Oxalá fosse automática. Oxalá não tivesse de abrir a boca porque se o fizesse talvez começasse a gritar. Embora não, disse para consigo, estava absolutamente excluído que começasse a gritar; pelo contrário, o que ele ia fazer a partir de agora era recuperar o controlo. O Rodrigo e o Marcos dependiam dele. A Susana, bom. A Susana era maior, teria de a deixar de fora por um momento. Da Manuela não queria nem lembrar-se. A ligeireza com que estava a levar o episódio bélico do Rodrigo parecia-lhe incompreensível. Como se tivesse sido uma gripe. Uns dias de cama, e depois o regresso à normalidade, tal era a análise que ela parecia fazer. Não era preciso dramatizar, dissera-lhe ela quando Enrique tentara falar do assunto. Mas que normalidade poderia estar à espera do regresso do Rodrigo? Como iriam olhar para ele os seus companheiros, os professores, a rapariga gorda, as amigas da rapariga gorda? Quanto tempo teria de passar antes de a sua lenda patética lhe sair de cima?

Aos treze anos as lendas devem ser outras, cinco golos seguidos, bons resultados em matemática, duas namoradas. Ou nada. Sobretudo nada. Passar desapercebido. Sim, era isso, passar desapercebido porque há-de haver muito tempo para a escolha de palcos e bandeiras. Acabou de pôr gasolina e foi pagar à caixa. Estarei a dramatizar? – pensou de repente. E se estivesse a dramatizar? Talvez estivesse a ver uma desgraça quando só acontecera um incidente menor, pois muito bem. Mas ia, então, esforçar-se por conseguir que assim fosse, em fazer com que o sucedido em vez de crescer se dissolvesse no tempo. Se a Susana tinha transmitido ao Rodrigo os seus lemas, ele dissolveria esses lemas entre centenas de outros, lemas de direita, lemas desportivos, lemas científicos, lemas morais, lemas contra os lemas, até que o Rodrigo pudesse dar-se conta de que o mundo não era formado por aqueles quatro amigos loucos da sua irmã nem pela sua irmã.

Depois de pagar aproximou-se do balcão branco onde eram servidas bebidas e pediu um café com leite. No trabalho estavam a encostá-lo à parede e agora chegava isto, disse para consigo, mas pouco importava. Era capaz de enfrentar as duas coisas. Quanto àquele outro rapaz, o Goyo, quase o lamentaria se não experimentasse perante ele ao mesmo tempo uma rejeição profunda. Porque lhe teria ele dado o exemplo do pai de uma criança paralítica que vê espancar um negro? Imaginaria o que ia acontecer? Haveria outros episódios de militantes espancados, derrubados à pancada, esmagados por causa do seu altruísmo absurdo? Estava arrependido de lhe ter escrito. A própria discordância parecia sugerir uma familiaridade que achava agora indecente. Não tinha nada a ver com ele. Nada.

Voltou ao carro, ficou dentro dele, sem ligar o motor, às escuras. Sentia um grande cansaço e fechou os olhos. Um pouco mais tarde, voltou a conduzir, mais devagar, de regresso a Madrid. Sabia aonde ia. Vira na internet os terraços com algas da sua filha. Conduziu até perto de um deles, estacionou diante da porta do prédio e ficou fora do carro, à espera. Pouco depois viu acender-se uma luz na entrada, era um rapaz que vinha a sair. Enrique aproximou-se rapidamente da porta e manteve-a aberta. O rapaz nem sequer olhou para ele. Entrou no elevador e subiu até ao quarto piso. Havia depois umas escadas e uma porta fechada a cadeado. A luz apagou-se, às escuras Enrique desceu um andar para voltar a acendê-la. Subiu e deu um pontapé no suporte que ligava o ferrolho à parede. Estava meio apodrecido, e o ferro soltou-se. Enrique subiu ao terraço.

Fotobiorreactores, era a palavra que eles usavam na página web. Uma palavra imponente, mas Enrique sabia que um reactor não era mais do que uma câmara, uma cavidade que albergava uma série de reacções biológicas ou químicas. Usara reactores no seu aquário, para desinfectar a água introduzindo ozono num cilindro, um reactor, por onde a água circulava. De certo modo, pensou para consigo, um útero também era um reactor. O pensamento incomodou-o. Detestava todo o tipo de simbolismo. Dentro de instantes, destruiria, à pancada, os seis fotobiorreactores desse terraço sem a menor intenção simbólica. Ia deixá-los inutilizáveis. Fá-los-ia em pedaços com o único propósito de não poderem voltar a funcionar.

Havia alguma luz que vinha da rua. Procurou a bomba de ar e desligou-a. Assentou o primeiro golpe com um bocado de ladrilho que encontrou a um canto. Bateu no cotovelo do fotobiorreactor, onde ficavam as junções, à terceira pancada o tubo abriu-se em dois e espalhou-se no chão um jorro de líquido. Embora saltasse para o lado afastando-se, algumas gotas salpicaram-lhe os sapatos. Surpreendeu-o ver um líquido avermelhado com zonas de espuma branca. Cheirava levemente a mar.

O líquido continuava a derramar-se, mais lentamente agora. Enrique sentiu que ficara sem forças. Todavia, devagar, avançou até ao segundo fotobiorreactor, tornou a bater no cotovelo do tubo, o tubo voltou a ceder, e de novo correu o líquido vermelho, espesso, com as suas ilhas de espuma. Fez o mesmo noutros três fotobiorreactores. Só restava um que ele desfez completamente: partiu-o em todas as junções e esmagou ainda os fragmentos dos tubos vazios com os pés num último arranque de fúria.

Enquanto descia as escadas, imaginou-se a lançar um fósforo aceso no líquido vermelho. Supunha que não seria inflamável; e contudo, por uns segundos, pareceu-lhe ver dez ou doze charcos a arder, enchendo de claridade o fim da noite. Mas ele não queimara nada, e também não desfizera a bomba de ventilação. Não sentia a necessidade de lhes fazer quanto pior melhor, de lhes causar quanto mais perdas económicas melhor, porque não pretendia encetar uma guerra com a Susana nem com o colectivo dela. Só queria confrontá-los com a desproporção entre o acto de construir e o de destruir. Destrói-se num quarto de hora, disse para consigo ao olhar para o relógio, não sem melancolia. O seu dia de anos começara havia dez minutos.

COMUNICADO 7 EMITIDO DO LÍQUIDO SOBRENADANTE

Gostaria que chovesse a cântaros embora a verdade seja que não chove e faz um calor de rachar. Já disse que por vezes me acontece o mesmo que a essa figura banal de certos filmes, o anjo imortal que anseia porém pela vida dos homens e está disposto a pagar por ela o preço da dor e da mortalidade; e, em termos menos grandiosos, o mesmo que acontece ao extraterrestre que trocaria o seu destino cósmico por estar em Barcelona à frente de um bar com *bocadillos* de beringela ou de uma venda de churros numa qualquer pequena ruela do universo. Mas embora por vezes sinta a nostalgia, como disse, de me dissolver num dos meus seres, num ser individual, não posso mudar a minha natureza. Nem creio que o fizesse, ainda que pudesse fazê-lo: as coisas que se anseiam na fantasia são diferentes das que, na realidade, se empreendem.

Sou um ser colectivo e seguirei o meu caminho. Isso não impede que, de tanto em tanto tempo, me impregne das pequenas manias dos seres individuais, deixando-me permear por nostalgias e desejos. Foi assim que calou fundo em mim o desejo experimentado por Félix de tempestades que limpem a cidade e a tornam nova, transfigurada. Também apreciaria hoje uma fina camada de neve. Mas já disse que está um calor de rachar e, por outro lado, na vida real a chuva não transforma quase nada. Na vida real, as coisas mudam com lentidão; depois do tornado das revoluções, depois desse indispensável varredor de tristeza, fica quase tudo por fazer.

Emito este comunicado da superfície do líquido sobrenadante que Enrique viu sem saber. Eu sei-o, porque juntamente com as fantasias impregna-me também o conhecimento dos meus seres individuais. O líquido que resta sobre um sedimento depois de produzida a sedimentação é o sobrenadante. Os seres individuais humanos expelem anidrido carbónico para o ar, e a alga vermelha *Porphyridium* expele para o sobrenadante oxigénio e polissacarídeos úteis para os seres humanos. Enrique atirou os polissacarídeos para o chão, depois viu a espuma produzida pelo oxigénio em contacto, mas não viu o que via. Acontece. Quem não sabe como é a bandeira neozelandesa vê uma bandeira, mas não vê a bandeira da Nova Zelândia e, talvez por isso, ao fim de umas horas esquece que viu uma bandeira. Imaginar o que não existe é fácil, em compensação imaginar o que existe exige conhecer. Na alga vermelha sedimentada, mas também no centro da retina dos seres humanos, há, por exemplo, um pigmento chamado zeaxantina que protege o olho da doença de que sofre dona Berta, a mãe de Enrique.

Enrique quer proteger a sua família como se o mundo fosse descontínuo e, mais ainda, não só como se houvesse saltos entre as coisas mas também como se ninguém pudesse dá-los, como se entre uma pedra e outra houvesse distâncias infranqueáveis, e do mesmo modo entre uma família e um colectivo, ou entre um colectivo e uma instituição médica, ou entre uma instituição médica e uma determinada retina. Sei que não está completamente fora da razão. O caminho que terão de fazer os pigmentos orgânicos atirados para o chão por Enrique para serem investigados, processados e convertidos em medicamento capaz de proteger a vista da sua mãe é, com efeito, longo e, diria eu, tortuoso. Enrique podia ter pensado que o objectivo de Susana, de Goyo e dos outros não era unicamente o caos, mas também tornar menos tortuoso esse caminho. Não o pensou, e o pátio está como está. Emito este comunicado da superfície do líquido sobrenadante porque é assim que o pátio está. Embora noutros momentos tenha procurado manter-me afastado e, como costuma dizer-se, não perder a perspectiva, agora já não o faço. Agora adiro ao que acontece.

Aproxima-se para mim um momento de perigo. Os seres colectivos cindem-se, fragmentam-se, com muita frequência e pode também acontecer que alguém, eles próprios incluídos, decrete a sua dissolução. Nesse caso o que acontece não é que o ser colectivo se dissolva nos seus seres individuais como eu por vezes fantasio. Não, nesse caso o que acontece é que a existência do ser colectivo fica suspensa: pode ser que seja reatada um dia, pode ser que nunca mais o seja. Estão a desabrochar pequenas catástrofes e embora eu não seja tão frágil como as algas, essas pequenas catástrofes afectam-me. Porque o ânimo dos seres individuais é efectivamente frágil, e o seu desânimo, em contrapartida, poderoso. Três ou quatro acontecimentos encadeados ou bem unidos no tempo geram o desânimo que ao longo de alguns dias se expande, e então as reuniões começam a esvaziar-se. Chega o Verão, começa um novo ano lectivo, há quem se pergunte para quê encetar o que provavelmente será um processo laborioso e não remunerado. Outros dão por si a repetir fórmulas dominantes com inesperado prazer, dão por si dizendo: o colectivo é uma enteléquia ou, pior, um perigo porque anula a individualidade ou, mais triste, dão por si dizendo que é a avidez de poder de uns quantos que impulsiona as lutas colectivas pela dignidade. Então, o que foi encetado não prossegue, não continua.

Eu não sou uma enteléquia uma vez que Enrique precisou de um pedaço de ladrilho para partir uma parte daquilo que produzi. Também não anulo a individualidade. Os corpos individuais estão separados uns dos outros por uma membrana, a pele, e isso não os impede todavia de se expandirem, de copularem, de construírem casas, de apertarem mãos, não se lhe rompe a pele sempre que um ser individual entra em contacto com outro. E, quanto à avidez de poder, onde estariam os seres individuais que hoje se dizem livres se outros seres nunca se tivessem unido para enfrentar a servidão, a escravidão, o medo. Acontece habitualmente que aqueles que criticam a avidez de poder dos que lutam são os que detêm o poder, usurpam a vontade de milhões de cidadãos que talvez não quisessem um país onde o bem público fosse votado ao desprezo. Mas não atacarei mais. Direi para que sirvo.

Direi que os seres individuais recorrem aos seres colectivos quando querem amadurecer sem apodrecer, quando querem fazer alguma coisa e o intervalo de uma vida não é suficiente em tempo ou em espaço. Entre todos os seres colectivos há alguns ditos políticos e revolucionários. A corporação talvez pertencesse a esse grupo. Os seres individuais associam-se com objectivos múltiplos: desporto, comunicação, defesa dos seus interesses. Mas há um, entre todos esses objectivos, que consiste em mudar as regras do jogo. É insólito. Não se trata de mudar a pontuação, mas as regras. Não se trata de obter mais apoio para, digamos por exemplo, as bibliotecas públicas, ou mais investimento no, digamos por exemplo, caso das doenças raras. Recorri a dois exemplos de associações que reivindicam perante ministérios diferentes uma coisa boa. Porque há também associações que são indiferentes aos olhos da maioria – a associação mediterrânica do bonsai de tomilho, talvez. E associações obscuras que procuram causar agravos comparativos e açambarcar privilégios. Os colectivos revolucionários não pertencem a nenhum destes três apartados. Não são perfeitos, ninguém é perfeito. Mas são insólitos porque está neles inscrita a outra pergunta necessária: porque não?

É indubitável que o "porque não?" foi utilizado pelos bárbaros, pelos selvagens, pelos que lançaram a primeira bomba atómica. E também, do outro lado, por Koch com o bacilo da tuberculose. "Porque não?" é a pergunta das aplicações, o cientista conhece-a melhor do que ninguém. E eu não direi que é a pergunta da esperança, porque desconfio da esperança. Mas não desconfio do progresso. Já sei que o progresso não é bem visto. Até a esquerda parece ter renunciado a ele. Não se confunda, evidentemente, progresso com esse famoso "desenvolvimento" que tem vindo a destruir recursos, culturas, ecossistemas. Por isso direi melhoramento, capacidade de transformar o mau em regular, e o regular num pouco menos regular, o não preferível no realmente preferível.

O que digo é, portanto, que não vou desanimar. Alguns tubos quebrados não seriam motivo suficiente, e talvez também não a briga travada por um miúdo de treze anos com a crise familiar consequente, e talvez também não o tempo. Mas são coisas que me preocupam. Peço por isso aos membros individuais que não se deixem dominar, nem dispersar, nem confundir.

Eloísa chegou ao terraço oito horas depois de Enrique se ter ido embora. Embora dispusesse somente de uns minutos, queria dar por ali uma vista de olhos porque durante a última semana o volume de algas recolhido aumentara significativamente. Chamou-lhe a atenção a porta aberta, parecia forçada, mas ela disse para consigo que era uma porta velha e que se podia ter partido em qualquer momento. Ao entrar estacou. Quis pensar numa rajada de vento ou nalguma coisa que tivesse caído em cima dos tubos. Não, não caíra nada nem fizera vento. Alguém forçara a porta e dera-se depois ao trabalho de partir os tubos pelas junções. Quem? Vândalos, loucos. Pelo menos quinze turmas de escolas secundárias tinham visitado o dispositivo e na rede havia informação disponível. Pensou na sua empresa, mas pô-la de parte porque aquela experiência não tinha envergadura suficiente para a incomodar. Perguntou a si própria se o outro terraço estaria intacto. A *Porphyridium* era mais delicada do que a espirulina: se só tivesse sido destruído um dos dispositivos e se quem o fizera sabia alguma coisa de algas, saberia também que a destruição mais pesada era a da *Porphyridium*. Pôs-se de cócoras para tocar as algas entornadas. "Bom, Pecruentum", disse, "vamos ver o que podemos fazer".

Deu a seguir meia-volta e saiu rapidamente. Tinha um encontro de trabalho, mas experimentara um súbito e absurdo acesso de compaixão, como se o Pecruentum fosse o seu gato Murdok, como se os milhões de microrganismos esféricos que tinham ido crescendo e se tinham ido renovando naquele terraço tivessem carácter e memória. Não pensava na destruição, no colectivo, no que iriam fazer: afeiçoara-se à alga. Embora – onde estava a alga em si? A que se afeiçoara ela? A um código genético? A cada um dos microrganismos? Era completamente desprovido de lógica. Abandonou o edifício perguntando-se em que espaço vazio se hospedara o Pecruentum? Um espaço que nem a sua filha Vera, nem Goyo, nem a sua família, nem os seus amigos, nem Murdok, nem as suas recordações, nem a sua ideia de futuro preenchiam.

Não se tratava de Bruno, como o seu irmão às vezes costumava sugerir-lhe, mas, pensou ela, do buraco que tinha querido preencher com Bruno e com as histórias seguintes. Um oco que a fizera merecer o qualificativo de apaixonadiça não por acaso, mas porque o era de facto, a ponto de se sentir apaixonada por uma alga ou um pedaço de mar, ou pela maneira como uma pessoa conseguia fazer aparecer diante da sua imaginação anchovas suculentas com salsa fresca. Goyo era ali que estava, nessa cavidade, estava nessa e noutras, mas restava ainda uma zona que também com Bruno não fora preenchida, que nunca o fora e por obra da qual Eloísa se transformava numa partícula voadora, borboleta de Inverno, electrão desemparelhado, flutuante e de certo modo tímido.

Ligou para Goyo de um troço engarrafado da M-30, mas não conseguiu apanhá-lo. Estava havia dois dias sem o ver. A recolha de informação extenuara os grupos. Quando Goyo chegava a casa, fechava-se diante do computador tentando imaginar caminhos que permitissem classificar e escoar a informação. Em menos de três semanas revelara-se que a maioria dos que tinham assinado a adesão queriam contar coisas e além disso cada um deles conhecia mais alguém que também as queria contar. Primeiro foi necessário estabelecer alguns pontos e um modo de fazer as perguntas que evitasse que as pessoas perdessem o fio à meada ou se enredassem neste ou naquele tema. Em todo o caso, pelo que Eloísa tinha podido ver, a informação reunida era de um modo geral bastante precisa.

Cada vez que falavam do caso, Eloísa não podia deixar de se interrogar sobre o que faria e diria ela. O telefone de Goyo estava sem rede. Tentou concentrar-se na condução. Havia muito trânsito. Ligou o rádio, estavam a passar uma canção bastante foleira, insidiosa e também muito doce que lentamente a afastou do passado e do futuro.

CADERNO DE MANUELA

Ontem foi o dia de anos do Enrique. Acabou por ser um desastre. Na noite anterior eu dormi na clínica, com o Rodrigo. Ao meio-dia deram-lhe alta. Propus ao Enrique celebrarmos todos as duas coisas ao mesmo tempo ao almoço, mas ele disse-me que era melhor não porque tinha trabalho. Por isso fizemos a celebração ao jantar. A Susana, o Rodrigo e o Marcos tinham-se juntado para lhe comprarem dois peixes novos, aparentemente muito exóticos. Tinham-nos posto no aquário para lhe fazerem uma surpresa, mas quando quiseram mostrar-lhos os dois peixes estavam atrás de uma pedra e o Enrique não os via. Houve uns minutos de confusão, e ele pensou que a prenda deles era um filtro, e depois uma luz nova. Finalmente lá apareceu um dos peixes, mas que não estava com muito bom aspecto. O certo é que o outro já estava morto e o segundo não muito longe disso também. Vão reclamar na loja, mas mesmo que lhes dêem outros dois peixes a coisa parece difícil de compor.

Eu tinha-lhe comprado uma camisola, sei que não é uma prenda muito original, mas não era minha ideia que o fosse: as camisolas agasalham e são bonitas, juntar as duas coisas não me parece mal, foi o que pensei. Mas não deu certo. Primeiro o Enrique observou que a camisola era muito juvenil, sorriu e deu-me um beijo. Depois, numa altura em que estávamos os dois na cozinha, disse-me que não o preocupava minimamente fazer cinquenta anos. Eu estava a lavar os berbigões e ele escorria-os e ia-os pondo numa tigela enquanto falava comigo.

Está muito zangado comigo por eu lhe ter dito que não dramatizasse o caso do Rodrigo. Não lho disse só por ele, era também por mim. O Enrique julga que não me assustei com a briga, mas é evidente que me assustei. O meu filho foi espancado na escola, pelos seus próprios colegas. Parece que tentou defender uma rapariga ou que se negou a juntar-se à agressão. Não foi um espancamento por aí além, eram dois contra um. O Rodrigo não é muito forte nem muito fraco, por isso quase poderia dizer-se que se tratou de uma briga, de uma briga que ele perdeu. O que se passa é que os outros se enfureceram contra ele. Uma coisa é bater em alguém que se está a bater e outra pisar-lhe a cabeça depois de caído. Claro que estou preocupada.

Hoje comemos sozinhas em casa, a Susana e eu. Era o primeiro dia em que o Rodrigo voltava à escola. Assunto complicado porque o rapaz que o pisou se foi embora, mas continuam lá os amigos dele, há um ajuste de contas pendente, etc. O Enrique disse que iria ele buscá-lo e que o levaria depois a almoçar. Um almoço de pai e filho, disse ele. O Marcos ia comer em casa de um amigo e por isso eu tinha pensado ficar na escola, mas quando a Susana disse que almoçava em casa decidi vir também. O Rodrigo e a Susana dão-se muito bem. Como a Susana gosta de matemática, tem sido ela muitas vezes, e não o Enrique nem eu, a ajudá-lo nos trabalhos de casa. O Enrique pensa que a Susana influenciou o Rodrigo confundindo-o, enchendo-lhe a cabeça de tolices.

Enquanto almoçávamos, a Susana puxou do assunto. Foi ela quem disse que o pai acha que a culpada é ela. Depois disse-me que não me preocupasse. Que teria sido pior se o Rodrigo tivesse ficado à espreita. Ah, porque embora a briga tivesse sido de dois contra um, havia um terceiro à espreita. A minha primeira reacção foi dizer que não, que claro que não teria sido pior, porque aquele que estava à espreita se manteve sempre fora de perigo. A Susana limitou-se a olhar para mim. E, bem, tem razão: as pancadas tratam-se, mas não sei onde teria o Rodrigo metido, sendo como é, a recordação de ter estado à espreita enquanto dois rapazes pisavam a cabeça de outro.

A Susana perguntou-me se na minha escola não há brigas. Claro que há brigas. Mas eu pensava que na escola do Rodrigo e do Marcos não havia. Então a Susana largou-me uma dessas frases que não condizem com a sua cara de miúda com sardas:

– O pai e tu não ganham que chegue – disse ela.

Massa com tomate, era o que estávamos a comer. Explico-o porque a Susana sempre comeu desajeitadamente esse prato, sorvendo a massa entre os lábios, salpicando a cara e a roupa com manchas de tomate. A verdade é que disse a frase dela entre duas garfadas de massa, e isso a atenuou de certo modo. Não tenho nada contra o materialismo dialéctico, chego até a ensiná-lo com certa paixão nas minhas aulas, mas quando se dá com ele na boca de uma filha é difícil de aceitar. A Susana explicou-me que estava a referir-se ao facto de ser impossível proteger o Rodrigo de tudo, ou sequer de quase tudo.

– O pai sempre pensou que por morarmos nesta casa e andarmos em boas escolas onde nos daríamos sobretudo com gente que vive em casas como estas e que também joga ténis aos sábados, a realidade poderia ficar de fora. Mas vocês não ganham o suficiente. Talvez há uns anos chegasse. Agora não, uma pequena bolha à parte não serve de nada. É preciso ter fortalezas e para isso são precisas várias casas, montes de dinheiro acumulado, quer dizer, é preciso ser-se de outra classe social.

– Mas a ti e ao Marcos nunca vos aconteceu nada – disse eu, pondo-me sem dar por isso do lado do Enrique.

A Susana continuou a comer a massa sem responder. Eu só tinha querido dizer que talvez o que se passou com o Rodrigo tenha sido pouca sorte e que talvez não seja preciso terem-se várias casas para proteger um pouco os filhos. Mas, claro, pareceu que tinha dito que aquilo tinha acontecido ao Rodrigo pelo facto de o Rodrigo ser como era, o que parece o mesmo que dizer que o Rodrigo é como é porque a Susana o influenciou.

A Susana já acabara a massa e, sem que isso viesse aparentemente a propósito, disse:

– Eu falo com o Rodrigo do que faço, do que penso. Conto-lhe as minhas coisas como ele me conta as dele.

É incrível, mas até a esse momento não compreendi que a Susana está muito mais preocupada do que eu. Disse-lhe com toda a veemência:

– O Rodrigo não começou a briga por causa das coisas que tu lhe contas, mas porque achou humilhante aquilo que via. E se tu o ajudaste a ver as coisas assim, só podemos agradecer-te. Além disso, tens razão, a realidade de hoje, sem escrúpulos, cínica, está aí, nós vivemos a pensar que poderíamos livrar-nos dela, mas é com certeza melhor assim. É extremamente angustiante estar o dia todo sem saber se se deve abrir a porta, porque pode ser a realidade a bater, ou se se deve atender o telefone, porque pode ser a realidade a chamar. – Respirei fundo, queria estar mais serena, e depois, devagar, continuei: – Tudo isto acontece não porque tu contes ou deixas de contar coisas ao Rodrigo, mas porque ameaçar e agredir são coisas habituais, e não só, muito longe disso, nas escolas: estou a referir-me à nossa sociedade, ao nosso modo de vida encantador. Por outro lado, o Rodrigo já não é assim tão pequeno, embora a nós nos pareça que é. Vai ter de aprender a defender-se.

Esta última frase custou-me. Acredito nela, mas dizê-la é como rasgar-me um tanto por dentro. Confio que as minhas palavras possam ter aliviado alguma coisa a Susana. Poisei também a minha mão no braço dela, ainda é aí que a tenho.

Do meio-dia às cinco da tarde Félix, Goyo e outras sete pessoas inseriram seiscentas histórias. Puseram-nas em expositores de roupa, entre pacotes de leite, em lojas de chineses, em sacos de laranjas, em bancos do metro, salas de espera de clínicas e de centros de saúde. Escolheram histórias soltas.

Despedem um rapaz de uma pequena empresa de sondagens. A fórmula que na empresa "oferecem" para que o rapaz possa receber o subsídio de desemprego sem ir a tribunal consiste em que ele aceite entregar à proprietária e directora da empresa a indemnização que lhe cabe – sem o declarar, evidentemente. O rapaz aceita, precisa do subsídio. No dia seguinte, como que por acaso, reúne-se um grupo à volta da chefe que está a contar anedotas; a maior parte dos presentes já as conhece, mas todos se riem. Ninguém observa luto pelo despedido. Todos têm medo – até aquele que, três meses mais tarde, se transformará em narrador do caso. Todos têm medo; a chefe dispõe de património.

Dois físicos de Barcelona descobriram uma nanopartícula magnética muito útil para a biomedicina porque é capaz de dissipar mais calor e isso a torna mais eficaz quando é necessário eliminar um tumor. Registar a descoberta revela-se complicado porque se trata de uma patente da universidade em colaboração com um centro de investigação público. Demorará o seu tempo até que as instituições se ponham de acordo e cumpram os trâmites necessários. Depois, os dois físicos, uma vez que são funcionários, receberão muito pouco dinheiro. Um amigo que trabalha numa empresa privada propõe-lhes que entreguem o *know-how* à empresa: trata-se de explicar como se obtém a partícula e de prometer que não trabalharão nisso para mais ninguém, recebendo dinheiro em troca. Eles aceitam o negócio. Mais tarde, os dois físicos perguntam à narradora da história se o que fizeram é ético. A verdade é que, segundo dizem, não sabem. Argumentam que a universidade espanhola não é demasiado coerente, nem transforma, e que de dia para dia trabalha menos para a colectividade e mais para as empresas privadas.

Alguns emigrantes aos quais não foi explicado que para entrarem na câmara de pão congelado com uma temperatura de dez graus negativos devem vestir um casaco especial, uma vez que o contraste com os quarenta graus da sala do forno é muito forte, acabam por sofrer uma pneumonia dupla. O médico da segurança social, narrador da história, propõe que essas pneumonias sejam consideradas uma doença profissional. A sua proposta é rejeitada: com uma mão-de-obra mais qualificada, explicam-lhe, o caso não teria tido lugar.

Um equatoriano distribuidor de supermercado toca à campainha de uma casa, no dia anterior foi despedido por causa de uma mulher que agora lhe abre a porta e ontem telefonou a queixar-se de um atraso na entrega. O equatoriano exige uma reparação à mulher. A mulher consegue arranjar-lhe outro trabalho, mas sabe que não é suficiente. A sua riqueza, a sua casa, a sua cultura, o gás natural do seu aquecimento, a roupa dos seus filhos, o seu horizonte, assentam no saque operado durante anos sobre o país do equatoriano e sobre outros países e outras vidas. A reparação não pode ser pessoal. Por isso a mulher conta a história.

Um rapaz está a desmontar um cenário quando uma barra de ferro lhe cai em cima da cabeça e o deixa em coma. Dizem ao narrador da história que apanhe um táxi e vá a toda a pressa buscar quarenta capacetes às instalações da empresa e que os traga para que os trabalhadores os possam pôr antes que chegue a inspecção. O rapaz faz o que lhe mandam e descreve a sua vergonha.

Um homem trabalha no sector de produção de uma empresa. O seu superior imediato gritou com ele várias vezes. O homem conta o que se passa aos seus companheiros e diz que não aguenta mais: vai deixar o trabalho. Os outros dizem-lhe que está louco, se deixar aquele trabalho terá de esperar muito tempo até encontrar outro. O homem decide continuar. O chefe volta a gritar-lhe. O homem não faz seja o que for, mas nessa noite dá por si a gritar com o filho. No dia seguinte de manhã, na empresa, o homem entra no escritório do chefe e grita com ele. Depois deixa o trabalho. Está à procura de outro na altura em que conta a sua história.

8

SUSANA

Quando vi a cara do Rodrigo fui-me abaixo. Por fora não, por fora dei-lhe um beijo e meti-me com ele. Ele estava bem, sossegado, não se armava em herói e também não parecia assustado. Se tivesse sabido como eu estava, não teria sequer compreendido. Ter-me-ia perguntado sem dúvida: mas porque é que ficas assim? Não vês que não me aconteceu nada de grave? Mas a seguir, quando ficasse sozinho, também ele se iria abaixo, com toda a razão. Porque se eu não sou capaz de enfrentar as consequências do que lhe digo, porque teria ele de o ser? O mal é que eu não sei se sou capaz.

"Se um homem pensa que, para dedicar a sua vida inteira à revolução, não pode distrair o seu pensamento preocupando-se porque pode faltar determinado produto ao seu filho, porque os sapatos dos filhos podem estar rotos, porque à sua família pode faltar certo bem necessário, sob este raciocínio deixa que se infiltrem os germes da futura corrupção". Copiei estas palavras há uns meses e concordei com elas. Apareciam numa introdução ao marxismo; já não me lembro de quem as escreveu, mas sei que eram dos anos 60. Antecipavam-se às críticas que mais tarde foram dirigidas à burocracia soviética, e às que nós poderíamos fazer aos nossos políticos. Nenhum político deve viver melhor do que as outras pessoas, nem mesmo no caso de em vez de falar de si próprio adiantar a sua família como pretexto e disser: "Não peço vantagens para mim, mas preciso de estar tranquilo a respeito das condições de vida da minha família porque se estiver preocupado com essas condições trabalharei pior, não me concentrarei, negligenciarei as minhas tarefas políticas". Nem o político nem ninguém tem direito a considerar-se mais importante do que outra pessoa e a reclamar privilégios sob o pretexto de que as preocupações com a família não prejudiquem o seu trabalho. Porque, de resto, quando a corrupção não se propõe beneficiar quem a faz, mas um filho ou um amigo ou, como há pouco tempo se passou com um ministro francês, creio que a sua assessora, acaba por parecer menos corrupção, embora cause os mesmos estragos.

Pensei que concordava com aquelas palavras, mas agora não sei. O que quero dizer é que quando penso em privilégios, o caso parece-me claríssimo, mas, se assim posso dizer, talvez haja uma linha: por exemplo, "não ser espancado" não é um privilégio, é outra coisa. Se toda a gente fosse espancada, não espancarem o filho do político seria talvez um privilégio. Mas se o normal é que não se espanquem as pessoas, então que seja só o filho do político a ser espancado é uma opressão, e não é justo.

Nem eu sou política nem o Rodrigo é meu filho. O que nada me tranquiliza, pelo contrário, quase torna piores as coisas. No outro dia tive de acalmar um bocadinho a minha mãe, que também se estava a ir abaixo. O que mais lhe doía era não ter sido capaz de proteger o Rodrigo, e eu tentei explicar-lhe que se escondesse o Rodrigo da realidade não o estaria então a proteger. É o que eu penso. Ela também quis acalmar-me. Ajudou-me com tudo o que me disse e com a maneira como me tratou. O problema é que a minha mãe não foi causadora directa do que se passou com o Rodrigo, mas eu sim. Bom, talvez inteiramente directa, não. Se eu tivesse falado ao Marcos da maneira que temos de ver as coisas no colectivo, julgo que isso não teria tido as mesmas consequências. E também penso que o Rodrigo já não é tão pequeno como isso e que não posso tirar-lhe o direito a escolher, nem tirar-lhe a serenidade que sente agora por pensar que fez o que devia: não o que eu lhe disse que fizesse ou o que lhe disse uma canção do Pepito Pérez, mas aquilo que ele próprio, vendo as coisas no estado em que estavam, escolheu fazer. Sim, mas ao mesmo tempo a verdade é que ter treze anos não é o mesmo que ter dezoito, ou sequer dezasseis. E não tenho maneira de me escapar.

Sempre disse que nós, as pessoas, não acabamos em nós mesmas. O Rodrigo faz parte de mim, eu faço parte dele, fazemos os dois parte de uma colectividade mais ampla. É nisto que acredito. E não só acredito, mas penso que não chega a ser preciso acreditar – seria como dizer: acredito que tenho cinco dedos. É assim. A maior parte das coisas não são feitas para uma pessoa só. A vida entrelaça-se. Estudo para poder ganhar a vida, mas é evidente que os meus conhecimentos irão ter às mãos de outras pessoas além de me garantir o salário. Até mesmo quando como uma sandes, acto que parece puramente individual, é claro que a energia que a sandes me dá não vai ser só para mim, alguma parte caberá a mais alguém e as partes não se deixam distinguir com facilidade. Mas pensar assim também não me ajuda muito no que diz respeito ao Rodrigo. Gostava que não lhe tivesse acontecido nada. O que quer dizer que neste momento não sei se sou capaz de aceitar as consequências das coisas em que acredito. Uma vez que estaria disposta a pôr em prática as minhas ideias se só me afectassem a mim. Mas se afectarem o Rodrigo, então já não sei.

Embora, por outro lado, que deveria eu ter feito? Representar? Chegar a casa e só falar com o Rodrigo de jogos de computador, ou de linces ibéricos, ou de coisas de que não faço a mais pequena ideia? Deixar tudo o resto, como acho que pensa o meu pai. Teria de me ter dedicado só ao curso e à roupa e ao inglês. Mas o que eu disse à minha mãe continua a ser verdade: também assim não estaríamos a salvo. Não somos multimilionários, nem milionários sequer. A sociedade que fizemos apareceria quando menos o esperássemos, traria morte, sofrimento ou abandono, e nós sentir-nos-íamos culpados de ter pactuado com ela, aceitando-a como a melhor de entre as possíveis, se é que não fechávamos os olhos.

Estou completamente desorientada. Sei, com toda a certeza, que não acabo em mim mesma porque ninguém acaba em si mesmo. Mas, e se no fundo preferir enganar-me e pensar que há compartimentos e que eu me intrometi no do Rodrigo? Talvez continue sem reconhecer que uma parte de mim é o Rodrigo e que uma parte do Rodrigo é a Susana.

Ainda por cima partiram-nos os tubos do segundo terraço. Não é muito grave. Tínhamos decidido montar outro dispositivo em Sevilha e outro em Almería, e já estão a funcionar. E o primeiro terraço continua em acção. O problema são as discussões. Porque de repente tivemos de decidir o que faríamos com o primeiro terraço: pô-la sob vigilância? A resposta a esta pergunta foi fácil, porque não temos gente nem meios para podermos vigiar o terraço a todo o momento. E no entanto, darmos por nós a discutir lembra-nos que também não temos muita força. E, embora o saibamos, sabê-lo é diferente de nos lembrarmos disso. Penso que não convém lembrarmo-nos a todo o momento de que é assim, dedicar demasiado tempo a pensar no assunto. Porque há outras coisas a fazer. Também não é que sejamos infatigáveis, não somos. Paramos muitas vezes, e sentamo-nos. Eu fumo um cigarro ou faço um chá. E imagino que chove sobre as árvores.

É estranho, há três meses que deixei de sair com o Rafa e até hoje não me tinha lembrado dele. Ou lembrava-me, mas como de uma coisa normal, como nos lembramos de tudo. Hoje em vez disso desejei que ele me telefonasse, poder falar com ele pelo telefone, contar-lhe alguma coisa de tudo isto. Também poderia telefonar ao Félix, ao Goyo, a amigas da faculdade. O que se passa é que o Rafa via as coisas com outra distância, mais ou menos como o meu pai. Quem me dera poder falar com o meu pai. Gostava de lhe dizer que não pactue, que não se dê por vencido, que não ligue aos que pensam que o Rodrigo cometeu um erro. Gostava de lhe dizer que ele não é um desses, e que as coisas não têm de ser sempre tão escuras como hoje. Sei que íamos discutir, mas antes quando discutíamos parecia-me que ele pensava no que eu lhe dizia, e a verdade é que eu pensava no que me dizia ele. Agora já não conseguimos falar. O meu pai tornou-se diferente do meu pai. E sinto bastante a sua falta.

— Fui eu que parti os tubos.

Eloísa não reconhecia a voz, mas soube imediatamente de que estava a voz a falar.

— Eu conheço-o? — disse ela.

— Não. Eu conheço-te um pouco, mas tu a mim não.

Olhou incomodada à sua volta. Do seu módulo de vidro via outros engenheiros químicos; nenhum deles estava a olhar para ela.

— Porque é que me está a telefonar? O que é que quer?

— Vi-te uma vez. Há três anos. A minha empresa tinha relações com a tua e estive no centro onde tu trabalhas. Sossega. Não sou um psicopata. Só queria dizer-te que para mim não és uma desconhecida, contaram-me coisas da tua vida. Além disso, sei pôr uma cara e um corpo no teu nome.

— Vai dizer-me porque partiu os fotobiorreactores?

— É uma história muito comprida.

— Eu não tenho muito tempo.

— Porque não? Tens de trabalhar para te perdoarem isso dos terraços?

— Não.

– Então?

– Trabalho para comer.

– Sim, claro, para comer, para que te paguem o teu salário mais um plano de reforma de uns doze mil euros, mais o bónus variável de vinte por cento do teu salário de base que acordaste com o teu chefe, mais a apólice médica. Não andei a espiar-te, sei que é assim que as coisas são na tua empresa.

– E...?

– Gosto da exactidão. E não chamo comer ao que fazes com o teu salário.

– Porque é que escolheu o terraço onde estava a alga *Porphyridium*?

– Por causa da rua, ia a passar lá por perto.

– Não conhece as algas?

– Não muito. Tenho um aquário. Sei de que é que os meus peixes precisam, sei o que lhes faz mal e mais nada.

– Pouca sorte – disse Eloísa quase de si para si. – Porque foi que destruiu tudo?

– Porque não? Se cada um pode produzir o que bem lhe parece, como vocês dizem, então cada um pode também destruir o que bem lhe parece, ou não será?

– Não. O que nós dizemos é que hoje só as grandes empresas podem produzir o que bem lhes parece: tomam decisões que prejudicam a maioria e não o fazem democraticamente.

– Vocês também não fizeram uma votação para serem autorizados a utilizar o terraço.

– Fez-se, sim, e acho que em mais de setenta organizações.

– Que representam duzentos e quatro loucos, ou duzentos e cinco.

– Representam mais. Antes da votação debateram-se com argumentos as razões da instalação dos dispositivos, e considerou-se que não deviam prejudicar ninguém.

– Não deviam prejudicar ninguém! Por amor de Deus! E como é que isso se sabe? A mim, vocês prejudicaram-me muito. Nem tu imaginas quanto.

– Não sei quem você é. Nós não propomos que cada um possa compor e destruir o que lhe apetecer. Pelo contrário, queremos evitá-lo, expor à luz do dia decisões que se tomam sem consultar os interessados, sem ter em conta a cadeia dos seus efeitos.

– Ninguém conhece a cadeia desses efeitos, Eloísa. Eu...

Eloísa interrompeu-o:

– Se me trata pelo meu nome, tem de dizer-me o seu.

– Chamo-me vítima da cadeia de efeitos. Com a minha vida, vocês não tiveram grandes precauções – disse Enrique.

– Porque não entrou em contacto connosco? Porque não nos fez ver as consequências destrutivas do nosso dispositivo, se ele de facto as tem?

– Pus-me em contacto: destruindo-o.

– Sem um motivo, sem um argumento, sem uma explicação – disse Eloísa.

– Com três motivos pelo menos. Secretos. Segundo os dados que tenho, vocês fazem bastantes coisas em segredo.

– As nossas razões são públicas, poderíamos defendê-las em qualquer tribuna, bastaria que no-la dessem.

– Porque não as defendes diante do teu chefe, quando estás a negociar o teu bónus variável, Eloísa? Também era uma tribuna.

Eloísa perguntou-se se seria possível que aquele homem tivesse entrado no seu computador. Afastou essa hipótese e disse:

– Poderá falar livremente quem está a jogar o seu salário? Talvez sim, talvez não. E você? Porque não me diz as suas razões?

– Porque são privadas. Porque vocês, os de esquerda, desprezam a vida privada. Agora mesmo tiveste vergonha de admitir que não és livre porque a tua filha e o seu futuro te amarram, talvez tenhas até corado. Meu Deus, sentes-te na obrigação de arriscar a tranquilidade da tua filha, o futuro dela e o teu, só para seres coerente. Não é penoso?

Eloísa sentiu-se ferida e atacou:

– Penoso é o catavento que gira na direcção do vento, e diz que o faz para proteger o vento.

– Muito engenhoso, sim, mas eu não protejo o vento. Eu, para proteger os meus, tenho de me mover na direcção do vento. Do mesmo vento que arrasa outras casas de família. Mereço ir para o inferno?

– Não, mas é uma atitude pouco racional. O vento, reforçado por outros como você, que não quiseram fazer-lhe frente, acabará um dia por arrasar a sua casa.

– Magnífico, Eloísa, vejo que adivinhaste quem eu sou. Mas não foi o vento que arrasou a minha casa. Foram vocês.

– Não sei quem você é. De que é que nos acusa? De que é que me acusa? – disse Eloísa.

– Defendes-te atacando, e mentes. O vento de que tu falas, o capitalismo, podes dizê-lo, não tenhas medo, é benigno para contigo. Como foi para comigo, até vocês entrarem na minha vida.

– É a sua casa, ou é a sua vida que você quer proteger?

– Há alguma diferença?

– Bom, em sua casa deve haver outras pessoas que têm o mesmo direito que você a escolher.

– Sou o pai da Susana.

Eloísa ouviu-o exalar o ar, como que depois de aspirar ansiosamente o fumo.

– Estou desorientado – disse Enrique.

Ela preparava-se para responder quando Enrique desligou. Pensou em telefonar a Susana, mas decidiu esperar. Talvez Enrique lhe falasse.

Aconteceu alguma coisa. A minha mãe ia já nas doze entrevistas à procura de trabalho. Para mim o mais deprimente era ver como ela ia reduzindo as suas expectativas, e convencendo-se ainda por cima de que assim devia fazer, pois não valia tanto, valia menos, e de uma semana para outra, menos ainda. Eu perguntava-me até onde poderia chegar o regatear do sistema com a minha mãe; tinha a certeza de que chegaria abaixo do salário mínimo.

Entretanto o Goyo passou-me umas tantas histórias de casos que recolhemos. Uma delas é de uma empregada de uma loja de tapetes que tem, como ela própria diz, vinte e sete anos de descontos ao serviço da loja. Goyo não sabia se a deveríamos incluir uma vez que não se trata de uma queixa. De facto também não é uma história, mas quase o contrário: uma trabalhadora que sugere que não façamos nada. Copio-ta palavra por palavra:

"Nós, os trabalhadores, não podemos é perder o norte; pagam-nos pelo nosso trabalho e assinamos o contrato com total acordo da nossa parte. Não nos puseram um punhal ao peito para o assinarmos, por isso sabíamos perfeitamente o que estávamos a fazer: assinamos um contrato de servidão e lealdade e é isso o que temos. Mas o que não podemos fazer é morder a mão que nos dá de comer ou olhar para a empresa como se fosse o nosso pior inimigo. Nós, trabalhadores, falamos muito dos nossos direitos, mas... e as nossas obrigações? Teremos lido bem os nossos estatutos? A verdade é que posso ser um tanto altruísta, mas dou tudo e mais alguma coisa no trabalho. Ponho muito da minha lavra, como gostava que trabalhasse para mim um empregado no caso de ser eu a dona. Sou uma simples caixeira e sei que nunca irei mais longe, mas todas as noites quando, esgotada (vendo tapetes) de levantar peso e aturar os clientes, acabo por me ir deitar, tenho a consciência perfeitamente tranquila por ter pago o meu pão à força de rins e lealdade.

É verdade que sinto às vezes vontade de estrangular os meus chefes de tanto me sentir explorada fisicamente, mas também é verdade que graças a eles terem confiado em mim tenho um emprego e posso comer todos os dias. Todos gostaríamos de ver as coisas serem-nos dadas, mas isso está longe da realidade. Embora às vezes as coisas pareçam favoráveis e a tentação seja muito forte, e a necessidade ainda mais, não devemos ignorar as nossas obrigações nem correr riscos: não vale a pena! Somos mais inteligentes do que pensam muitos empresários. Não devemos esquecer que as empresas nos montam armadilhas para nos porem à prova e verificarem que grau de confiança podem depositar em nós" (http://www.sangrefria.com, 2005-07-16).

Estava a ler o que esta mulher dizia e a ouvir ao mesmo tempo a televisão que a minha mãe tinha ligado. Imprimi as palavras da vendedora, e a seguir perguntei à minha mãe se podia apagar a televisão para ela ler uma coisa e dar-me depois a sua opinião. Ela apagou-a sem dizer nada, pegou no papel. Não houve musical de Hollywood, não se pôs a dançar um sapateado. Passou-me a mão pelo cabelo como quando eu era pequeno. Depois disse que queria arrumar uns papéis e agradeceu-me. Via-se que estava satisfeita. No dia seguinte tinha outra entrevista. E conseguiu que a contratassem por um mês à experiência.

Convidou-me para almoçar e disse-me que tinham ficado com ela graças à caixeira da loja de tapetes. "Servidão e lealdade", "força de rins e lealdade" – essas expressões, segundo me disse, tinham ficado gravadas nela. Por isso fora à procura de tudo o que tinha do seu trabalho anterior, papéis que se guardam, horários, directivas da empresa para os supervisores, as suas notas sobre as falhas que se verificavam no processo de embalagem, e pôs todas essas coisas em ordem. Não se apresentou na entrevista como a trabalhadora lutadora e finalmente despedida de uma empresa, mas como alguém que tinha qualquer coisa para oferecer. Disse que podia fornecer informação útil para melhorar a secção da embalagem. Mentiu acerca do posto que ocupara e também acerca do seu papel na mobilização. Se alguém se desse ao trabalho de verificar as suas declarações, não teria perdido nada uma vez que à partida não tinha aquele trabalho. Por outro lado, seria difícil que conseguissem fazê-lo uma vez que a deslocalização dispersara a maior parte dos seus chefes.

Fez-me algum medo. Não pela minha mãe, que vejo que está bem. Fez-me medo pelo que significa renunciar à lealdade. Ora, bem sei que a minha mãe não tem o dever de ser leal a uma empresa que de um momento para o outro, se for esse o seu interesse, a porá no olho da rua. Mas isso da deslealdade dentro e da lealdade fora faz-me pensar nos espiões: embora muitos cumpram o prometido até ao fim há também muitos que acabam por ser agentes duplos, por trair. Não me parece que isso aconteça com a minha mãe, que continua a fazer parte do seu pequeno sindicato e sabe muito bem o que quer: "Não tenciono voltar a lutar de coração aberto", disse-me ela. Eu não passei pelos anos de trabalho duro da minha mãe e além disso confio nela. Mas no que me diz respeito, por exemplo, não tenho a experiência suficiente, a educação colectiva ou como lhe queiras chamar, para saber que não vou deixar-me levar. Penso que devemos tentar fazer jogo limpo em toda a parte. Somos animais de hábitos, não seremos? Habituas-te a mentir numa situação e acabas por mentir noutras, é isso que me preocupa.

Talvez eu seja um idealista de merda, Mauricio, mas acho que devíamos tentar agir como se já estivéssemos no lugar pelo qual lutamos. Não digo que tenhamos de ser uns picuinhas a cem por cento, se um dia for preciso colar cartazes num sítio onde é proibido, colam-se, e se um dia for preciso entrar de noite numa fábrica para deixar uns panfletos, entra-se. Mas sem enganar. Acho que uma coisa é forçar certas regras segundo as quais é impossível viver com dignidade, e outra coisa é esquivá-las. A minha mãe tem direito a esquivá-las, mas nós devíamos fazer-lhes frente. Com inteligência, até mesmo com astúcia, mas com honestidade. Como as guerrilhas, que se antecipam ao inimigo ou lhe preparam uma emboscada, mas jogam limpo, não torturam, não mentem, não separam o fim dos meios.

Quanto ao que dizes dos colectivos, Mauricio, tenho a certeza de que tens razão: quando chegar o Inverno, vamos continuar. Mesmo que o Goyo e a Eloísa se vão embora, a verdade é que não se vão de todo, vão integrar-se num grupo do lugar onde estejam, e de certo modo continuaremos a trabalhar juntos. E chega cada vez mais gente. Na terça-feira, quando tu não pudeste vir, conseguimos inserir seiscentas histórias. Há uma delas que não consigo tirar da cabeça, é assim: numa empresa há um conflito sindical cada vez mais assanhado. O empresário reúne-se com o dirigente sindical e pergunta-lhe: que raio de coisa queres tu? O dirigente sindical diz: um lugar numa charcutaria de tal mercado para a minha mulher. Arranjam o lugar à mulher, e o conflito acalma-se. Mas a história não acaba aqui: continua com o empresário a explicar aos seus amigos que se ri do sindicalismo, e diz que toda a gente tem um preço. E acaba com a pessoa que nos contou a história: uma empregada doméstica do empresário, uma peruana, que ganha oitocentos euros por mês e que, quando ouve o empresário dizer que toda a gente tem um preço, sente desejos de sequestrar o filho do empresário, porque o que ela evidentemente não tem é o preço, quer dizer, o dinheiro com que pagar o preço que o empresário se daria ao luxo de se atribuir a si próprio.

Penso nesta história a todo o momento: corrompem e indignam-se, corrompem no acto mais imoral que pode imaginar-se, porque ao corromper nem sequer traficam com os seus interesses e os daquele que corrompem, mas traficam com o sonho de pessoas que, como a minha mãe, aguentaram a greve: esse aguentar, a resistência, a confiança, é o que deixam que alguém venda no mesmo lote de que faz parte a sua própria integridade, e é isso que compram. Mas o cúmulo é que, depois de o fazerem, se indignam porque os sindicalistas não são morais. Corrompem e indignam-se como se as duas coisas fossem compatíveis. Mete-me medo pensar que nós possamos acabar assim, nessa hipotética classe média que anda à chuva e não se molha, ou que assim se vê.

Lembro-me também de outra bastante triste. É sobre os colegas de um tipo que não quis avalizar um novo corante químico porque considerava que a sua inocuidade não fora testada nas devidas condições. Já vais ver porque é que digo que é a história dos colegas: o tipo é despedido e os seus colegas, na maioria da sua própria empresa, e alguns de outras, assinam uma espécie de documento de apoio. Que não serve para nada, que é simbólico: não comporta a exigência de readmissão do tipo despedido ameaçando que os outros se irão embora se assim não for, nem nada que se pareça. Bom, como o documento é simbólico, não acontece nada. Mas os meses continuam a passar, e o tipo que foi despedido está bastante entalado porque nenhuma outra empresa tem vontade de admitir alguém que diz a verdade. Faz uns biscates, vive mal, mas de vez em quando recebe chamadas dos seus colegas, dos que assinaram o documento, e sabes o que é que eles dizem? Explicam-lhe como foram corajosos, eles, por terem assinado o documento; falam-lhe, a ele, das represálias que receiam sofrer, dão quase a impressão de o culpar. Passam mais uns tantos meses, os colegas não sofrem uma represália que seja, mas continuam a insistir na mesma tecla. Que estão a fazer de nós, Mauricio? Que espécie de seres larvares somos?

No outro dia houve no núcleo uma discussão que parecia de Júlio Verne. Falávamos como se a revolução estivesse para acontecer amanhã à tarde. Dava-nos vontade de rir, sem a mais pequena má-fé, de nos rirmos de nós próprios, suponho, do que os sonhos têm de sonhos, de coisas desproporcionadas. Embora eu pense também: já que não nos deixam viver com justiça, prefiro mil vezes a desproporção, o disparate, o sonho desta tentativa de parar a grande máquina com fisgas, do que acabar por ser uma larva de anfíbio com os olhos vítreos como os mortos.

ELOÍSA PROCUROU na bolsa um relatório para reunião que a esperava. Tinha de entregar um estudo prospectivo sobre os biocombustíveis agrícolas tendo em vista novos investimentos. Escrevera-o como se não tivesse renunciado ao acto de entender, de compreender, embora não se tratasse da sua parte de uma decisão heróica pois tinha uma outra oferta de emprego.

Expandir a produção dos biocombustíveis supunha ampliar drasticamente e tornar mais intensivas as áreas de cultivo, com o consequente aumento da erosão dos solos, do uso de produtos agrários tóxicos e do consumo de água doce. Da água doce existente, a agricultura utilizava já setenta por cento. Eloísa não queria deixar de lado esses factos. Também certos países como o Reino Unido e a Suécia não os negavam, mas propunham-se aumentar o consumo de biocombustíveis, contanto que importados dos países do Sul, onde a produção era mais barata e o ambiente problema de outros. Através da lógica de "pão para hoje e fome para amanhã", estavam a ser promovidas em muitos países do Sul, frequentemente com subsídios governamentais e do Banco Mundial, grandes monoculturas energéticas para exportação, em prejuízo da produção de alimentos para consumo interno.

E isso que lhe importava? Mas, sobretudo, quem era ela para decidir que a lógica pão para hoje e fome para amanhã era uma lógica errada? Ela, respondeu de si para si, era ela, Eloísa, um ponto insignificante por comparação com uma grande empresa que, todavia, era constituída pela soma de outros pontos insignificantes. E um ponto insignificante por comparação com o devir complexo da sociedade que, todavia, era também feita de pontos insignificantes. Eloísa pensava que era necessário deter a voracidade da sua empresa; mas se exprimisse esse pensamento em voz alta, se além disso escrevesse que a suposta vantagem energética dos biocombustíveis se transformava num saldo negativo quando se considerava o conjunto do ciclo completo, e se pedisse que a deixassem trabalhar de acordo com semelhantes critérios ou que lhe mostrassem que os seus critérios estavam errados, seria então convidada a abandonar a empresa. Eloísa decidira abandoná-la com discrição.

Tinha uma oferta vinda de um centro de biotecnologia marinha ligado à universidade. Estava longe de ser também um lugar irrepreensível. Embora o centro tivesse nascido dentro do necessário espírito de respeito pela liberdade de investigação, via-se ao mesmo tempo obrigado a assumir um critério de estímulo da competitividade, da cooperação, da complementaridade e do autofinanciamento. No contexto actual, algumas destas palavras significariam obstáculos ao aprofundamento de investigações que não proporcionassem resultados a curto ou médio prazo; uma parte do trabalho de Eloísa deveria continuar, portanto, a ser orientado para a busca de soluções de final de chaminé em vez de outras que servissem para moderar o consumo ou a pilhagem dos recursos. Disse para consigo que para onde quer que fosse teria de se confrontar com decisões absurdas ou insuficientes ou erróneas; ela própria proporia por vezes algumas dessas decisões, e teria medo e enganar-se-ia. Mas quem estava a falar de tudo ou nada? Porquê entrar nessa lógica? Em biologia, a lógica que importava era a do pouco mais e do pouco menos. Contradições, de acordo, mas o certo era que cinquenta e dois poderia não ser igual a trinta e cinco. Sobretudo agora que o planeta tinha tão pouco tempo.

E em casa, como tinha dito o pai da Susana? Como seria com a Vera, com o Goyo? O centro de biotecnologia era fora de Madrid, a sua filha teria de mudar de escola, de amigos. O salário seria menor, desapareceriam o seguro de saúde, o plano de reforma, os bónus variáveis, o que se repercutiria na vida em comum. Goyo iria trabalhar com ela e estava de acordo. Contudo, na linguagem de Enrique, Eloísa permitira que o público interferisse na sua vida privada. Apesar de ela impugnar essa linguagem. Que vida privada poderia existir à margem do juízo? Quem seria o sujeito chamado Eloísa a actuar na vida privada se fosse despojado da capacidade de dizer o que estava e o que não estava bem? Quem falaria com a Vera quando fosse um sujeito assim a fazê-lo?

Talvez, disse para consigo, fosse a vida privada dos que não estavam dispostos a deter-se, a vida privada de uma classe social enlouquecida, essa vida que se intrometera nas vidas comuns das pessoas. E ela e Goyo tinham encontrado um reduto que pelo menos mantivesse essas intromissões a uma distância prudente, um reduto que outras pessoas, por sua vez, tinham construído. Insuficiente, sem dúvida. Não tinha a mínima sensação de estar a escapar-se porque os lugares fechados não existiam. A vida era transmissão, metabolismo, e quando o meio estava deteriorado, era o meio que era preciso transformar. No centro deparariam, com certeza, com obstáculos quando quisessem iniciar projectos que tivessem – por exemplo, potenciais conflitos de propriedade intelectual. E então não seria suficiente contornar os obstáculos se não enfrentassem além disso como pudessem, como soubessem, a sua origem.

Eloísa sentiu uma vertigem, pareceu-lhe que a sua mesa e as divisórias de vidro e o chão se inclinavam levemente. O turbilhão, pensou, começara a sorvê-la, o turbilhão da Susana e do Goyo, do Félix e do Mauricio, de alguns colectivos por vezes tão desordenados e voláteis como ela, mas que não renunciavam, que não tinham renunciado, ao seu próprio organismo, à sua escassa, pequena, embora extremamente preciosa, capacidade de julgar.

CADERNO DE MANUELA

Agora à escola secundária já não chamam instituto, mas tuto, não consigo habituar-me. Soa-me a tudo o que quiser menos a um instituto do ensino secundário. Antes era insti, sim, ainda hoje se ouve de vez quando. Mas a maioria diz tuto e quando os ouço dou-me conta de que começo a estar velha. Observo-o sem ressentimento. Há dois ou três anos senti de facto um certo ressentimento. Lembro-me de um colega de literatura me ter feito uma observação falando-me de um poema de Auden: "Agora, sem estar preparado para a morte, / mas já na fase em que começa a sentir-se ressentimento perante os jovens (...)". Era exactamente isso: sentia a raiva de envelhecer e projectava-a contra eles. Já não sinto essa raiva. Acho que estou a habituar-me à minha nova idade.

Embora o que se passa hoje em matéria de idade não deixe de ser uma lotaria. Supõe-se que há uma esperança de vida e que a partir dos quarenta e tantos devemos pensar que entrámos no plano descendente, temos menos tempo para viver do que aquele que já vivemos, se bem que bastante ainda. E contudo, tenho muitos amigos e amigas que morreram com a minha idade, ou com menos dez anos, ou com cinco mais. Dizem que há uma epidemia de cancro e de doenças neurodegenerativas. Talvez não haja, mas não sei bem até que ponto viver setenta ou oitenta anos é o normal. Também não podemos viver o tempo todo a pensar que vamos morrer amanhã. É uma possibilidade que nos ronda apesar de tudo e tenho de a olhar de frente. Depois, de qualquer maneira, continuarei a viver pensando que me restam ainda umas três ou quatro décadas antes de me ir embora.

Seja como for, cheguei à segunda parte da minha vida. Enquanto outras pessoas têm à sua frente longos projectos, por exemplo, de virem a ser médicos e terem muitos filhos, o meu projecto é envelhecer. Apesar de tudo, acontece que nesta altura da minha vida quero ainda começar umas quantas coisas. Talvez envelhecer não seja ir fechando as pastas, mas quando se abre uma nova perguntar se tem sentido. Porque na juventude todas as pastas têm sentido, mas agora não.

Hoje voltei à gelataria para escrever. Quando acabar, não tornarei a usar este caderno, e talvez me atreva a abandoná-lo um dia no balcão de um bar afastado para que você o ache. A gelataria é um tanto luxuosa, em vez de cadeiras metálicas ou de tiras de plástico tem sofás de couro. Se em vez de um gelado pedirmos um café, trazem-nos também alguns doces minúsculos numa taça branca. Há nesta gelataria, neste preciso momento, pelo menos quatro mulheres elegantemente vestidas. Vêm duas a duas, ou sós, ou com um acompanhante, e as suas roupas, os seus penteados, os seus brincos, a sua maneira de pegarem na chávena ou de olhar, fecham-nas. É qualquer coisa só tenuemente perceptível, mas eu compreendo-o porque o vivi. Sapatos duros, saias audaciosas, casacos quase perfeitos: ser essa mãe da qual os filhos jovens se sentem orgulhosos nos romances de outrora. E, entretanto, tudo se vai fechando: as amizades, os planos, os dias. E tudo se vai consumando. Há um erro neste comportamento, penso que posso hoje dizê-lo. O tempo da crisálida é anterior: o feto fecha-se, o adolescente isola-se, o jovem protege o seu território para crescer, para aprender, para se tornar forte. Em contrapartida, fechar-se para morrer não é lógico.

Ontem vi na televisão uma mulher dos seus setenta anos, de trança comprida, despenteada e grisalha, falando com a polícia de choque durante uma manifestação, talvez fosse no México ou no Brasil, não tenho a certeza. Não nasci nesses países, e todavia imagino que aqui, à margem de Benidorm, talvez nos espere um futuro de velhos e de velhas serenamente combativos. Pelo menos, posso falar da minha vida. Com esta idade abrirei algumas pastas que não poderei levar até ao fim, mas espero que outros o façam.

Amadurecer talvez consista em compreender que não sou eu a que assinará o quadro ou fechará as instalações e apagará a luz. E agora, enquanto sei que há coisas que nunca concluirei, quebro o relógio de areia, parto em pedaços o bojo de vidro da ampulheta e a minha areia já não é minha, mas sim parte de uma praia. Não se trata de precipitação minha. Simplesmente, continuo.

Na escola, decerto, não aconteceu fosse o que fosse de importante. Não foi tomada a Bastilha. "Gorki" na minha escola não é um escritor russo, mas alguém que não pára de pensar em comer. O meu filho Rodrigo não foi espancado em zonas dolorosas, mas, com fina ironia, foi submetido a uma "aplicação de calmantes". A minha turma continua a estar dividida em bakalas, betinhos, rappers, heavies, punks, etc. Há também uma miúda e um miúdo metidos em colectivos políticos. E não fazem par. Ela está num grupo comunista, ele num meio anarquista.

Falta uma semana para o fim do ano lectivo. Das actividades que fizemos nos últimos três meses, não sei o que vão guardar na memória. O rapaz meio anarquista diz-me que vão guardar quase tudo, que estas coisas ficam gravadas nas pessoas e um dia acabam por servir. A rapariga comunista pensa que uns cinco ou seis alunos vão com certeza lembrar-se. Nem que seja um só, como costuma dizer-se. Para o ano que vem começarei logo em Outubro, vou pedir uma direcção de turma e tenho alguns planos.

Em nova andava vagamente metida na política. Depois deixei-me disso, mas li e discuti o suficiente para conhecer os perigos do idealismo e das falsas consolações. Esses filmes em que todos os rapazes marginalizados acabam a tocar numa maravilhosa orquestra de música clássica não nos ajudam, nem esses outros em que a equipa de basquetebol da escola secundária mais pobre e mais perdida acaba por chegar à final e... por ganhar. Depois na realidade o embate é insofismável, e a combinação entre a expectativa e o embate produz um desânimo que se torna muito difícil sacudir.

E contudo os outros filmes, os mais certeiros, em que morre durante um tiroteio o mexicano que não estava metido em sarilhos e tirava boas notas, ou em que a pequena equipa perde perante a poderosa e o professor com vocação se vende em troca de um lugar no ministério, esses, embora sejam por vezes verosímeis, nem por isso têm razão. A razão não é o que sucede, mas o que é justo que suceda, ainda que nunca chegue a suceder. A razão não é dos que condenam Sócrates, embora o mais provável seja que se hoje o julgassem de novo, voltassem a condená-lo. Sócrates é um personagem inverosímil, mas tem razão.

Há também homens e mulheres como eu, que se demoram, que são lentos a compreender a hierarquia dos factos, o que tem mais ou menos importância. Não sei o que faria se me apontassem uma metralhadora. Estou enredada numa existência em que mato, despojo e faço chantagem sem querer ou, talvez, sem que isso me importe demasiado. E os meus planos para o próximo ano consistem simplesmente em pôr os miúdos perante o futuro para que eles possam vê-lo com alguma antecedência, para o caso de se ouvir outra música e de alguns se começarem a organizar para o transformar.

No que diz respeito à chamada vida privada, encontro-me bastante confundida. O Enrique parece-se cada vez mais de dia para dia com um peixe, anda às voltas pela casa, olha para mim, quase não fala. Eu espero: um dia o Enrique há-de abrir a boca e dela hão-de sair palavras em vez de balões de oxigénio. Penso que um e outro saberemos fazer alguma coisa com essas palavras. Em compensação, com quem não sei o que vou fazer é com o Marcos, o meu filho do meio. Parece absurdo, mas preocupa-me o facto de ele não me preocupar e acabo por sonhar todas as noites com ele.

O Marcos é um miúdo normal, aquilo que hoje em certos meios se entende por um miúdo normal. Anda com uma rapariga, é capitão da sua equipa, não tira notas boas nem más, embora mais perto de serem boas do que más, traz sempre nos ouvidos um desses aparelhos de ouvir música que me parecem um perigo porque penso que nós, os seres humanos, temos necessidade de silêncio, mas, enfim, ele gosta daquilo. Do que se está a passar em nossa casa, o Marcos terá entendido mais ou menos uma terça parte. À noite, antes de adormecer, penso no que sucederia se fizéssemos um pacto entre todos e decidíssemos deixar o Marcos fora das nossas batalhas. O Marcos acabaria o secundário, faria um desses cursos em que misturam o direito e a economia, depois pagávamos-lhe um mestrado mais caro, sem dúvida nos Estados Unidos, e ele quando voltasse arranjaria trabalho numa multinacional de calçado desportivo, ou numa de distribuição de produtos alimentares, ou noutro lado qualquer.

Suponho que não casaria muito tarde, teria dois ou três filhos, levá-los-ia a um clube de ténis, arranjaria maneira de viver numa dessas urbanizações circulares, protegidas, onde as crianças pudessem brincar ao ar livre, ou talvez acabasse por ter uma segunda casa na montanha com uma lareira e um jardim. A Susana fala-me muito do colapso do planeta, diz que os grandes grupos de poder estão a acabar com o solo arável, com o mar, com a água, com as relações entre as pessoas. Fala-me de uma coisa que, curiosamente, não encontrei nos livros de filosofia, "o princípio de precaução". Infringimo-lo, diz ela, e no dia em que menos esperarmos as consequências vão explodir, numa só frente ou em várias ao mesmo tempo. Os filhos do Marcos verão inundações, guerras travadas por causa da água, pragas de malformações genéticas, oceanos mortos, coisas que nem imaginamos. Não me ocorre chamar catastrofista à Susana porque sei que se uma classe social é capaz de utilizar outra como um objecto, se um homem é capaz de usar outro como um carro, se um país é capaz de usar outro como uma despensa, então tudo está perdido, e acabar com o equilíbrio da vida é o mesmo crime.

Compreendo isto; mas às vezes gostava de fazer com o Marcos o que não fiz com a Susana, mantê-lo afastado. Mas talvez dêem com ele de qualquer maneira. Muitas noites não durmo a pensar nisso, que darão com ele. E então, enquanto não durmo, lembro-me desse tempo de há alguns meses, quando, ao aparecer o Carlos Javier, também deixei de ser capaz de dormir. Não, não vou brincar aos círculos viciosos. Agora, quando não durmo conto carneiros e acabou-se. Agora não me parece que o solo esteja a ceder, que esteja a ceder a vida, que tudo esteja a ceder. É difícil avançar, talvez seja difícil. No entanto, as premissas estão certas e eu quero para os meus filhos terra firme, e que a sua vida não se desmorone um dia de repente por ter sido construída em falso.

Não é só para os meus filhos que quero terra firme. Quero também dizer que ninguém tem direito a usurpar o nosso juízo. Quanto mais tardar a dizê-lo, pior. Porque o juízo precisa de crescer nalgum lado. E se o não deixam crescer, transforma-se noutra coisa, repetição, excitação, desistência. O juízo, para se desenvolver, precisa de grandes alamedas. Sim, refiro-me ao célebre último discurso de Allende: "muito mais cedo do que se possa pensar, se abrirão as grandes alamedas" – embora a frase comece: "Continuem certos de que muito mais cedo…". Continuem certos: você não imagina a que ponto me comove esta ordem que é quase uma súplica. Gostava de lha dedicar. Suponho que a pequena diferença do factor humano, as condições subjectivas, o que nos permite continuarmos, como se diz, contra ventos e marés, é aí que está.

GOYO A SUSANA

Partimos amanhã cedo, são agora dez da noite e não consegui encontrar-te. Tenho de dizer-te uma coisa: o teu pai telefonou à Elo e explicou-lhe que tinha destruído os fotobiorreactores do segundo terraço. Penso que o disse para a Elo mo dizer e para eu to dizer a ti. Parece rebuscado, mas ele sabia que se dissesse à Elo tu acabarias por saber. OK, Susana, retransmito-te a minha cabeça: acho que deves ter reparado que estou nervoso, porque reparas em tudo. Estou nervoso, penso que talvez te pareça mal que eu to tenha dito. E estou mais nervoso ainda porque não consigo estar à altura daquilo que sei: que não te parecerá mal.

Uma vez, quando tinha dezassete anos, aconteceu que fiz um problema de química um bocado complicado e o levei ao meu pai para lho mostrar. O meu pai estava nessa altura a falar com um amigo dele, o Roberto, um tipo que ia muitas vezes a nossa casa e que eu respeitava muito por ele ter conseguido realizar a minha ambição desse tempo: trabalhar em engenharia genética. O meu pai começou a corrigir o problema dizendo em voz alta em que ponto me tinha eu enganado. De repente, interrompeu-se e disse-me: não te importas que eu te corrija isto diante do Roberto? Eu disse que não, mas claro que me importava.

Porque não tinha confiança em mim, e embora tenham passado dez anos, continuo a não a ter inteiramente. É que me enganei montes de vezes. Iludi-me, servindo-me gato por lebre ou fazendo o que tinha prometido não voltar a fazer. Deixei-me pendurado. Atrasei-me apesar de ali estar deslumbrado, prometendo-me a maior felicidade, à minha espera durante horas ou dias e acabei por não aparecer.

Julgo que tu não fazes isto contigo. Olha, o teu pai e eu escrevemos vários mails um ao outro durante este ano. O último a escrever fui eu; a seguir passou-se aquilo com o teu irmão na escola e suponho que o teu pai não voltará a escrever-me. Acabou por me dar jeito. O que ele fez, destruir o trabalho de meses de muitas pessoas, não é justo. Se o teu pai tivesse ido ao terraço umas semanas antes, talvez tivesse acabado com tudo, apanhando-nos quando estávamos mais dispersos, com mais dúvidas acerca de continuar ou não. Por sorte fê-lo quando nós já tínhamos outras acções em curso. Mas ele não o sabia. A intenção dele era que nos fôssemos abaixo. Por isso reprovo as razões e os actos dele, mas considero-o um inimigo digno, talvez porque quando me escrevia separava as razões do que era simplesmente medo e desejo. A minha avó dizia: censurar a acção, mas não a pessoa que a comete. Sempre me perguntei como separava ela as duas coisas, como poderia alguém separá-las. Por outro lado, se não as separássemos desapareceria a confiança, o valor da emenda, a aprendizagem.

Num destes últimos dias li um artigo do director do Centro de Imunologia Molecular em Cuba. Fala de cientistas que "façam sua a herança de ideias e valores que a nossa história nos lega". Enquanto o lia pensava no centro para onde vamos a Elo e eu, nas ideias e valores que a nossa história nos lega – na sua maior parte não são de molde a fazer com que nos sintamos orgulhosos. Bem sei que os biotecnólogos cubanos também duvidam, deve ser complicado conviver com relações socialistas no interior e capitalistas no exterior. Ou criticar a propriedade intelectual ao mesmo tempo que são obrigados a usá-la. Mas lá eles sabem que trabalham para que todas as pessoas do seu país, e não somente algumas, possam beneficiar do que descobrirem. E se nem todas beneficiam, isso significa que alguma coisa está mal e deve ser corrigida. Em contrapartida nós trabalhamos para que uns poucos se apropriem dos benefícios, ao mesmo tempo que não se trata de uma anomalia, mas são essas as regras de um jogo tão nocivo como absurdo.

Se eu falasse disto ao teu pai, ele nem ao trabalho de discutir se daria, porque faz parte de uma realidade para a qual interrogarmo-nos sem preconceitos sobre a biotecnologia cubana é uma coisa sem sentido. Para ti e para mim, em contrapartida, é uma questão importante. Também queres fazer investigação: como vamos separar o que investigarmos do lugar onde o fazemos? Como vamos, por exemplo, poder fazer frente, sós, ao sistema de patentes? De que maneira diremos: ninguém pode "possuir" tudo o que é necessário para fabricar conhecimento, a produtividade científica está ligada à cultura e ao conhecimento comum da espécie e ninguém deveria poder apropriar-se destes? E contudo, teremos de continuar a procurar formas de o fazermos.

Vem ver-nos rapidamente, Susana. A casa que vamos arrendar está num sítio onde à noite ainda se vêem estrelas. Os adolescentes ainda não muito distantes que fomos gostam de recordar que existe o universo, e que a terra é um grão de areia no espaço mas também uma bola de ferro com seis bilhões de toneladas coberta pela vida. Sabes que o teu pai me pediu que olhasse por ti? Como vou estar um bocado longe terá de ser ele a fazê-lo, podes dizer-lho da minha parte.

COMUNICADO 8: NÃO MORRO

Um ou outro ser individual estará a perguntar-se porque não falei eu ainda das divergências ou que terei a dizer das divisões internas, das lutas pelo poder, minúsculo até ao momento, que os seres colectivos como eu engendramos e repartimos. Será que os meus membros individuais não se odeiam, não competem, não se montam armadilhas, não evitam o trabalho, não cultivam as pequenas coisas mesquinhas e as invejas, a adaptação e a preguiça? Com efeito, como diz a lenda, nós, os seres colectivos militantes, duramos pouco e desagregamo-nos por causa de divergências, de conflitos, ou também por negligência.

Há uns dias estive com a Plataforma Contra o Empréstimo Pago nas Bibliotecas. É evidente que os seres colectivos do tipo desta plataforma têm a vida difícil, nos casos em que nascem associados a um acontecimento, sair da NATO ou, agora, conseguir a não instauração do pagamento do empréstimo bibliotecário. A Plataforma Contra o Pagamento falou-me da sua existência intermitente, por vagas. Por vezes, segundo me dizia, experimenta um prazer muito intenso quando os seus membros afastados da acção, como que adormecidos, voltam a convocar-se num impulso crescente em vista de uma nova série de actividades.

A Plataforma Contra o Pagamento pensa que se um dia alcançar os seus objectivos não se extinguirá, porque se produzirá pelo contrário uma multiplicação vegetativa através da implantação e enxerto dos seus membros individuais no colectivo de colectivos que eu sou. Se isso se verificar, ninguém o terá em conta e voltaremos a ouvir a lenda negativa sobre os seres colectivos militantes: somos flores de um dia, não duramos nem persistimos nem temos visão do futuro.

E no entanto, duramos. E fazemo-lo em contextos preparados para que assim não seja. Um ser individual que admiro, Raymond Williams, escreveu: "As experiências capitalistas nunca são as únicas possíveis, uma vez que dentro das pressões e limites as pessoas chegam a outros acordos, descobrem outras adesões e tentam viver segundo outros valores. Embora o impulso capitalista continue presente".

Duramos, e embora haja divergências, conflitos, abandono e negligência, a árvore não se define pelo movimento dos seus ramos, mas pelo tronco, a copa e as raízes. Ainda que o vento não agitasse os seus ramos continuaria a ser árvore; em contrapartida, não o seria sem raízes. Não são as divergências que nos definem, nem os conflitos nem a negligência. Sopram, sem dúvida, e agitam-nos, mas não nos definem: não são consubstanciais à nossa natureza.

Raymond Williams escreveu também: "O sistema de auto-estradas, a nova distribuição das habitações longe do centro, os edifícios de escritórios e os supermercados que substituem as ruas com casas habitadas por famílias e com lojas, podem materializar-se sob a forma de um plano administrativo, mas não há qualquer caso em que não tenham sido consideradas, desde o início, as prioridades do sistema capitalista. Quer no caso dos camiões contra os comboios, quer na situação mais geral em que as próprias terras são consideradas, em termos abstractos, como uma rede de transporte, a decisão terá sido sempre tomada originalmente – e será finalmente determinada – por proprietários que calculam os seus ganhos, e é a estes que é dada a prioridade".

Por detrás dos telemóveis, do sumo de laranja, das vigas de cimento armado dos hospitais e do chá de jasmim, das praias sujas e do solo coberto de betão e dos montes ainda vivos, dos livros que se estudam nas escolas, do trabalho de cada dia, dos jovens desempregados e dos adultos desempregados, dos clientes da classe executiva e dos clientes do autocarro inseguro e dos de clube de futebol e dos das bicicletas fixas e dos que compram medicamentos; por detrás de uma paisagem observada da janela de um hotel ou pisando a terra; por detrás do leite creme, do calor, do salário usado como prestação, suborno ou recompensa, os departamentos das universidades, os despedimentos e os gritos, a docilidade e os pimentos vermelhos e as televisões e os pássaros, a lâmpada acesa, a poltrona de orelhas, o mar envenenado, os gins tónicos, as obras, os operários, os directores de recursos humanos, a composição do detergente, a depressão, a água, as fichas da mesa de jogo, os cemitérios, as latas de mexilhões, os preservativos e os dentes, os animais e as bombas de gasolina, os filmes e os mortos, os créditos e a imaginação, por detrás do tipo de vida que percorrem os meus membros individuais há, sempre, proprietários que calculam os seus ganhos.

Quando alguns dos proprietários morrerem outros virão, o problema não são os nomes concretos, mas que, na hora de se fazerem as contas, o critério seja o lucro do capital. Quando o gestor de uma empresa defende os seus produtos não o faz por serem maus ou bons, interessantes ou estúpidos, úteis, desnecessários ou prejudiciais. Está na natureza das empresas capitalistas usarem como critério a taxa de lucro. E receio muito que, sob pressão, o mesmo critério surja nos procedimentos de algumas empresas socialistas embora, de tal modo que, nesse caso, tenhamos de supor que o critério do justo, do bom para a comunidade, entrará em conflito com o outro critério.

Quanto a nós, o que é que está na nossa natureza? Porque se agrupam os membros dos seres colectivos militantes se não é a fim de obterem mais-valia? Que cálculo fazemos nós, se é que fazemos algum? Deixem-me contar-lhes uma coisa que acaba de acontecer. O ser individual Manuela veio há pouco a um dos locais onde eu me materializo.

Não tendo a materializar-me em locais românticos. Ou antes, tender, tenderia algumas vezes, mas não os há disponíveis. Locais fixos, quero eu dizer. Porque lugares esporádicos, esses há: de quando em quando os seres colectivos militantes procuram território não asfaltado para alguns encontros e reuniões e então, como um adolescente, adquiro ainda o privilégio de ocupar bosques, vales. Cheguei até a conhecer lareiras não estragadas pela sofisticação da pousada de luxo e pela rusticidade artificial. Até as fogueiras ao ar livre conheci e escutei o rumor dos pinhais quando anoitece.

Mas o habitual, entendamo-nos, são os rés-do-chão ou os primeiros andares com cadeiras de escritório do pai ou da mãe, algumas mesas mastodônticas ou anãs, paredes cobertas com cartazes de realizações caducadas e a um canto, por vezes, dois computadores prestes a caducar. Costuma além disso haver uma dessas cafeteiras onde a água, depois de atravessar um filtro com café, pinga para dentro de um recipiente de vidro colocado por seu turno em cima de uma chapa quente. O resultado é um líquido escuro, morno e, pelo que pude compreender, nada saboroso, que se acompanha com torrões de açúcar extraídos de caixas contendo cem ou duzentas unidades, e que se consome em copos de plástico ou em chávenas de louça desemparelhadas.

Eis o que se passou com Manuela: encontrou a cafeteira em cima de uma mesa e, enquanto esperava que os restantes membros da sua comissão fossem chegando, preparou café. Os dois indivíduos de guarda (também chamada permanência) nas instalações, mais uma rapariga que estava a agrafar fotocópias, mais dois ou três membros da comissão que foram chegando, reuniram-se à volta do mencionado líquido. Era a primeira vez que Manuela vinha a uma reunião da comissão. Estava um tanto inquieta e irrompeu a falar como outras pessoas irrompem a chorar ou a rir, como por vezes irrompe o Verão a fazer calor e o Inverno a fazer frio.

Falou de Sócrates e eu, como é natural, não estava a princípio muito atento. Não me impregno de todos os assuntos. Fui aprendendo, como é sabido, alguma coisa de algas: descobri, por exemplo, que quem toma uma cerveja com azeitonas recheadas de anchovas consome algas do Chile que ajudam a estabilizar a espuma da cerveja, e algas chinesas que dão uma consistência de gelatina à pasta de anchovas. O concreto, o que é próximo e afecta os sentidos, diverte-me. Mas Sócrates...

O certo é que Manuela irrompeu a falar e, passados poucos minutos, já eu estava também a ouvi-la. As vozes dão-me prazer e a dela toca-me: vibro quando a ouço. De resto intrigou-me a palavra descaro: sem cara ou com muita cara? Enfim, ela estava a falar do descaro de Sócrates. O velho filósofo, depois de ter sido condenado à morte, teve a oportunidade de propor uma pena alternativa menor, do género do desterro ou de uns anos de cadeia, coisa com que provavelmente os juízes teriam assentido. Todavia o que ele propôs foi que lhe dessem sustento no Pritaneu, um edifício sagrado onde, à custa do erário público, eram sustentados por exemplo os cidadãos que tinham conquistado louros olímpicos. Mas apesar do que pudesse parecer, isso, disse Manuela, não fora descaro mas razão. Para Sócrates o mais importante numa vida, disse ela, era tentarmos não cometer acções injustas, e portanto era lógico que ele não quisesse ser também injusto para consigo mesmo falando como se merecesse um castigo a fim de se livrar de uma pena maior.

Já todos tinham tomado o café. Os dois homens que faziam a permanência deviam rondar os setenta anos, a rapariga que agrafava fotocópias teria vinte e poucos; quanto aos membros da comissão, as idades variavam entre os vinte e os quarenta. Estavam agora presentes as seis pessoas que a compunham, para além de Manuela. Um homem com cerca de cinquenta anos saiu da divisão ocupada e desculpou-se junto dos que esperavam a sua vez de reunir: demorariam ainda uns dez minutos mais. Quando o homem voltou a entrar, Manuela perguntou se não poderiam começar a reunião ali mesmo, para não se atrasarem muito. Um dos rapazes da comissão disse que sim, mas pediu--lhe que contasse até ao fim a história de Sócrates.

Então Manuela olhou para os dois homens mais velhos, os da permanência, e disse que sempre tivera medo de militar, de se organizar, de fazer parte de um colectivo ou de um partido ou de um movimento, porque sempre receara perder assim o seu juízo individual. Disse que só muito tarde compreendera a morte de Sócrates. Este nunca abandonou o seu juízo, a sua ideia do que deveria guiar uma vida boa, e contudo cumpriu a lei da assembleia porque sem ela, sem o colectivo, não poderia existir a possibilidade de exercer o seu juízo e de viver justamente. Manuela disse então que aquilo que se opunha ao individual não era o colectivo, mas o individualista.

A seguir, durante alguns segundos, Manuela falou de mim. Não precisou de me tratar pelo meu nome. Ou de aludir às minhas ocupações. Não disse nada da corporação. Também não falou das minhas características, se me é permitido falar assim, pessoais. Não se referiu ao meu sonho de me transformar num centro um tanto parecido com o que vai acolher Goyo e Eloísa, um refúgio onde os estudiosos e os cientistas pudessem tentar considerar o mundo e os seus fenómenos sem que o vórtice do imediato os empurrasse para diante, um lugar simples, silencioso sem ser monástico, tranquilo sem ser remoto. Não falou da minha fotografia favorita: as duas cúpulas, cirros de nuvens, uma franja do Oceano Atlântico. Talvez nem sequer tenha falado exactamente de mim, mas de alguém como eu, mas não importa.

Fez o gesto de alisar com a mão a superfície da mesa e, devagar, falou do que é realmente consubstancial à natureza dos seres colectivos militantes: é preciso, disse ela, viver agora e no futuro, tentando agora com o máximo esforço julgar e agir acertadamente, e convocando um futuro no qual não interfira o cálculo. Mas um futuro não só longínquo e impreciso, um futuro que possa começar nas próximas vinte e quatro horas ou talvez nos próximos vinte e quatro dias, disse ainda, e então, não sei porquê, quis-lhe muito.

A noite aproxima-se. Segundo parece, a fase escura não deveria chamar-se assim, pelo menos na fotossíntese. Há reacções independentes da luz, e é tudo. Refiro-me ao facto de o obscuro nem sempre ser mais fatigante para as plantas nem para os seres colectivos, nem para os individuais. Talvez esta claridade seja mais nociva. Não receio a noite. Virá um tempo de andar mais devagar e tactear, haverá reflexos nas lentes dos óculos antigos, o espaço será mais perceptível, bem como o tamanho do tempo e o das proteínas e dos astros.

Há um momento que sinto uma alegria obstinada. Se eu fosse um anjo, não acredito em anjos mas se fosse um desses anjos dos filmes a preto e branco pensaria, suponho, que já podia ir-me embora. O tempo da crisálida terminou, agora os colectivos viverão. Quanto a mim, talvez me desmaterialize e para a próxima vez esteja mais perto de me materializar num organismo simples, que tenha em conta projectos de rentabilidade a longo prazo, conduza investigações necessárias e seja silencioso sem ser monástico, tranquilo e desanuviado como as noites em que o frio do solo se transmite ao ar e a humidade se precipita.

ENRIQUE A SUSANA

Já o sabes, filha, deverá ter-to contado esse rapaz, o Goyo, ou a namorada dele. Eles não mo disseram, mas eu sei que o sabes, olhas para mim sabendo-o e estás à espera de o ouvir da minha boca. É verdade: destruí os vossos fotobiorreactores, a alga vermelha ficou espalhada no chão, não levei sequer quinze minutos a fazê-lo. E agora, como será? Não me vou embora, não deixarei o campo livre. Estarei aqui, como contrapeso. Se a tua mãe não mo pedir, por mim não penso separar-me. Julgo que não te falei muito do meu trabalho, talvez não saibas que nos atribuem contas de clientes e nos pedem que façamos o FARO de cada uma delas. Fraquezas, Ameaças, Recursos e Oportunidades. Para alguém que sempre troçou das receitas, fossem elas de 68, católicas ou dos livros de auto-ajuda, ver-se obrigado a usar esta terminologia de *O Maior Vendedor do Mundo* é um tanto vergonhoso, mas é a que existe. Tentemos então fazer o meu FARO, Susana, o da conta que tenho com vocês, a minha família, e comigo próprio.

Fraquezas? Não sei se vale sequer a pena perguntar quais são: suponho que todas. E, atenção, não quero fazer-te dó. "Tradicionalmente viram-nos como fornecedores de assistência técnica e é muito difícil a venda de outro tipo de projectos, sobretudo de Consultoria, mas a tendência parece estar a mudar". É este o tipo de coisas que incluo nas fraquezas. E aqui em casa, como se passam as coisas? Tradicionalmente vocês viram-me como um semáforo, e agora os semáforos pouco vos importam. Bem, estou a exagerar. Talvez também não valha a pena uma análise. Por exemplo: "estou cansado de me fazer simpático" – será fraqueza, ameaça, recurso? Sou o pobre tipo da companhia que tem de fazer conversa com toda a gente porque já não tem muito para oferecer, ou que tem coisas que não interessam. Assim faço conversa, passo o dia a fazer-me simpático, a mostrar-

-me atento. Estou um grau abaixo do graxista, porque o graxista adula quem pode favorecê-lo. Eu adulo todos, para o que der e vier, é uma porra, e porque já só me resta agarrar-me à condescendência alheia, mantêm-me por ser simpático, dão-me uma ou outra pequena tarefa interessante por ser simpático e acabou-se: para as competições sérias não sou convocado, já não risco. Poderia tornar-me um tipo calado. Taciturno, que raio de palavra. Juro-te que se há alguma coisa a que eu aspire, é à taciturnidade.

Da ameaça não vou dizer-te senão uma coisa: nunca pensei que viesse de dentro. Pensei que a ameaça estava fora, que tentaria entrar. Por isso vedei as entradas, mas descuidei as saídas. E não me digas que o equatoriano veio de fora. Vi-o há umas três semanas numa obra. Olhámos um para o outro, creio que ele me reconheceu. Subiu na vida. Na construção ganhará bastante mais do que distribuindo compras. Em breve passará do arrendamento à hipoteca. Nem todos o conseguem, bem sei, mas via-se que o Carlos Javier continuaria em frente. Vai comprar a câmara de vídeo, a consola para os filhos, o carro. Estou a ir muito depressa, reconheço que sim, suponho que o aguardarão ainda grandes dificuldades. Apesar de tudo, admitirás comigo que não foi a trajectória profissional do equatoriano que abalou os alicerces da tua mãe. A ameaça estava dentro. O equatoriano talvez a tenha alimentado, nada mais.

Recursos? Tudo se desmorona. Reconheço em mim os sintomas da criança imbecil que queria esvaziar o mar com o seu balde de praia. O que faço é pôr um tijolo por cada dezassete que caem. Ridículo. E porque não me deixo disso? Estarei à espera de ver chegar no último momento o Sétimo de Cavalaria? A minha estupidez não chega a tanto, minha filha. Tu e os teus amigos julgam que eu gosto do Bush e dos seus equivalentes. Eu não penso no Bush. Quando digo que tudo se desmorona, quero dizer tudo. Aqui como nos Estados Unidos e na Indonésia e na Oceânia. Em tempos houve um pacto, era injusto, de acordo, mas permitia que alguns acordos se realizassem. Agora não: acabaram-se as regras, adeus pacto. Quebrou-se e o curioso é que não se quebrou pelo lado mais fraco, não foram vocês que o quebraram, nem os emigrantes, nem os deserdados. Quebrou-se pelo lado mais forte. E aí dou-te razão naquilo que tu disseste à tua mãe: não estou no lado mais forte, não sou suficientemente rico para tanto.

Odeio a palavra oportunidade. Tive de a usar demasiadas vezes, de dizer ao meu chefe: "Em tal empresa estão a utilizar o Open Text e isso para nós constitui uma oportunidade". Odeio o que a palavra significa. Não andarei à volta da mesa familiar como um cão fraldisqueiro à espera de que apareça uma oportunidade e de que vocês me dêem alguma coisa. Não quero ficar à espreita disso, Susana. Não é para isso que fico convosco. E haverá oportunidades, eu sei. Um dia, mais tarde ou mais cedo, a tua mãe, tu, o teu irmão mais novo, por motivos diferentes, durante umas horas, entrevendo o frio de um domingo, vão renegar a aventura. Mas não é para me aproveitar desses momentos que fico. Tenciono dar luta. Que luta? A minha, Susana: a – desajeitada? – triste? – batalha pela minha bolha: a casa, o carro, as expectativas profissionais dos meus filhos e quatro coisas mais.

Esta vida, assim, é insuportável. Mas não há outra. Defenderei a minha bolha dentro desta vida e, é curioso, não a defenderei dos fortes, dos que quebraram o pacto e já não o escondem enquanto matam, destroem, roubam e mentem a grande escala. Açambarcam, incomodam-nos os dois ou três países que decidiram nacionalizar os seus recursos, isso afrouxa-lhes o passo e eles têm pressa. A catástrofe aproxima-se: estão dispostos a levar tudo à sua frente. Se alguma vez pensei que os fortes me dariam um lugar, pelo menos à porta como cão de guarda, sei hoje que não. Tu e a tua mãe tiraram-me essa fantasia da cabeça, mas, vamos lá, não sei se é coisa de que possam sentir-se orgulhosas. Porque o resultado final não vos favorece, nem a mim. Pensei que a minha bolha seria para os fortes como a casota do cão. Que a tratariam com o mesmo respeito com que tratam as suas propriedades. Pois bem, não é assim. A minha bolha não interessa minimamente. Agora estou só, Susana. Eles não se importam comigo e de vocês, tenho de me defender.

Quem são vocês? Que ameaça é esta que estava dentro? Não tenho a certeza, filha. Recusaste a minha herança, a série de bens, direitos e obrigações transmissíveis que te permitiriam não começar do zero. Muitos e muitos pais hão-de ter pensado algumas vezes isto que aqui estou a dizer. A partir de uma certa idade os filhos afastam-se, põem objecções aos valores e também às formas. Mas não é disso que estou a falar, Susana. O teu caso é diferente porque fazes parte de uma organização revolucionária: o que é muito diferente de um grupo de *jazz* ou de recolha de coisas velhas de casa para o Terceiro Mundo. Pelo menos é uma organização pacífica, de momento. Não quero ser alarmista. Não estou alarmado. Estou perplexo porque tu esperas agora que eu o aceite. Militas. Não é a mesma coisa que recusar formas de vestir, hábitos de consumo, certos comportamentos. Recusa-los, mas com horário. Todas as segundas-feiras, muitas quintas, bastantes fins-de-semana vais a essas reuniões. Não é um capricho, Susana. É uma assinatura: "e para que conste, assino-o". Um dia, e outro dia.

Gostaria de pensar que estou a exagerar, mas conheço-te e não posso iludir-me. Periodicamente sais de casa para refutares a minha vida, para a abominares. Queres derrubá-la, ou mudá-la, ou transformá-la, os eufemismos pouco me importam. Quando acusei a tua mãe de querer confundir a história dela, a sua própria história, a nossa história, com a história da humanidade, ela disse: a minha história não é outra senão a história da humanidade. Frases. Detesto as frases. E tu, quando tinhas dezassete anos e entraste pela primeira vez nesses grupos, disseste: exploramos o minuto seguinte. Frases. Não selvas, nem desertos, nem mangues, nem a superfície da lua, nem o fundo dos oceanos. O minuto seguinte. Surpreende-te que eu me lembre? Também o capitalismo explora o minuto seguinte. Irão vocês ultrapassar o capitalismo? Vocês? Permite que me ria.

Há uma coisa de que não te deves lembrar. Terias uns nove anos e eu pus-me a mostrar-te as estrelas. Houve uma de que gostaste muito, Antares, a estrela vermelha. Disseste que querias ir viver para Antares. "Pode viver-se nos planetas", disse eu, "nas estrelas não se pode viver". "Mas este planeta está mal", disseste tu. Suponho que na escola já teriam começado a falar-vos de problemas ecológicos e de outras histórias. O que aconteceu, Susana, foi que nesse dia fiquei calado. Não disse: "Este planeta está mal, mas tu vais ter uma bolha dentro dele e terás de ser forte dentro dela e de a defender". Não disse que herdarias a minha bolha ou uma parte dela. E agora tu deserdas-te a ti própria, filha. Tens vergonha do que eu consegui, pensas que está manchado de sangue. Eu vejo-vos aí, na noite da floresta, na tempestade. Vocês querem que neste planeta se possa realmente viver. Que Antares vos proteja. Eu não sei se posso.

ESTE LIVRO FOI COMPOSTO EM CARACTERES SPECTRUM
E IMPRESSO EM PAPEL CORAL BOOK WHITE
NA GRÁFICA DE COIMBRA
NO MÊS DE FEVEREIRO
DE DOIS MIL
E DEZ